JÜRGEN THORWALD

MACHT UND GEHEIMNIS

DER FRÜHEN ÄRZTE

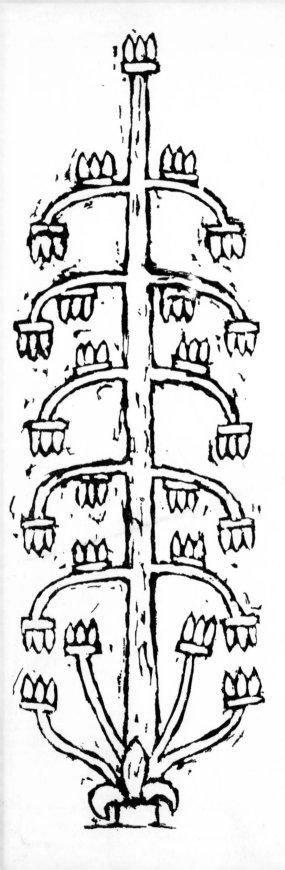

Jürgen Thorwald

370 Abbildungen und

8 Farbtafeln

MACHT
UND GEHEIMNIS
DER FRÜHEN ÄRZTE

Ägypten Babylonien Indien

China Mexiko Peru

Deutsche Buch-Gemeinschaft

Berlin Darmstadt Wien

Für Dr. Aldo Libanione, Lugano, den Freund

Bildauswahl und Zusammenstellung JÜRGEN THORWALD

Einbandgestaltung: Günther Hädeler

© Droemersche Verlagsanstalt Th. Knaur Nachf. München · Zürich 1962

und Thames and Hudson, London 1962

Satz und Druck: DuMont Presse, Köln

Bindearbeit: Berliner Druck und Buchbinderei G.m.b.H., Berlin

Printed in Germany 1963

«*Sie haben uns noch gelehrt,
daß die Geschichte der Medizin mit den frühen Griechen beginne
und daß Griechenland der Urquell allen Arzttums
und allen medizinischen Denkens sei.
Wie sehr sind doch unsere Vorstellungen
dem Wandel unterworfen.
Nun weiß ich, daß Sie im Irrtum waren
und daß es nicht nur Ärzte,
sondern auch Ursprünge ärztlichen Denkens
schon Jahrtausende vor dem Erscheinen
des ersten griechischen Arztes in der Geschichte gab.
Trotz aller Ungunst der Überlieferung
werden sich uns noch ältere Welten
der Medizingeschichte eröffnen.
Wenn es mir beschieden ist, diesen Krieg zu überleben,
werde ich mich diesen Welten widmen.*»

AUS EINEM BRIEF
DES ARZTES UND MEDIZINHISTORIKERS
PAUL CARDANO (GEF. DEZ. 1944 IN FRANKREICH)
AN SEINEN ALTEN LEHRER

Sunu oder die frühen Ärzte am Nil

INHALT

Asu oder die Ärzte in Assur und Babylon

im Kampf gegen die krankmachenden Dämonen • Mühsame
Entwicklung der rationalen Medizin • Asu, die echten Ärzte •
Entdeckung chirurgischer Instrumente in Ninive • Die
trepanierten Schädel von Lachis • Operation des grauen Stars
in Babylon im 18. Jh. v. Chr. • Augengläser in Ninive? • Die
Entdeckung des Katheters zur Behandlung der weitverbreiteten
Geschlechtskrankheiten • Gewalttätige Sexualität • Dirnen und
Buhlknaben • Ausschweifung und Perversität der Tempel-
prostitution • Die Tontafelberichte über die Gonorrhöe • «Wenn
aus dem Penis eines Mannes Blut und Eiter dringen» •
R. Campbell Thompson übersetzt Rezepte mesopotamischer Ärzte •
Entdeckung der krampflösenden Eigenschaft der Belladonna •
Hanf aus Indien zur Milderung der Schmerzen • Drogenhandel
zwischen Indien und Sumer im 3. Jahrtausend v. Chr. • Weide und
Wacholder • Sklaven testen die Wirkung unbekannter Pflanzen •
Süßholz und Magenleiden • Kalziumkarbonat gegen Nierensteine •
Wickel, Massagen, Stuhlzäpfchen und Einlauf • Samuel Noah
Kramer und die Rezepte sumerischer Ärzte • Kenntnis chemischer
Prozesse im 3. Jahrtausend v. Chr. • Offene Fragen

Waidja oder die Wissenden des alten Indien

Anatomische Studien an Toten · Gespenstische Methoden ·
Physiologische Vorstellungen der frühen indischen Ärzte · Irrtum
und Erkenntnis · Die Rauwolfia, Blutdruckmittel der Neuzeit,
ein Geschenk des frühen Indien an die Nachwelt · Die 500 Heil-
mittel des Tscharaka · Das indische Pionierzeitalter der Chirurgie ·
Die Entdeckung des Starstichs · Geniale Instrumente · Künstliche
Nasen oder die Geburt der plastischen Chirurgie · Die indische
Blasensteinoperation und ihr Weg in die antike und mittelalterliche
Welt · Wundnähte · Bauchchirurgie · Ameisenzangen als Naht-
klammern · Chirurgie-Schulen · Unterricht an Puppen, Tierblasen,
Bambus, Melonen, Tieren · Frauenheilkunde · Wissen um die
Entwicklungsstadien des Kindes im Mutterleib · Kaiserschnitt ·
Die Joga-Lehre · Ursachen der indischen Pionierleistungen ·
Buddha und die Ärzte · Hospitäler in Ceylon (427 v. Chr.) ·
Spitalgründungen des Königs Aschoka · Die Pflichten altindischer
Ärzte und der Hippokratische Eid

'i' oder die Ärzte des alten China

bild der Weltvorstellungen Altchinas • Yin und Yang, die alles
bewegenden Kräfte • Sympathikus und Vagus • Der altchinesische
Arzt Pien Ch'io • «Nan⁄Ching» und die Puls⁄Diagnose •
Spekulation und Wirklichkeit • Ursprung der Akupunktur • Die
Headschen Zonen • Die frühen chinesischen Ärzte und die Drogen •
Die Neuzeit entdeckt die Wirksamkeit des Ephedrin • Quecksilber •
Das Malariakraut • Schweineleber gegen Blutarmut • Die lange
verborgenen Geheimnisse der Ginseng⁄Wurzel • Pocken • Die
Chinesen als Schöpfer der Immunisierung • Fehlen der Chirurgie •
Hua⁄to, der einzige Chirurg (190–265 n. Chr.) • Schmerz⁄
betäubung • Chinese oder Fremder

ticitl ahmen hampi–camayoc oquetlupuc oder die frühen Ärzte in Mexiko und Peru

Geschichtlicher und kulturgeschichtlicher Hintergrund • Die
«kranken» Tonplastiken aus Nayarit, Colima, Jalisco • Abner L.
Weisman und seine Sammlung • Tuberkulose? • Rachitis im frühen
Mexiko • Gonorrhöe • Die Plastik mit dem Kaiserschnitt • Syphilis
und Nierenentzündung • Ein Maya⁄Krieger mit Augentumor •
Die Hasenscharte aus dem Olmekenland • Azteken⁄Medizin ist nur
die letzte Etappe der medizinischen Entwicklung in Mexiko • Die
spanischen Forschungen über aztekische Medizin • Nicolaus
Monardes und Francisco Hernandez • Naturgeschichte der neuen
Welt • 1200 aztekische Drogen • Zauber, Beschwörung und
Menschenopfer neben rationaler Medizin • Wundnaht mit Menschen⁄
haar • Orthopädie • Mandeloperation • Diät • Schwitzbad und
Massage • Sarsaparilla • Peyotl und andere Rausch⁄ und
Betäubungsmittel • Die medizinische Verwendung von Tabak und
Kautschuk • Mögliche Rückschlüsse von der Azteken⁄Medizin
auf die Ärzte der frühmexikanischen Kulturen • Olman, das
Kautschukland • Kakao • Zurück zu den Olmeken • Am Anfang
der Forschung

Sunu

oder die frühen Ärzte am Nil

Um das Jahr 1810 sah Dr. Karl Gustav Carus, Arzt und späterer Freund des deutschen Dichters Goethe, zum ersten Male Zeichnungen altägyptischer Bauwerke, so wie sie damals einsam und oftmals vom Sand halb verweht aus dem Boden des Nillandes hervorragten. Von jäher Bewunderung erfüllt, rief Carus aus, solche Bauwerke könnten nichts anderes sein, als Zeichen einer uralten, vergessenen Wissenschaft, deren Größe die Menschheit des 19. Jahrhunderts schamrot machen müsse.

Carus sprach diese Worte in einem Augenblick, in dem der größte Teil der gebildeten Welt noch davon überzeugt war, daß die Menschheitsgeschichte, in jedem Falle aber die Geschichte der Kultur, nur mit einem Volk beginne: mit den alten Griechen.

Wenn Carus sich der vollen Bedeutung seiner Worte bewußt gewesen ist, dann hat er jene ungewöhnliche Vorstellungskraft besessen, welche vorausschauend oftmals erkennen läßt, was allgemein erst Generationen später begriffen wird.

Mehr als hundert Jahre nach Carus beschäftigte sich einer der bedeutendsten angloamerikanischen Pioniere der Medizin, Sir William Osler, mit der hier abgebildeten Statue eines vornehmen Ägypters aus der Zeit um 2800 v. Chr.

Der unten abgebildete Namenszug des Ägypters lautete Imhotep, das bedeutet «der Zufriedenheit gibt». Osler schrieb, Imhotep verkörpere «die erste Gestalt eines Arztes, dessen Leben aus dem Nebel der Frühzeit hervortritt».

Im Jahre 1921, als Osler diesen Satz veröffentlichte, hatten die Historiker bereits erkannt, daß die Kulturgeschichte durchaus nicht mit Griechenland begann, sondern mit anderen, großen und älteren Völkern, unter denen die Ägypter eines der wichtigsten waren. In der Geschichte der Medizin jedoch galten die Griechen immer noch als die

Schöpfer aller wahren Heilkunst und Imhotep bestenfalls als ein mythischer Heilgott aus der Spätzeit Ägyptens, dem jede echte Bedeutung fehlte. Wenn Osler wie Carus die volle Bedeutung seiner eigenen Äußerung erkannt hat, dann war er gleich diesem ein Prophet, dann sah er, was zu sehen andere noch Jahrzehnte benötigten: die Existenz einer echten, aus den mythischen Nebeln frühmenschlichen Dämonen- und Götterglaubens herausragenden ägyptischen Medizin – mehr als 2000 Jahre bevor die ersten Ärzte Griechenlands auf der Bühne der Geschichte erschienen waren.

Die Geschichte der Medizin bedeutet nichts, sieht man sie nicht in Beziehung zu den Völkern und Kulturen, in deren Schoß sie sich vollzieht. Es wäre daher auch fruchtlos, über die Geschichte der frühen ägyptischen Medizin, wie sie Osler vor Augen stand, zu berichten, ohne wenigstens die Umrisse jener Welt zu zeichnen, in der sie wuchs und blühte.

Fremdartig und geheimnisvoll wirkt diese Darstellung Djosers, des ersten Königs des ägyptischen Reiches, von dem die moderne Geschichtsschreibung ein genaueres Bild besitzt.

Er, der um 2773 v. Chr. in Memphis die Herrschaft über Ägypten antrat, war der erste unter mehr als 200 Königen und Königinnen, welche Ägypten regierten, bis es nach einer reich bewegten Geschichte und dem Tode der Königin Kleopatra als römische Provinz endgültig Größe und Glanz verlor.

Aber Djoser war nicht der erste Herrscher des Reiches, das so spät und wunderbar aus dem frühen Dunkel der Geschichte emporstieg. Nur der Zufall der Überlieferung läßt sein Bild klar und greifbar erscheinen. Vor ihm lebten andere, wahrscheinlich größere, die das Reich und die Grundzüge einer geistigen Welt schufen, die Djoser bloß übernahm.

3200–2780 FRÜHGESCHICHTLICHE ZEIT (THINITENZEIT).
1. Dynastie (Menes, Djer) und 2. Dynastie.

2780–2280 ALTES REICH (ZEIT DER PYRAMIDEN).
3. Dynastie: Djoser.
4. Dynastie: Snofru, Cheops, Chephren, Mykerinos.
5. Dynastie: Sahure, Niuserre, Unas.
6. Dynastie: Teti, Phiops.

2280–2052 ERSTE ZWISCHENZEIT.
7.–8. Dynastie in Memphis.
9.–10. Dynastie in Herakleopolis (im Norden).
Gleichzeitig im Süden die ersten Könige der 11. Dynastie.

2052–1778 MITTLERES REICH.
11. Dynastie: Könige namens Mentuhotep.
12. Dynastie: Könige namens Ammenemes und Sesostris.

1778–1567 ZWEITE ZWISCHENZEIT.
13. Dynastie: Könige namens Sebekhotep, Neferhotep usw.
14. Dynastie im Delta.
15.–16. Dynastie Hyksos (im Norden).
17. Dynastie: Könige von Theben (im Süden).

1567–1085 NEUES REICH (ZEIT DER GROSSMACHT).
18. Dynastie: Amosis, die Könige namens Amenophis und Tuthmosis, Königin Hatschepsut, Echnaton, Tutanchamun.
19. Dynastie: Sethos I., Ramses II., Merneptah.
20. Dynastie: Ramses III.–XI. (die Könige der 19. und 20. Dynastie werden Ramessiden genannt).

1085–715 DRITTE ZWISCHENZEIT.
21. Dynastie, regiert in Tanis (Psusennes).
22. oder erste libysche Dynastie (Schoschenk).
23. oder zweite libysche Dynastie (Petubastis).
24. Dynastie: Bokchoris von Saïs.

715–330 SPÄTZEIT.
25. Dynastie: Äthiopische oder kuschitische Herrschaft.
26. Dynastie: Könige Psametik, Necho, Apriës, Amasis.
27. Dynastie: Erste Perserherrschaft (Kambyses, Darius, Xerxes).
28.–30. Dynastie: Letzte Unabhängigkeit (Nektanebos).
Zweite Perserherrschaft. – Alexander der Große.

330–30 GRIECHISCHE ZEIT. Diadochenkriege, dann Herrschaft der makedonischen Ptolemäer: Ptolemaios, Kleopatra.

MITTELMEER

Alexandria
Naucratis Sebennytos
UNTER Tanis Pelusium
ÄGYPTEN Bubastis
Heroonpolis
Gise Heliopolis
Abusir Memphis Suez
Sakkara
Danschur
Lischt
Arsinoe
Faijum
Heracleopolis
El Hibe
Oxyrhynchus

Antinoe
Tell-el-Amarna
MITTELÄGYPTEN
Assiût Tasa
Badari
Achmim
Ptolemais
Kene
Negade
Karnak
Armant Luksor
Kom-el-Ahmar
Edfu
OBERÄGYPTEN
Assuân

SINAI HALBINSEL
G. von Suez
Nil

Noch waren Nordafrika und Vorderasien nicht mit unfruchtbaren Wüsten bedeckt.

Überall lebten Völker von Jägern und Acker/bauern – so auch an den Ufern des Nils.

Da begann, im 5. Jahrtausend v. Chr., der größte Teil Nordafrikas und Vorderasiens auszutrock/nen und wurde Wüste. Auch der Nil änderte seinen Rhythmus. Er floß nun nicht mehr so gleichmäßig wie zuvor, und sein Mündungs/gebiet wurde zu einem Sumpf. Sein Bett ver/trocknete und füllte sich dann plötzlich wieder mit ungeheuren Wassermassen, die auch das bewohnte Land ringsum überfluteten. Einige Zeit verging, dann hörte der Strom des Wassers auf, und der Boden trat erneut hervor. Danach verstrich längere Zeit. Dann wälzten sich die gleichen, alles überschwemmenden Fluten heran, blieben und verschwanden wieder. Jedesmal aber ließen sie gewaltige Ablagerungen dunkler Erde zurück, die fruchtbarer war als aller Boden, der vorher das Nilland bedeckt hatte.

Die Menschen, welche die Zeiten der Dürre und die ersten großen Fluten überlebten, begannen diese Erde zu bebauen. Doch sie lebten von jetzt an in der Furcht vor der Flut, aber auch in der Angst, diese Flut könnte vielleicht nicht wieder/kehren, könnte keine fruchtbare Erde mehr brin/gen und durch ihr Ausbleiben auch ihr Land in Wüste verwandeln.

Niemand weiß, wer als erster die zahllosen Stämme, Häuptlinge und Fürsten im unteren und oberen Teil des Nillandes unter seiner könig/lichen Herrschaft zusammenzwang.

Niemand weiß auch genau zu sagen, woher die oft hellhäutigen Herrscher kamen, welche ganz Ägypten unterwarfen und es in der Zeit zwi/schen 3200 und 2780 v. Chr. unter zwei könig/lichen Dynastien vereinigten. Wie groß aber auch immer ihre militärische Macht gewe/sen sein mag – sicherlich wäre es nicht zu einer so lange dauernden Einigung Ägyptens ge/

kommen, hätten nicht auch die Natur, die scheinbare Unberechenbarkeit der Nilflut und der Kampf ums nackte Leben zu einer solchen Einigung gezwungen.

Niemals, bis ans Ende des ägyptischen Reiches, erfuhren sie von den natürlichen Quellen des Stroms, der sich in seinem fernen Oberlauf in zwei Arme teilt – den Weißen und den Blauen Nil. Der erste kam aus dem Seengebiet Zentralafrikas; der zweite aber aus den Hochgebirgen Äthiopiens. Zur Zeit der Regenfälle in Zentralafrika und der Schneeschmelze im Hochgebirge, etwa um die Sommersonnenwende, strömten die entstehenden Wassermassen zu Tal und rissen ungeheure Mengen fruchtbaren Bodens mit.

Die Hunderttausende und später Millionen von Menschen, deren Leben vom «Kommen des Nils» abhing, waren bereit, sich jedem zu unterwerfen und ihn als Gott zu verehren, der ihnen vorauszusagen vermochte, ob und wann die Nilflut kam und wann man in die höher gelegenen Bergdörfer hinaufziehen mußte, um die Zeit der Überschwemmung zu überstehen und auf die Zeit der Aussaat und Ernte zu warten. Sie waren bereit, sich jedem zu unterwerfen, der ihnen das Brot sicherte, indem er ihnen fruchtbaren Boden und Wasser gab.

Gleich welcher Abstammung die beiden ersten ägyptischen Herrscherdynastien waren – sie verstanden das Land besser zu beherrschen als mit Unterwerfungsfeldzügen und durch andere Formen der Gewalt.

Deutlich bleibt ein Zug von Genialität über den Jahrhunderten ihrer Herrschaft spürbar. Die geistigen und technischen Schöpfungen dieser Jugendzeit der ägyptischen Kultur – die Erfindung des Kalenders, die Grundlagen der Mathematik, die Feldmessung und damit die Geometrie, die künstliche Bewässerung, Schrift und Papier –, sie gehören zu den großen zukunftträchtigen Taten des Menschen überhaupt.

Der Kalender gab dem Volk zum ersten Male feste Anhaltspunkte, wann alljährlich die fruchtbare Überschwemmung zu erwarten sei. Der Bau eines Systems von Bewässerungsgräben mehrte Fruchtbarkeit und Lebenssicherheit, wie es auch die jährliche Neuvermessung der durch den Schlamm verwischten Feldergrenzen tat. Das gleiche bewirkte der Bau von Vorratshäusern für den Fall, daß der Nil einmal ausbleiben sollte. Diese Verwaltungsmaßnahmen aber zwangen geradezu zur Erfindung der Zahl, des Rechnens, der Schrift und des Papiers, denn Ernten mußten gemessen, Grenzen schriftlich festgelegt, Abgaben gezählt und Verordnungen erlassen werden.

Niemand weiß, wessen Geist die Formen der ägyptischen Hieroglyphenschrift erfand, aus denen im Lauf der Jahrtausende auf dem Wege über die Phönikier und Griechen die Buchstabenschrift der modernen Welt geworden ist.

Niemand vermag zu sagen, wer sie zur Schreibschrift weiterentwickelte und wer als erster auf den Gedanken kam, aus den Stengeln der ägyptischen Papyrusstauden ein Schreibpapier zu schaffen und auf Rollen aus solchem Papyrus ganze «Bücher» aufzuzeichnen.

Als König Djoser um 2800 v. Chr. durch seinen Wesir, den «Weisen Imhotep», diese Stufenpyramide von Sakkara errichten ließ
und um das Bauwerk herum umfangreiche Tempelanlagen zum Zeichen der übermenschlichen, göttlichen Größe des ägyptischen Königtums, war er schon Erbe dieser Schöpfungen. Durch sie sollte ausgedrückt werden, daß die Könige vor sich selbst und den Volksmassen ihres Reiches zu Göttergleichen geworden waren, die das Geheimnis des Nilrhythmus kannten. Sie hatten lediglich ihren Wohnsitz auf Erden genommen.

Gleichgültig, ob sie selbst daran glaubten oder ob sie sich zu Göttern erhoben, um der Unzahl von Göttern und Geistern, welche die Stämme am Nil schon vor der Reichsgründung verehrt hatten, eine ordnende Spitze zu geben – jedenfalls waren sie Gott-Könige.

Sie waren Besitzer allen Landes und aller Menschen am Nil. Sie waren mit Kräften beseelt, die nach ihrem irdischen Tode weiterleben mußten. Es herrschte die Vorstellung, daß diese Kräfte sich nach dem Tode wieder mit dem Körper vereinen und dem Gottkönig das Weiterleben unter seinen Völkern sichern würden, sofern dieser nur seine körperliche Hülle und seine Wohnstätte erhielt. Die ersten Könige, die, von frühen Priestern beraten, dieser Vorstellung folgten, hatten zur Erhaltung ihres Körpers die Einbalsamierung eingeführt. Sie ließen ihre Umgebung mit sich sterben und in ihren Gräbern beisetzen, damit ihnen auch im Jenseits Frauen, Diener und sonstiges Gefolge zur Verfügung ständen. So unmöglich es auch für die Nachwelt ist, in alle Bereiche dieser Vorstellungswelt einzudringen, die Zeugnisse aus der Frühzeit verraten, daß die Könige sich Tempel errichteten, Felder und Ernten für sich in Beschlag nahmen, Lebensmittel einlagerten und große Schätze in ihren Särgen aufhoben, nur um im zweiten Leben Wohnung, Nahrung und allen gewohnten Überfluß zu genießen.

Djosers erste Pyramide, mit der er zugleich die Steinbaukunst begründete, sowie die mächtige Anlage der Totentempel ringsum bildeten nur den ersten Durchbruch auf dem Wege zu den noch gewaltigeren Dimensionen der himmelwärts strebenden Pyramiden über den Grabkammern seiner Nachfolger, wie Cheops, Chephren und Mykerinos aus der IV. Dynastie, die zwischen 2723 und 2563 v. Chr. über Ägypten herrschte.

So gewaltig aber ihre Grabpyramiden und Totentempel in Gise (Bild unten) am Westufer des unteren Nils waren, so verriet ihre Anlage dennoch einen beginnenden Wandel. Es war der Wandel der Könige von Göttern zu Söhnen von Göttern und schließlich zu Menschen.

Schon König Djoser hatte während seiner Regierungszeit angesichts eines «siebenjährigen Ausbleibens des Nils» (infolge zu geringer Schneeschmelze und Regenfälle) eingestehen müssen, daß er zwar den Nilrhythmus, nicht aber den Ursprung dieses Rhythmus kannte. Er selbst hatte andere Götter anrufen müssen.

Damit hatte die Entgöttlichung der Könige begonnen. Und mit ihr das Ende ihres alleinigen Rechts auf ein Weiterleben nach dem Tode. Die kleinen Pyramiden links um die große Pyramide im Hintergrund sowie andere Bauten waren die Grabmäler für die Großen aus der Umgebung des Königs, denen er als Belohnung für erwiesene Dienste Teilnahme am Fortleben nach dem Tode gewähren mußte. Und nun waren es nicht mehr Diener, die man töten lassen konnte, sondern Menschen, die wie der Pharao selbst ihren natürlichen Tod erwarteten.

Dies aber war der Beginn einer Entwicklung, die im Laufe der folgenden 1000 Jahre immer weiterging, bis die ganze Oberschicht des Landes, von den Hohenpriestern und Wesiren, Gaufürsten und Gouverneuren bis zu den Angehörigen des reich gewordenen Bürgertums, Anrecht auf das zweite Leben und die Erhaltung des Körpers besaß. Der König indessen herrschte nicht mehr als ein Gott, sondern nur noch als ein Herrscher, der sich seinen Rang durch Kampf oder durch immer neue Geschenke an die Oberschicht zu erhalten hatte.

Das stolzeste Selbstbewußtsein aber spricht aus Gesicht und Gestalt des Oberpriesters Ranofer.
Er ist Angehöriger einer privilegierten Schicht, deren Bedeutung um so größer wurde, je mehr die Göttlichkeit der Könige dahinsank und die Massen des einfachen Nilvolkes nach neuen Zielen für ihre ebenso dumpfe wie ungeheure Glaubensinbrunst suchten.

Ein einziges Mal wird ein König, der träumerische

22

Amenophis IV. (Echnaton genannt), zwischen 1372–1354 v. Chr. den Versuch unternehmen, die Tempel der Priester zu schließen, die Anbetung der
Götter zu verbieten und die Existenz eines einzigen Gottes, der Sonne selbst,
zu verkünden. In seiner dem Kult des Sonnengottes geweihten neuen
Hauptstadt Echet-Aton, in dem Gebiet, das heute Tell el-Amarna heißt,
endete sein Unternehmen sofort nach seinem frühen Tode. Die Hauptstadt
verfiel, und die alten Tempelkulte blühten reicher als je zuvor.

Diese Säulen
im Tempel des Gottes Amun in Karnak,
die Jahrtausende fast unberührt überdauerten, wirken auf uns wie Symbole jener Beständigkeit, mit der die Herren dieser Tempel, die Priester,
alle Wandlungen des 3000jährigen ägyptischen Reiches überdauerten.
Auch hier ist es der Nachwelt unmöglich, die tiefsten Tiefen und die
Vielgestaltigkeit des ägyptischen Götterglaubens *völlig* zu ergründen. Von
Re über Osiris, Isis, Thot und eine Reihe von Göttern reichte das ägyptische Pantheon bis hin zu Amun, jenem ursprünglich in Theben ver-

ehrten Gott, der um 1500 v. Chr. durch die Vereinigung mit Re als Amun-Re zum mächtigsten
Reichsgott des späteren Ägyptens aufgestiegen
war.

Mit unendlicher Klugheit machten sich die Priester zu stets wandlungsfähigen Herren dieser
Glaubenswelt.

Sie waren die Hüter der Götter, die ihren
irdischen Wohnsitz im sorgfältig verschlossenen
Inneren der Tempel hatten und nur während der
großen Feste hinausgetragen wurden. Niemals
versäumten sie, die Glaubensinbrunst des Volkes
lebendig zu erhalten, das mit ungeheurer, so gut
wie nie erlahmender Geduld die Geschicke des
ägyptischen Reiches und die Last seiner Herrscher mit seiner Hände Arbeit trug.

Drei und vier und fünf und schließlich sieben
Millionen Menschen waren es, die als Besitzlose,
Freie oder Halbfreie die Felder bestellten, die Ernte
einbrachten und die Speicher ihrer Herren füllten.

Sie sahen wohl aus wie dieser Mann,
der hier zur Linken einen Stier häutet.

Sie arbeiteten in Werkstätten, Steinbrüchen und Baustellen, beluden und
entluden die Nilschiffe, kämpften als Soldaten oder taten Frondienst beim
Bau der Pyramiden, der Paläste, der Königsgräber und Totentempel. Sie
lebten in ihren engen Lehmhütten, in Lehmdörfern und Lehmziegelstädten,
dicht neben den Palästen und Tempeln, zwischen Göttern und Dämonen.
Nur einige Male erhoben sie sich gegen die Obrigkeit oder machten wenigstens den Versuch dazu. Als die Könige nicht länger unbestrittene Götter
waren, um 2280 v. Chr., trieben die ungeheuren Lasten, die der Pyramiden-
bau dem Volk an Abgaben und Frondiensten auferlegt hatte, die Massen zu
einem Aufstand, der das erste «Alte Reich» beendete und die Geschichte
Ägyptens für uns auf fast 200 Jahre in tiefes Dunkel hüllt.
Jahrhundertelang hatte die Masse den Gottkönigen geopfert und in den
Monaten, in denen der Nil ihre Felder überflutete, am Bau der Pyramiden
gearbeitet. Aber zu dieser Zeit hatte sie noch der Glaube erfüllt, mit dem
Werk für die Unsterblichkeit des Königs auch ein wenig Unsterblichkeit
für sich selbst erringen zu können. Als die Könige nicht länger mehr als
Götter galten, war dieser Glaube erschüttert worden. Abgaben und Arbeit
wurden nun als Fron und Ausbeutung empfunden.

Die Explosion war so heftig, daß sie in Zeugnissen aus jener Zeit über Jahrtausende nachwirkt: «Das Land kehrt sich um wie eine Töpferscheibe...» – «Gold und Lapislazuli, Silber und Malachit sind um den Hals der Dienerinnen gehängt.» – «Das Reich ist in einer Stunde zusammengestürzt.» – «Sehet, die Kleider besaßen, gehen jetzt in Lumpen. Wer nicht einmal für sich selbst weben durfte, besitzt jetzt feines Leinen.»

Aber um 2100 v. Chr. trat ein neues starkes Königsgeschlecht in Theben die Herrschaft an und begründete das «Mittlere ägyptische Reich», gestützt auf die unangetastet gebliebene Priesterschaft und nicht zuletzt auf ein reich gewordenes Bürgertum. Die Masse sank resignierend zurück und hat sich seither niemals wieder erhoben.

Das «Mittlere Reich» währte 500 glanzvolle Jahre, dann endete es in Thronwirren und mit dem Einbruch der Hyksos, eines Barbarenvolkes aus Kleinasien, das mit Eisenwaffen und pferdebespannten Kampfwagen die noch mit Bronzeschwertern kämpfenden Ägypter überrannte.

Die Hyksos herrschten 200 Jahre und wurden langsam aufgesogen von der ägyptischen Kultur. Dann brach ein neuer ägyptischer König, Amenophis I., ihre Herrschaft und gründete das «Neue Reich», in dem Ägypten seine größte Macht entfaltete, bis es in seiner Spätzeit unter der wechselnden Herrschaft libyscher, äthiopischer und persischer Eroberer und Könige zerfiel und Alexander dem Großen, schließlich dann den Römern erlag – alles in allem eine mehr als 3000jährige Geschichte voller Höhen und Tiefen, voller innerer und äußerer Kämpfe, voller Größe und Niedrigkeit. Eine Geschichte, reich an künstlerischen und architektonischen Leistungen ohne Beispiel und zugleich gezeichnet durch Unterdrückung und Gewalt, hervorragend durch wissenschaftliche und technische Schöpfungen, aber befleckt durch Zwietracht und Mord, verdüstert von Dämonenfurcht, doch strahlend in der Inbrunst des Glaubens.

Wenn aber wir Nachgeborenen die Frage erheben, wo denn in all dem vieltausendjährigen Auf und Ab sich eine stabile und ruhige Welt gehalten habe, in der Wissenschaft und Denken sich entwickeln konnten, so finden wir diese Welt nicht an den Königshöfen, soviel die Pharaonen auch getan haben, eine praktische Wissenschaft zu fördern, und so sehr Architekten, Bildhauer und Maler von ihnen gefördert wurden, um große Werke zu schaffen.

Wir finden eine solche Welt vielmehr in den Tempeln, in den verschlossenen Reichen der Priester. Dort entstand, entwickelte und vervollkommnete sich durch die Jahrtausende nicht zuletzt auch das geheimnisvolle Reich der ägyptischen Medizin.

KAPITEL II

Ein Grieche aus den Randgebieten der hellenischen Welt,
Herodotos aus Halikarnassos in Kleinasien,

schrieb um das Jahr 450 v. Chr. das erste Zeugnis über die Medizin der
Ägypter, das der Nachwelt überliefert wurde.

Oft als «Vater der Geschichtsschreibung» bezeichnet, verfaßte Herodot im
Laufe seines rund 60 Jahre währenden Lebens eine Anzahl von Büchern
über Reisen, die er in Persien, Mesopotamien, am Schwarzen Meer, in Nord-
Afrika und in Ägypten unternommen hatte.

«Was die ägyptische Medizin anbelangt», so berichtete er auf Grund seiner
Reiseerfahrungen, «so ist diese auf folgende Weise eingerichtet: Jeder Arzt
ist nur für eine und nicht für mehrere Krankheiten da. Das ganze Land ist
voller Ärzte, denn es gibt Ärzte für die Augen, andere für den Kopf, andere
für die Zähne, andere für den Leib und wieder andere für mehr verborgene
Krankheiten...»

Dieses recht erstaunliche Zeugnis stieß bislang unter Historikern auf die
Skepsis, die man allgemein dem «zu phantasievollen» Herodot entgegen-
brachte. Funde der Archäologie mußten sie in dieser Beziehung erst eines
Besseren belehren. Immerhin, in einem Punkte hatten sie mit ihrer Vorsicht
recht. Das Zeugnis Herodots stammte aus der spätesten Zeit des ägyptischen
Reiches. Konnte das, was er berichtete, auch für die wenigstens 2500 Jahre
ägyptischer Geschichte Gültigkeit haben, die vor der Zeit der Griechen lagen?

26

Da – im Jahre 1926 n. Chr. – machte
der Deutsche Hermann Junker in Gise
einen sonderbaren Fund.

In einem der Gräber der «Großen», welche rings um die Pyramiden der Könige Cheops, Chephren und Mykerinos aus der IV. Dynastie (2723–2563 v. Chr.) lagen, fand er eine türartige Stele (Steinplatte). Sie zeigte einen Mann in verschiedenen Haltungen, sowohl beim Sitzen als auch beim Schreiten.

Die Entzifferung der ringsum eingehauenen Hieroglyphen aber lehrte, daß dieser Mann mit Namen Iry nicht nur Hofarzt und Chef aller Hofärzte gewesen war, sondern sich erstaunlicherweise auch in jenen verschiedenen ärztlichen Spezialgebieten ausgekannt hatte, von denen bei Herodot die Rede war: «Augenarzt des Palastes», «Arzt des Leibes», «Hüter des königlichen Darmausgangs», «...der das bm (wahrscheinlich ein wichtiges Medikament) bereitet und die inneren Leibessäfte kennt...»

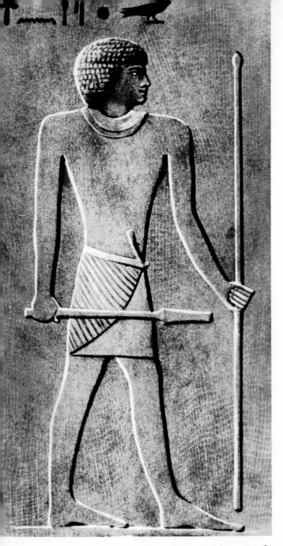

Besonders eindrucksvoll und aufschlußreich wurde ein weiterer Fund. Es handelt sich um das Bildnis Sekhet-Enanachs, «Arzt der Nase» des Königs Sahure, aus der Zeit 2550 v. Chr. Die Inschrift teilt der Nachwelt zum Ruhm dieses Arztes mit, «daß er den König von einer Erkrankung der oberen Luftwege geheilt und dafür diesen Gedenkstein erhalten habe». Der Hofmeister trug dafür Sorge, daß die Steinmetzen des Tempels die Inschrift anfertigten wie für den König selbst...

Herodot hatte also recht gehabt. Seit der Zeit des Alten Reiches hatte es nicht nur einen ägyptischen Ärztestand, sondern auch bereits ärztliche Spezialisten verschiedener Art gegeben.

Und noch einmal lieferte die Spätzeit Ägyptens ein unvergleichliches schriftliches Dokument über Herkunft und Entwicklung der ägyptischen Ärzte, die auf so wunderbare Weise aus dem Dunkel der frühen Geschichte hervorgetreten waren. «Seine Majestät, König Darius (I.)», so berichtete um das Jahr 500, als die Perser unter diesem König Ägypten erobert hatten, der ägyptische «Oberarzt» Uzahor-resinet, «Seine Majestät, König Darius, der sich als Herr über alle Länder und über Ägypten in Elam aufhielt, beorderte mich nach Saïs in Ägypten.

Er gab mir den Auftrag, die ‹Lebenshäuser› wieder einzurichten, die in Verfall geraten waren. Ich tat, wie Seine Majestät befohlen... ich füllte sie mit Studenten aus dem Kreis der Vornehmen – keine Söhne von Armen darunter. Ich unterstellte sie den weisen Männern... Seine Majestät befahl mir, sie mit dem Besten auszustatten, damit sie in der Lage seien zu lernen und zu arbeiten. Ich stattete sie mit allem Notwendigen aus, mit allen Instrumenten, gemäß den Aufzeichnungen aus früherer Zeit. Seine Majestät tat dies, weil sie den Nutzen dieser Kunst kannte, um alle Leidenden am Leben zu erhalten... und dafür ihre Tempel und Einkünfte wiederherzustellen.»

Wie gesagt, auch dieses Dokument entstammte der späten Zeit. Aber es verrät, zusammen mit den Aufzeichnungen aus früherer Zeit, daß es sich bei der Arbeit des Oberarztes nur um die Wiedereinrichtung einer alten Institution handelte: der Medizinschule, der Ausbildungsstätte der Ärzte in den Tempeln Ägyptens.

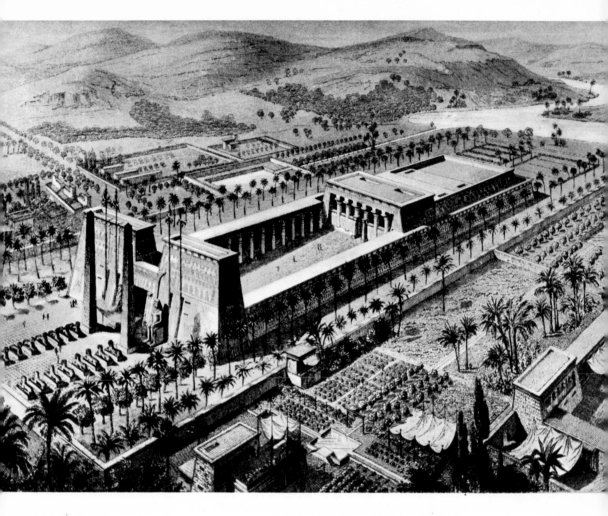

Wahrscheinlich geht dieser Versuch nicht allzusehr an der Wahrheit vorbei, am Beispiel Edfus das Bild einer Medizinschule des alten Ägypten mit ihrem Tempel, ihren Haupt- und Nebengebäuden sowie den ausgedehnten Heilpflanzengärten zu zeichnen.

Uzahor-resinet berichtete nicht darüber, auf welche Weise die Ausbildung der Ärzte im einzelnen vor sich gegangen war. Nur durch seine Bemerkung «mit allen Instrumenten» verriet er, daß zu dieser Ausbildung auch eine chirurgische Schulung gehört haben muß, und damit machte er das Bild der frühen medizinischen Tempelschule, so undeutlich es in vielem bleibt, noch anziehender – anziehend wie jedes noch unerforschte Geheimnis.

Das größte Mysterium Ägyptens, die Einbalsamierung Verstorbener, eröffnete der Neuzeit einen weiteren, erstaunlich tiefen Blick in die medizi-

nische Welt des alten Landes am Nil. Herodot, der weitgereiste Historiker und Geograph, hatte darüber zu berichten gewußt:

«Wenn in einem Hause in Ägypten ein Mensch, natürlich einer, der etwas gilt, stirbt, bestreichen sich alle Frauen im Haus den Kopf und auch das Gesicht mit Lehm; dann lassen sie den Toten im Hause liegen, sie selbst laufen durch die Stadt, hochgeschürzt, mit bloßen Brüsten, und schlagen sich und mit ihnen alle weiblichen Verwandten die Brust. Andererseits schlagen sich auch die Männer zum Zeichen der Trauer, und auch sie sind hochgeschürzt. Wenn das geschehen ist, bringen sie den Leichnam zur Einbalsamierung.

Dafür sind aber bestimmte Leute da, die sich auf diese Kunst verstehen. Wenn diesen die Leiche gebracht wird, zeigen sie den Anverwandten Muster von Leichnamen aus Holz und recht naturgetreu bemalt und nennen ihnen die beste Art der Einbalsamierung, deren Namen ich mich auszusprechen scheue; dann zeigen sie die zweite, wohlfeilere und mindere, und dann die dritte, die am billigsten ist. Dann fragen sie, nach welcher Art der Leichnam behandelt werden soll. Und die Angehörigen handeln mit ihnen den Preis aus und gehen dann fort; sie aber bleiben mit der Leiche in ihrem Hause zurück. Und solchermaßen ist nun die sorgfältigste und teuerste Art der Einbalsamierung: Sie entfernen zuerst mit einem krummen Eisen durch die Nasenlöcher das Gehirn, und zwar teils so, indem sie es herausziehen, teils indem sie Arzneien hineingießen. Dann öffnen sie mit einem scharfen äthiopischen Steinmesser die Bauchhöhle und nehmen die ganzen Eingeweide heraus; sie reinigen sie, spülen sie mit Palmwein aus und bestreuen sie mit zerriebenem Räucherwerk. Dann füllen sie die Bauchhöhle mit reiner zerriebener Myrrhe, mit Kasiablättern und anderem Räucherwerk, untermischt mit Weihrauch, und nähen die Leiche wieder zu. Dann legen sie die Leiche in Natron, 70 Tage lang; länger darf man sie nicht darinnen liegen lassen. Sind diese 70 Tage vorüber, dann waschen sie die Leiche und umwinden den ganzen Leib mit Binden aus feinem Byssosleinen und bestreichen sie mit Gummi, den die Ägypter vielfach statt Leim verwenden. Dann übernehmen wieder die Angehörigen die Leiche und machen einen hölzernen Sarg in Menschengestalt, legen die Leiche hinein und bewahren sie in der Grabkammer auf, wo sie die Leiche an die Wand stellen.

So behandeln sie die Leichen, die um den höchsten Preis einbalsamiert werden. Wo aber die Verwandten die Mittelart wählen, weil sie die hohen Kosten scheuen, da geschieht mit der Leiche folgendes: Sie füllen Klistierspritzen mit Zedernöl und füllen damit den Unterleib des Toten, ohne ihn aufzuschneiden und den Magen und die Eingeweide herauszunehmen; sie spritzen es beim Gesäß hinein, aber so, daß das Klistier nicht wieder herausfließt; dann lassen sie die Leiche die vorgesehenen Tage hindurch in Natron liegen; am letzten Tag aber nehmen sie das Zedernöl, das sie früher hineingetan haben, wieder heraus. Dieses hat eine solche Wirkung, daß es auch den Magen und die Eingeweide mit herausnimmt. Das Fleisch aber wird von dem Natron so aufgelöst, daß von der Leiche nur die Haut und die Gebeine übrigbleiben. Dann geben sie die Leiche so den Verwandten wieder zurück und tun sonst nichts dazu.

Die dritte Art der Einbalsamierung, welche die am wenigsten Bemittelten erstehen, ist folgende: Sie reinigen die Bauchhöhle mit Abführöl und salzen ... die Leiche siebzig Tage ein; dann geben sie diese wieder zurück ...»

Die zahllosen Mumien, welche Mastabas, Pyramiden, Königsgräber oder die einfache trockene Erde jahrtausendelang aufbewahrten, beweisen, daß Herodots Bericht aus der Spätzeit des Nillandes Gültigkeit für die ganze überschaubare Dauer der ägyptischen Geschichte besitzt. Trotz aller Wandlungen der ägyptischen Religion hatte sich die Grundvorstellung erhalten, daß es für ein neues Leben nach dem Tode nicht nur notwendig sei, für Wohnung und Kleidung zu sorgen, sondern auch die körperliche Hülle zu erhalten, damit die «Lebenskräfte» wieder in den Leib zurückkehren könnten, zu dem sie einst gehörten.

Niemand weiß, wer in der frühesten Zeit die Einbalsamierungstechnik erfand. Langes Experimentieren mit Toten, mit den Leichen von Sklaven und Gefangenen, muß wohl vorausgegangen sein.

Es ist anzunehmen, daß die Ägypter in ältester Zeit versucht haben, die Leichen einfach zu trocknen, im glühenden Sande oder in einer der Kammern, die man in Theben fand – künstlich erhitzte Räume, in denen die Toten gestapelt bis zur Decke lagen. Als aber erst die Trocknungsmethode mit Natron gefunden und die Notwendigkeit einer Entfernung der Weichteile aus Bauch und Schädelhöhle erkannt worden war, hielten Priester und Einbalsamierer über die Jahrtausende hinweg daran fest.

Nur die Körperteile, die man dem toten Leib entnahm, waren nicht immer die gleichen. Bis zum Beginn des Neuen Reiches um 1567 v. Chr. beließ man das Herz an seinem Platz und löste allein die Gefäße heraus. Zur Zeit des Neuen Reiches entfernte man häufig auch das Herz. Der Glaube an das Totengericht, vor dem sich der Verstorbene zu verantworten hatte, erzeugte nämlich die Furcht, sein eigenes Herz könnte vor diesem Gericht gegen ihn aussagen. In anderen Epochen wiederum nahm man auch die Muskeln von Armen und Beinen und stopfte die Haut mit harzgetränkten Papyrusresten aus, um den Gliedern ein natürliches Aussehen zu erhalten. Alle entfernten Organe aber füllte man, mit Myrrhe und Natron vermischt, in mehr oder weniger reich geschmückte Urnen, die sogenannten *Kanopen* (unten), und gab sie den Toten mit ins Grab.

So wie diese en face und im Profil fotografierte Mumie der Amun-Priesterin
Prinzessin Nsithanebaschru

lassen Tausende anderer Mumien Menschenbilder von gespenstischer Leben-
digkeit aus der alten ägyptischen Welt auftauchen. Sie geben aber auch ein
stummes Zeugnis von den Krankheiten jener Zeiten. Die ersten Medizinhistoriker, die sich mit Ägypten beschäftigten, glaubten, die Einbalsamierer
des Nillandes seien durch die Natur ihres Gewerbes zwangsläufig zu den
ersten Anatomen der Medizingeschichte geworden. Wie wir noch sehen
werden, trifft das nicht ohne weiteres zu. Aber die Schöpfer und Hand-
langer der Einbalsamierungskunst ermöglichen es ihrer Nachwelt, sich ein
Bild davon zu machen, in welchem Ausmaße die Völker Ägyptens unter
der Geißel Krankheit gelitten hatten und bis zu welchem Grade damals
Heilung oder Linderung möglich war.

Dr. Armand Ruffer, ein damals vierunddreißigjähriger
französischer Arzt,

kam im Jahre 1893 nach Ägypten, um selbst
Heilung von schwerer Krankheit zu suchen. Ge‐
boren 1859, als Sohn der französischen Stadt
Lyon, hatte er infolge besonderer familiärer Um‐
stände in Oxford und später am University Col‐
lege in London studiert. Später war er nach Paris
übergesiedelt, angelockt durch den Ruhm von
Männern wie Pasteur und Metchnikow, die seit
dieser Zeit zu den großen Pionieren auf dem da‐
mals neuen Gebiet der Bakterienforschung ge‐
hörten. Bei Versuchen mit einem Diphterie‐
Serum war Ruffer jedoch selbst an Diphterie er‐
krankt. Schwer leidend war er nach London
zurückgekehrt, um das «Britische Institut für Vor‐
beugende Medizin» aufzubauen. Fortschreitende Lähmungserscheinungen
hatten ihn indessen gezwungen, sein Amt wieder aufzugeben und nach
Ägypten zu flüchten, dessen Klima als besonders heilsam galt.

Sein Zustand besserte sich dort wirklich – und Ägypten wurde sein Schick‐
sal. Erst als Professor für Bakteriologie in Kairo, später als Leiter des Roten
Kreuzes in Ägypten, blieb er dem Lande verbunden, bis er im Jahre 1917
bei einem Torpedoangriff umkam, als er auf einem Schiff aus Saloniki
zurückkehrte.

Dieser später geadelte Mann, Sir Marc Armand Ruffer, wurde zum be‐
deutendsten Erforscher der ägyptischen Mumien und schuf Einblicke in
eine ferne Vergangenheit, die manchem Leser seiner Schriften wie durch
Zauberei gewonnen erschienen.

Schon vor ihm hatte der Franzose Fouquet Arbeiten in dieser Richtung
aufgenommen. Ihm waren die Engländer Elliot Smith und F. Wood Jones
gefolgt. Elliot Smith war ein derart begeisterter Forscher, daß er einmal die
Mumie des Königs Tuthmosis III. (1491–1436 v. Chr.) neben sich auf dem
Sitz eines Mietautos nach einem Sanatorium bei Kairo fuhr, das über das
erste Röntgengerät in Ägypten verfügte.

Die Abbildung rechts zeigt eine der Röntgenaufnahmen von Elliot Smith, die
ihm verrieten, an welchen Krankheiten die Einwohner des alten Ägypten gelitten hatten.
Armand Ruffer und seine Helfer und Nachfolger wurden bald darauf
die erfolgreichsten Wissenschaftler auf diesem neuartigen Forschungsgebiet,
das schließlich im Jahre 1939 fast kaum noch begreifbare Ergebnisse zei‐
tigte – so die Feststellung der Blutgruppe von Ägyptern, die viertausend

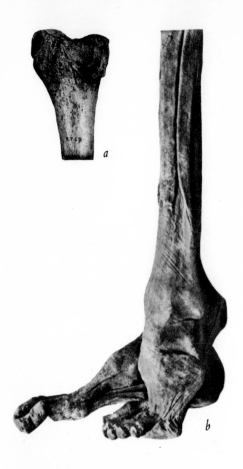

a

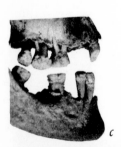

c

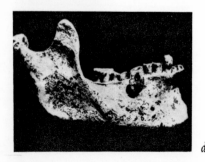

d

b

Jahre vorher gestorben waren! W.C. und L.G. Boyd hatten ausschließlich durch die Untersuchung kleiner Stückchen von Muskelgewebe das Unglaubliche wahr gemacht.

Am leichtesten war es noch gewesen, den menschlichen Skeletten aus Ägyptens Vergangenheit die Geheimnisse einstiger Krankheiten zu entreißen.

Der hier links gezeigte Oberschenkelknochen (a) eines vornehmen Ägypters nubischer Abstammung aus der Zeit des Alten Reiches verriet die unauslöschlichen Spuren der Arthritis – volkstümlicher: des Rheumatismus –, die sich an Tausenden und aber Tausenden von Mumienskeletten zeigten.

Der chronische Gelenkrheumatismus mit seinen schmerzhaften Abnutzungserscheinungen hatte offenbar eine außergewöhnlich große Zahl von Menschen zu allen Zeiten der ägyptischen Geschichte heimgesucht. Kaum weniger häufig waren damals peinigende Knochenhaut- und Knochenmarkentzündungen gewesen, die ebenfalls ihre deutlichen Spuren hinterließen.

Der angeborene Klumpfuß (b) des Königs Siptah aus der Zeit des Neuen Reiches (um 1100 v.Chr.) war dagegen eine Einzelerscheinung, mochte sie auch bei diesem oder jenem anderen Zeitgenossen aufgetreten sein.

Sehr häufig fand man jedoch Fälle schwerer Zahn-, Kiefer- und Zahnfleisch-Erkrankungen. An den Ober- und Unterkiefern (c, d) von Menschen aus der Zeit der Errichtung der Pyramiden von Gise ließen sich alle Erscheinungen der in der Neuzeit so verbreiteten Paradentose feststellen. Elliot Smith, der 500 Schädel aus den Gräbern von Gise untersuchte, stellte fest, daß die alten Ägypter mindestens in dem gleichen Maße an Zahnerkrankungen und Zahnverfall gelitten hatten wie die Menschen unserer Zivilisation.

34

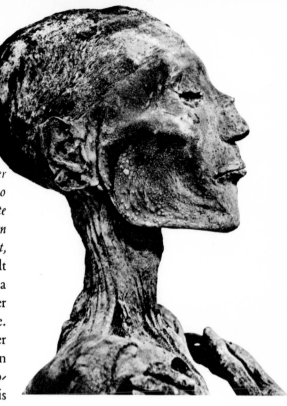

*Geradezu unglaubwürdig schien, was Armand Ruffer
über die Haut einer Mumie aus der Zeit zwischen 1200
und 1085 v. Chr. berichtete. Durch das Mikroskop hatte
er die typischen Erscheinungen der schwarzen Blattern
oder Pocken erkannt,* jener mörderischen Krankheit, die später wiederholt
das mittelalterliche wie das neuzeitliche Europa
überfiel und erst durch die Entdeckung der
Schutzimpfung zurückgedrängt werden konnte.
Noch größer aber wurde das Erstaunen, als Ruffer
im Jahre 1909 mitteilte, daß er in den erhalten
gebliebenen Nieren zweier Mumien der XX. ägyptischen Dynastie – also der Zeit von 1250 bis
1085 v. Chr. – die verkalkten Eier eines Wurmes
entdeckt hatte, der auch im Jahre 1909 noch der
Schrecken aller Einwohner des Niltals war und
nahezu vierzig Prozent von ihnen befiel.

Es handelte sich um den Bilharzia-Wurm,
der sich auf komplizierte Weise im Schlamm der
Bewässerungskanäle entwickelt, vor allem durch
die Haut in die Körper der Arbeiter und Bauern
eindringt, sich hier vermehrt und in Niere, Blase
und Darm zu chronischen, erschöpfenden und
oft tödlichen Blutungen und Entzündungen
führt. Die alten Ägypter hatten also bereits unter
dieser furchtbaren Plage gelitten, die von dem
deutschen Arzt Bilharz im 19. Jahrhundert – als
erstem Arzt der Neuzeit – erforscht und ent-
rätselt worden war.
Die Entdeckungen Ruffers bildeten jedoch nur
den Auftakt einer ganzen Reihe anderer Entdek-
kungen, die auf ihn und seine Nachfolger zurückgingen. Die Voraussetzung solcher Erfolge be-

stand darin, daß es Ruffer gelang, die ausgetrockneten und verhärteten Mumiengewebe zu erweichen. Er gab ihnen, so weit als möglich, ihre ursprüngliche Konsistenz zurück. Die besten Erfolge wurden erzielt, wenn er die Gewebe in eine Lösung legte, die zu dreißig Prozent aus Alkohol, zu fünfzig Prozent aus Wasser und zu zwanzig Prozent aus einer fünfprozentigen Sodalösung bestand. War die Arthritis schon in den Oberschichten so weit verbreitet gewesen, so befiel sie erst recht die Bauern und Arbeiter – von den Sklaven ganz zu schweigen.

Die Arbeit der Ziegelmacher,
die trotz aller beschönigenden Stilisierung auf diesem Relief
im Grabmal des Wesirs Rekh-mi-re bei Theben (um 1450 v. Chr.) etwas von den körperlichen Anforderungen verrät, schuf ebenso wie jede andere Handarbeit mit primitiven Werkzeugen die Voraussetzung für Gelenk- und Muskelkrankheiten.

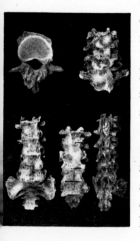

Dies galt besonders auch für die Bauern, vor allem für ihre Arbeit an den Bewässerungsgräben, das galt für die Arbeiter an den Pyramiden und Gräbern sowie die Lastenträger und Arbeiter in den Bergwerken. Die Bekleidung, die dem oft großen Temperaturunterschied zwischen Tag und Nacht nicht entsprach, förderte offenbar die Entstehung von Arthritis – in einem Land, dessen Lufttrockenheit später als anti-rheumatisch und gesundheitsfördernd galt! Die Forscher hätten allerdings den Rahmen ihrer Untersuchung zu eng gezogen, würden sie sich auf die Untersuchung der Mumien allein beschränkt haben. Die Toten der Armen nämlich waren zu keiner Zeit einbalsamiert worden; man hatte sie bloß eingescharrt. Daher dehnte man die Forschungsarbeit auch auf Skelette aus, die der Boden Ägyptens in großer Anzahl barg, und gewann dadurch reichliches Material. Die abgebildeten Skeletteile aus der Zeit um 2700 v. Chr. zeigen eine schwere deformierende Arthritis der Wirbelsäule bei einem armen Bauern des Nillands – eine Erkrankung unter vielen Tausenden.

Zu den ganz wenigen ägyptischen Darstellungen, die die Welt der Oberschicht verlassen und mit fast brutalem Realismus die andere Welt, die Welt der Masse, der gewöhnlichen Leute im Nilland, zeigen, gehört diese Kalksteinfigur eines Töpfers
aus der Zeit um 2400 v. Chr. Mit geschwollenen Füßen, abgezehrtem Gesicht und hervorstehenden Rippen hockt er hinter seiner Töpferscheibe. Diese Statuette regte zu der Frage an, welche aus-zehrenden Krankheiten (außer Hungersnöten «beim Ausbleiben des Nils») die alten Ägypter heimgesucht hatten und ob auch die Tuberku-lose damals schon so weit verbreitet war wie heute. Man hatte bereits aufgehorcht, als es Ruffer gelang, in Mumien gram-positive und gram-negative Bakterien (wie etwa Staphylo-kokken, die Erreger mehrerer Infektionskrank-heiten) nachzuweisen. Noch bemerkenswerter jedoch war seine Beschreibung stabförmiger Bak-terien, die er massenhaft in Lunge und Leber einer Mumie fand. Alles deutete darauf hin, daß es sich um Pestbazillen handelte, die Erreger furchtbarer Epidemien, die noch Jahrtausende später ganze Landstriche der Welt entvölkerten.

Die Suche nach den Erregern der Tuberkulose – feinen Stäbchen (rechts unter dem Mikroskop zu sehen) –
mußte dagegen erfolglos bleiben, weil sie die Eigenart haben, bald nach dem Tode ihres Opfers zu verschwinden. Die Zahl der erhalten gebliebe-nen Lungen war auch zu klein, um aus dem Vor-handensein oder Nichtvorhandensein gewisser Veränderungen Rückschlüsse auf das Auftreten der Lungentuberkulose zu ziehen.
In einer Mumie aus der Zeit der XX. Dynastie ent-deckte Ruffer allerdings etwas Unerhörtes – eine Kohlenstaublunge, die man bis dahin im allge-meinen als eine Erscheinung des Industrie-

zeitalters, als eine Folge der Arbeit in den Kohlenbergwerken betrachtet hatte. In anderen Lungen fand er indes die unmißverständlichen Spuren einer Lungenentzündung, und Elliot Smith gelang es überdies nachzuweisen, daß die alten Ägypter auch an Rippenfellentzündungen gelitten hatten. Nur der Nachweis tuberkulöser Erscheinungen in den Lungen ließ sich nicht erbringen.

Da hob man aus dem Boden bei Assuan bei Ausgrabungen diese Lehmstatuette aus ältester ägyptischer Zeit.

Sie zeigte am Körper des Dargestellten Symptome, die derart typisch für eine bestimmte Art der Tuberkulose sind, daß für die Forscher kein Zweifel mehr bestand: Der hier modellierte Mann mußte an der Pottschen Krankheit, der Wirbelsäulentuberkulose, gelitten haben, die Percival Pott im Jahre 1779 zum ersten Male beschrieben hatte. Von neuem begaben Ruffer und seine Kollegen sich auf die Suche. Einer von ihnen, Douglas E. Derry, beschrieb als erster eine Reihe von Skeletten, deren Wirbelsäule alle Symptome der Pottschen Krankheit aufwies. Wieder aber blieb es Ruffer vorbehalten, den sicheren Nachweis zu führen.

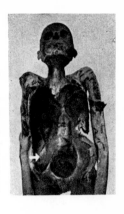

Im Jahre 1910 untersuchte Ruffer die rechts abgebildete Mumie des Amun-Priesters Nesper ehap,
der um 1000 v. Chr. gelebt hatte. Dabei entdeckte er nicht nur die für die Wirbelsäulentuberkulose typischen Veränderungen im Rücken. Dort, wohin unser Pfeil weist, im Lendenmuskel, fand er auch die tief reichende Höhle eines Abszesses. Eine typische Erscheinung der Pottschen Krankheit aber ist die Ansammlung des tuberkulösen Eiters unter einem bestimmten Lendenmuskel.

Von nun an bestand kein Zweifel mehr daran, daß die Tuberkulose, der «weiße Tod des 19. Jahrhunderts», schon in Ägypten ihre Opfer gefunden – ja, ganze Familien ins Grab gerissen hatte. In der Folge gab die Erde viele Beweise frei; man fand Ehepaare, Männer, Frauen und Kinder, von der Wirbelsäulentuberkulose dahingerafft und nebeneinander im gleichen Grab bestattet.

Wo aber die Pottsche Krankheit geherrscht hatte, da konnte auch die Tuberkulose der Lunge mit ihren Folgeerscheinungen nicht völlig gefehlt haben, mochte sie auch infolge der trockenen Luft, die im 19. und 20. Jahrhundert so viele heilungsuchende Tuberkulosekranke gerade nach Ägypten zog, nicht ganz so verbreitet gewesen sein wie in anderen Teilen der Welt.

Als Ruffer diese mehrere Jahrtausende alte Leber in Händen hielt, erblickte er darin die kleine Statue einer Göttin.
Im Laufe der Zeit hatte sich unter den Ägyptern der Brauch herausgebildet, bestimmten Geistern oder Göttern die Erhaltung von Leber, Magen und Eingeweiden ihrer Toten in den Kanopen anzuvertrauen. Es handelte sich vor allem um den menschenköpfigen Amset, um Hapi mit dem Kopf eines Pavians sowie um eine Anzahl anderer Götter. Doch war dieser Fund für Ruffer und seine Kollegen nicht von entscheidender Bedeutung. Entscheidender war, daß Elliot Smith in der Leber einer Mumie aus der Zeit der XXI. Dynastie (1085–950 v. Chr.) Gallensteine entdeckte – eindeutig Gallensteine.

Die Untersuchung der oft sehr schlecht erhaltenen Eingeweide war sehr schwierig, aber Smith, der Unermüdliche, ließ sich nicht entmutigen, bis er an Hand typischer Verwachsungen auch über das Vorkommen der Blinddarmentzündung im alten Ägypten berichten konnte. Eine Reihe von Mumien zeigte außerdem den gefürchteten Darmvorfall, die Folge lang andauernder Darmbeschwerden, Verstopfungserscheinungen und Hämorrhoiden.

Schon die ärztlichen Grabinschriften und Bezeichnungen wie «Hüter oder Hirt des Darmausganges» hatten darauf hingewiesen, daß die Ägypter von Magen- und Darmkrankheiten keineswegs verschont geblieben waren. Reliefs aus dem «Neuen Reich» lieferten weitere Hinweise.

Diese vornehmen Frauen beim Gastmahl, die sich anschließend oft infolge zu reicher Tafelfreuden erbrachen,

lassen vermuten, daß es genug Ursachen für Verdauungskrankheiten gegeben hatte. Ruffer und seine Nachfolger hegten denn auch keinen Zweifel daran, daß sämtliche intestinalen Krankheiten der Neuzeit schon im alten Ägypten vorgekommen waren – ganz abgesehen von den infektiösen Darmerkrankungen, deren Erreger im Nilwasser lauerten und die besonders in den unteren Schichten zweifellos verbreitet waren. Allerdings boten die Untersuchungen an Mumien infolge der geringen Zahl der erhaltenen inneren Organe nicht die Möglichkeit, diese Krankheiten alle nachzuweisen. Das blieb den Erforschern anderer, damals noch nicht erschlossener Quellen vorbehalten.

Dafür aber zeigten Ruffer, Smith und W. R. Dawson, daß die frühen Bewohner des Nillandes schwere Nierenleiden wohl gekannt hatten. Schrumpfnieren, diese tödliche Folge chronischer Nierenentzündungen, und Nierenabszesse, sprachen deutlich genug. Nierensteine, noch in der Neuzeit gefürchtete Produkte von Stoffwechselstörungen, hatten sich über die Jahrtausende erkennbar erhalten.

Schon Flinders Petrie, der berühmte britische Archäologe, hatte im Becken eines Skeletts aus der frühesten ägyptischen Zeit einen Blasenstein gefun-

den. Nun wiesen Smith und Dawson nicht nur weitere Blasensteine, sondern auch noch Nierensteine nach, von denen bekanntlich die wohl
schmerzhaftesten aller Koliken ausgehen. Nicht genug damit, fanden sie
an einer Mumie aus späterer Zeit noch weitere Beweise für das Vorhandensein schwerer Stoffwechselstörungen: Sie fanden die Anzeichen der *Gicht*.
Und dieser Fund gestattete keine Zweifel. Die weißen Ablagerungen an den
von der Krankheit befallenen Großzehen des Toten ergaben bei der Untersuchung die typische Reaktion, welche das Vorhandensein von Harnsäure
anzeigt.

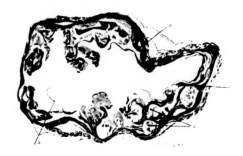

Legte man die hier abgebildeten Schnitte und Präparate
aus den Arterien eines Menschen einem Pathologen der Neuzeit vor, so
würde dieser ohne Mühe seine Diagnose stellen: hochgradige Arteriosklerose,
oder einfacher: Arterienverkalkung. Er hätte damit allerdings die Diagnose
für einen Mann gestellt, der in Ägypten in der Zeit des Neuen Reiches, also
im 2. Jahrtausend v. Chr., lebte.

Auf keinem anderen Gebiet ergaben die Untersuchungen der Mumien-
forscher so eindeutige Ergebnisse wie auf dem Gebiet der Gefäßerkrankun-
gen, die im 20. Jahrhundert als Erscheinungen der Zivilisation und der
Unrast des technischen Zeitalters angesehen werden. Zwar hatten die Einbalsamierer sehr häufig in roher Weise die Blutgefäße aus den Toten herausgerissen. Auf der anderen Seite aber verdankte man es gerade dieser rohen
Oberflächlichkeit, daß viele, vor allem tiefer liegende Gefäße, erhalten geblieben waren.

So untersuchte man die Mumien der Könige Ramses II., Merneptah, Ramses III. oder Amenophis III., aber auch zahlreiche Mumien weniger hochstehender Ägypter von der frühesten bis zur spätesten Zeit. Die an ihnen
festgestellten Erscheinungsformen der Arterienerkrankungen in Ägypten
unterschieden sich in nichts von den Erscheinungsformen der Neuzeit; sie
reichten von der einfachen Sklerose bis zur Calcifikation und Ulceration.

Gewaltige Denkmäler für die Ewigkeit errichtete König Ramses II.
(1301–1234 v. Chr.) sich selbst in Abu Simbel.

Das verhinderte indessen nicht, daß er an den Folgen einer schweren Arteriosklerose zugrunde ging. Zahlreichen anderen Königen erging es ebenso.

Selbst äußerlich verriet die Mumie Ramses II.
durch ihre Schläfenarterien die hochgradigen Veränderungen, denen die Gefäße des Königs unterworfen waren. Immerhin – Ramses erreichte ein hohes Alter, während die Arteriosklerose in Ägypten, wie die Forschungsergebnisse zeigen, auch sehr junge Menschen ergriff. Manche Arteriosklerotiker waren viel jünger als die der Neuzeit.

Die Frage nach den Ursachen für die weite Verbreitung der Adernverkalkung im alten Ägypten ließ den Forschergeist Ruffers, vor allem aber jüngere Nachfolger, nicht ruhen.

Sie berücksichtigten dabei alle Erklärungsversuche für die Entstehung der Krankheit, die in den medizinischen Lehrbüchern des 20. Jahrhunderts angegeben werden: Tabakmißbrauch, syphilitische Erkrankungen, Alkohol, übermäßige Ernährung, vor allem mit Fett und Fleisch, entzündliche Herderkrankungen an Mandeln und Zähnen, ständige körperliche, vor allen Dingen aber geistige und nervliche Überbeanspruchung «durch die Hast des modernen Lebens».

42

Den Tabak hatten die Ägypter nicht gekannt. Er wuchs damals ausschließlich in Amerika, und seine die Welt und die Menschen beherrschende Rolle stand ihm noch bevor.

Was die syphilitischen Krankheiten anbelangt, so untersuchte Elliot Smith nicht weniger als 25000 Schädel von ägyptischen Mumien und Skeletten. Er fand nicht eine einzige der typischen Veränderungen, welche die Syphilis hervorruft. Denn auch die Syphilis, die einmal so fürchterliche Verheerung nach Europa, Asien und Afrika tragen sollte, lebte damals noch abgeschlossen auf dem amerikanischen Kontinent.

Alkohol, in der Form des Weins, vor allen Dingen aber des Bieres, hatten die Ägypter gekannt und genossen. Und die Oberschicht der Könige, Priester, Beamten, Fürsten, Grundbesitzer, Bürger, welche die Mumien hinterließen, auf denen die Untersuchungen Ruffers und Smiths beruhten, hatten sich im Essen und in anderen Genüssen keine Beschränkung auferlegt. Die Inspektion besonders der Haut und der Hautfalten an den Mumien von Königen, wie Tuthmosis II., Ramses III. oder Amenophis III., zeigte, daß sie sehr beleibt gewesen waren. Die schlanken Idealbilder, welche ägyptische Künstler schufen, vermittelten der Nachwelt ein genauso falsches Bild der Ägypter, wie die Idealstatuen Griechenlands später das wahre Aussehen der Griechen völlig verfälschten.

Das unten wiedergegebene Relief gibt einen interessanten Hinweis auf die Leibesfülle, die bei den Ägyptern durchaus nicht ungewöhnlich war.

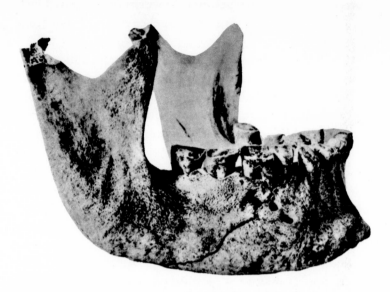

Berücksichtigt man die anderen neuzeitlichen Lehrmeinungen über die Ursachen der Arteriosklerose, so dürfte die Häufigkeit von Eiterherden an den Zähnen der alten Ägypter eine nicht unwesentliche Rolle gespielt haben.

Der oben abgebildete Unterkiefer zeigt sogar einen chirurgischen Eingriff in Gestalt von zwei künstlich gebohrten Löchern, die dazu dienten, dem Eiter einen Abfluß zu schaffen.

Weitere Untersuchungen ergaben, daß auch die Mandelentzündung schon früh bekannt gewesen war. Was aber eine Überbeanspruchung von Seele und Nervensystem anbelangt, so wird sich dieses Problem aus den Mumien schwerlich deuten lassen. Sorgfältige Darmuntersuchungen brachten indessen eine sonderbare Erscheinung ans Licht. Die Ägypter hatten schon gekannt, was die medizinische Terminologie der Neuzeit als «Schafkotform» bezeichnet: eine knotige Form des Stuhlgangs, hervorgerufen durch Krampfzustände des Darmes. Diese Schafkotform aber gilt als ein Symptom für Störungen des vegetativen Nervensystems, die man der hastigen Lebensweise unseres Jahrhunderts zuschreibt.

Allerdings bestanden auch ohne diese Entdeckung wenig Zweifel daran, daß zumindest Teile der ägyptischen Oberschicht durch Machtkämpfe, Intrigen, Kriege, religiöse Auseinandersetzungen und innere Wirren, Vergiftungsversuche und Mordanschläge, nicht zuletzt aber auch durch eigene Lebensgier ein nervenaufreibendes Leben geführt hatten. Damit war aber noch keineswegs das starke Auftreten der Arteriosklerose erklärt. Und es blieb eine große Lücke in allen Untersuchungen: die Mumien gaben keine Auskunft auf die Frage, in welchem Maße die Arterienverkalkung die Masse des einfachen Volkes betroffen hatte.

44

Ein einfacher Ägypter allerdings schien eine nicht weniger schwerwiegende Frage zu beantworten. Er war ein armer Türhüter namens Ruma, der auf diesem Denkstein aus der Zeit der 18.–20. Dynastie, also etwa zwischen 1567 und 1085 v. Chr., dargestellt ist.

Durch Opfergaben erbittet er von der ursprünglich syrischen, aber auch in Ägypten angebeteten Göttin Istar Hilfe gegen eine schwere Krankheit, die ihn so sehr verkrüppelt hat, daß er sich nur noch mit Hilfe eines Stockes vorwärts bewegen kann.

Schon 1900 hatte der Amerikaner J. K. Mitchell sich mit dem Skelett einer Mumie beschäftigt, deren linkes Bein um etwa 8 Zentimeter kürzer war als das rechte. Zusammen mit dem Toten hatte man dessen Stock bestattet, der ihm zu Lebzeiten die Fortbewegung ermöglicht hatte. Nach eingehenden Untersuchungen stellte Mitchell die These auf, der Tote habe an den Folgen einer spinalen Kinderlähmung gelitten. Als zehn Jahre später der Türhüter Ruma auf seiner eigenen Opferstele den Schritt aus dem Dunkel ferner Vergangenheit ins neugierige Licht des 20. Jahrhunderts tat, griffen W. R. Dawson und zwei andere Spezialisten die These Mitchells wieder auf. Diesmal fanden sie weniger Widerspruch, als sie nach der Erwägung anderer Möglichkeiten feststellten, daß Ruma zweifelsohne ein Opfer der spinalen Kinderlähmung gewesen sei und der Nachwelt durch seine Stele Zeugnis gegeben habe vom Auftreten der Poliomyelitis im frühen Ägypten. Trotzdem blieb die Stele ein Gegenstand verschiedener Auslegungen.

45

Eine andere Debatte entwickelte sich angesichts dieses Bildes der Kleopatra, jener letzten Königin auf dem Throne Ägyptens (69–30 v. Chr.),

die schon längst nicht mehr ägyptischen Geblüts war, sondern von Eroberern abstammte. Sie gewann den Thron noch einmal, indem sie zwei Mächtige aus dem inzwischen emporgestiegenen römischen Reich, Cäsar und Antonius, in ihre weiblichen Netze zog. Als ihr Zauber vor einem dritten, Octavian, versagte, flüchtete sie in ihr bereits erbautes Grab und suchte dort den Tod – wahrscheinlich durch den Biß einer Schlange, dessen schnelle und schmerzlose Wirkung sie vorher an Sklaven hatte erproben lassen. Dies war der letzte Ausklang des ägyptischen Königtums. Die Forscher der Neuzeit aber interessierte die Frage, ob die starke Ausbildung ihres Halses nicht als Zeichen für eine Schilddrüsenveränderung gewertet werden müsse. Eine Antwort wird hier jedoch nicht mehr zu erbringen sein.

Wichtiger war eine andere Frage, die gerade Fachleute und Laien der Neuzeit im besonderem Maße bewegte, die Frage nach dem Carzinom, dem Krebs. Ruffer und seine Freunde hörten nicht auf, hier zu forschen. Sie waren davon überzeugt, daß Krebs sich auch in früher geschichtlicher Zeit nachweisen lassen müsse. Für das griechische Zeitalter, das in der Spätzeit Ägyptens begann, war dies bereits gelungen. Doch für viele Formen des Krebses schieden die Mumien als Belegmaterial von vorneherein aus. Eine einzige Auskunft aber konnten sie geben: Elliot Smith und W. R. Dawson fanden an den Skletten von drei Mumien aus der Zeit zwischen 2563 und 2433 v. Chr. (v. Dynastie) eine Reihe von Knochengeschwülsten.

Die eine Geschwulst befand sich an einem Oberschenkelknochen, zwei weitere an den Knochen des Oberarmes. Sowohl Smith wie Dawson gelangten auf Grund ihrer umfangreichen Erfahrungen zu dem Schluß, daß es sich hier um Osteosarkome, also um sehr bösartige Krebsgeschwülste des Knochens, gehandelt habe. Waren aber solche Krebsgeschwülste am Knochen aufgetreten, so durfte man mit einigem Recht auch an anderen Organen Krebs erwarten.

Lange Zeit hatte man für ein Märchen gehalten, was Flavius Clemens, der Begründer einer christlichen Schule in Alexandria in Ägypten, um 200 n. Chr. schrieb.

In frühester ägyptischer Zeit, so behauptete er, vor Beginn des «Alten Reiches», hätten die Priester alles Wissen in 42 heiligen, geheimen Büchern zusammengefaßt. Darunter seien sechs Bücher gewesen, welche die medizinischen Erkenntnisse enthielten – alles Wissen über Anatomie, Physiologie, Medikamente, Chirurgie und Frauenheilkunde. War aber das, was Flavius Clemens geschrieben hatte, wirklich ein Märchen?

Georg Ebers, so hieß dieser ganz und gar dem deutschen Professorentyp des 19. Jahrhunderts entsprechende Mann, der im Jahre 1873 in Luxor einen Kauf tätigte, dem er seine spätere Berühmtheit verdanken sollte.

1837 geboren, hatte Ebers, ähnlich wie andere Deutsche seiner Zeit, eine tiefe Neigung zu Ägypten und seiner damals noch so rätselvollen Geschichte entwickelt. Er wurde Ägyptologe, habilitierte sich 1865 in Jena und wurde fünf Jahre später Professor in Leipzig. Einige Romane aus seiner Feder, «Eine ägyptische Königstochter», «Die Schwestern» u. a., spielten in Alt-Ägypten. Sie hatten viel Kritik unter Fachgelehrten, aber auch begeisterte Leser gefunden. Ebers war mehrfach in das Land seiner Sehnsucht gereist.

Auf einer dieser Reisen, in dem genannten Jahre 1873, bot ihm ein Araber in Luxor eine umfangreiche Papyrusrolle zum Kauf an. Der Araber behauptete, diese Rolle im Jahre 1862 in Theben zwischen den Beinen einer gut erhaltenen Mumie gefunden zu haben.

Die Rolle war 20,23 Meter lang und enthielt nicht weniger als 108 dicht geschriebene Absätze mit je 20 bis 22 Zeilen. Doch weder der Umfang noch der gute Zustand des Papyrus allein hätten Ebers zum Kauf bewegen können. Erst als er die einleitenden Zeilen des Papyrus las, schlug sein Herz höher: «Hier beginnt das Buch über die Herstellung von Medizin für alle Teile des menschlichen Körpers...»

Der Text war voll von unleserlichen Worten, offenbar Fachausdrücken oder Namen von Medikamenten. Auf der Rückseite befanden sich kalendarische Notizen, die den Schluß zuließen, daß die Papyrusrolle spätestens um 1555 v. Chr. beschrieben worden war. Überzeugt, ein unschätzbares Quellenwerk über die ägyptische Medizin, vielleicht sogar eine späte Abschrift aus jenen geheimnisvollen Büchern, die Flavius Clemens erwähnt, gefunden zu haben, eilte Ebers nach Deutschland zurück.

«Papyrus Ebers, das hermetische Buch über die Arzneimittel der Ägypter in hieratischer Schrift», so lautete der deutsche Titel der Faksimile-Ausgabe seines Fundes, die Ebers zwei Jahre später in Leipzig in zwei Bänden herausgab.

Ihr Inhalt sollte als *Papyrus Ebers* in die Geschichte eingehen. Der Papyrus war allerdings nicht das erste geschriebene Dokument zur Medizingeschichte Ägyptens. Der Deutsche Heinrich Brugsch hatte schon vorher in Sakkara, mehrere Meter unter der Erde, in einem Gefäß einen Papyrus gefunden, der 279 Schriftlinien enthielt und ebenfalls aus medizinischen Rezepten zu bestehen schien. Bis zur Herausgabe des Papyrus Ebers hatte Heinrich Brugsch nur einen kurzen Bericht über seinen Fund, den sogenannten «Berliner Papyrus», veröffentlicht. Ähnlich lagen die Dinge bei einem anderen Papyrus medizinischen Inhalts, der nach London gebracht worden war. Auch er war nur relativ kurz und etwa um 1600 v. Chr. geschrieben worden, während der Berliner Papyrus aus der Zeit zwischen 1350 und 1200 v. Chr. stammte. Es war viel zu schwierig gewesen, die beiden Dokumente zu übersetzen. Auch den Papyrus Ebers übersetzte man zuerst nicht, aber er wurde das erste medizinische Werk der Ägypter, das mit einer ungefähren Inhaltsangabe sowie mit Kommentaren versehen erschien.

Es dauerte noch 15 Jahre, dann legte der Deutsche H. Joachim 1890 den ersten Versuch einer Übersetzung des Papyrus Ebers vor. Die Übersetzung hatte noch alle Schwächen, Fehler und Lücken einer Pionierarbeit – trotzdem hätte sie mehr Aufsehen erregen müssen, als sie es wirklich tat.

Durch sie hätte man nämlich erkennen können, daß sich hier ein Blick in die Geheimnisse einer Wissenschaft öffnete, die Jahrtausende vor Christi Geburt schon Medizin in unserem Sinne war und einen ersten Ansatz zu medizinischem Denken in sich trug, lange bevor die Griechen, die man doch für die Urschöpfer der medizinischen Wissenschaft hielt, überhaupt in die Geschichte eintraten.

Es gab, wie wir sehen werden, noch mancherlei andere Gründe philologischer und technischer Art, die dazu führten, daß noch vier Jahrzehnte vergingen, bis man zu einer richtigen Einschätzung der ägyptischen Medizin gelangte. Aber einer der Hauptgründe lag zweifellos in dem medizinischen Mythos der Griechen und dem besonderen Mythos des Mannes, der auf dem Bild rechts so nachdenklich vor sich hinblickt:

Es war Hippokrates, der griechische Arzt, von dem die Neuzeit bestenfalls mit einiger Sicherheit weiß, daß und wann er geboren wurde, nämlich im Jahre 460 v. Chr.

Es gibt eine Anzahl von Büsten, für die der Anspruch erhoben wird, sie allein zeigten den wahren Hippokrates, doch bei keiner dieser Büsten ist es sicher, daß sie ein Porträt darstellt. Sicher ist dagegen, daß der größte Teil der medizinischen Schriften, die als hippokratische Schriften der Neuzeit überliefert wurden, nicht von Hippokrates selbst stammen. Auch die als echt geltenden lassen sich ihm nur mit Hilfe philologischen Scharfsinns zuschreiben. Ebenso darf man daran zweifeln, ob der sogenannte «Hippokratische Eid» des Arztes, der als ein Dokument hoher ärztlicher Ethik in die Medizingeschichte einging, je von Hippokrates gesprochen wurde.

Das hatte griechenbegeisterte Generationen freilich nicht daran gehindert, Hippokrates rundweg als den «größten Arzt der Geschichte» zu bezeichnen. Für sie wurde er zum Symbol einer ideal verklärten griechischen Medizin. Es hat viele Jahrzehnte gedauert, bis dieses Bild der Wirklichkeit wieder angenähert wurde und bis man erkannte, daß lange vor den Griechen ein medizinisches Erfahrungs- und auch Gedankengut existiert hatte, von dem die Griechen – mit «der Lebenskraft der Bastarde», wie sich ein moderner Medizinhistoriker ausdrückte – in sich aufsogen, was aufzusaugen war. Als die erste Übersetzung des Papyrus Ebers erschien, war man allerdings noch nicht so weit. Auch war man damals allzu bereit, in diesem

Dokument ausschließlich das zu sehen, was es bei nur oberflächlicher Betrachtung zu sein schien: das Spiegelbild einer absurden, vom Götter- und Dämonenglauben beherrschten, jedes klaren Gedankens und jeder Vernunft baren Heilkunde.

Diese Betrachtungsweise fand ihre Bestätigung beim genaueren Studium des Berliner Papyrus und des von magischen Ideen durchtränkten Londoner Papyrus, ferner auch durch die Auffindung weiterer kleiner Papyri medizinischen Inhalts. Unter ihnen war der sogenannte Papyrus Hearst, den ein Araber 1899 in Oberägypten fand und der seinen Namen nach Mrs. Phoebe-Hearst erhielt, die den Papyrus der Universität von Kalifornien vermachte.

Re – der Sonnengott,
dessen Abbildung oben links zu sehen ist,
erschien als der größte Arzt und Heilmittel-bereiter; über ihn las man im Papyrus Ebers: «Anfang von dem Heilmittel, das Re für sich selbst gemacht hat» (es folgt eine lange, anscheinend wahllos zusammengestellte Rezeptmischung aus Honig, Wachs, Koriander und vielen nicht übersetzbaren Bestandteilen). Dann fährt der Text wörtlich fort: «Das ist eine Beseitigung des Einwirkens eines Gottes, eines Toten, einer Toten, des männlichen Schmerzstoffes, des weiblichen Schmerzstoffes in irgendeiner Körper-stelle des Mannes, so daß es ihm sofort besser geht ...»

Wie fern mußten Vernunft und klares Denken gelegen haben, wenn der gleiche Papyrus in einem Rezept gegen den Schnupfen vorschrieb, sich *an den Gott Thot mit der großen Nase* (Bild links) zu wenden. Man sprach die Formel: «Du mögest ausfließen, Schnupfen, Sohn des Schnupfens, der die Knochen zerbricht, der den Schädel zerstört, daß krank werden die sieben Öffnungen im Kopf der Gefolgsleute des Re, die sich betend an Thot wenden. Siehe, ich habe dein Heilmittel gegen dich gebracht... Milch einer, die einen Knaben geboren hat, duftenden Gummi, er beseitigt dich... komm heraus auf die Erde, verfaule, verfaule viermal. Werde gesprochen über... Milch einer, die einen Knaben geboren hat...»

Die Abgesandten der bösen Göttin Sachmet (rechts), die Krankheit und Tod über die Menschen Ägyptens zu bringen vermochte, geisterten ebenso wie viele andere anonyme Unholde durch die Papyri. «O Geist», so lautete eine Krankheitsbeschwörung des Papyrus Hearst, «männlich oder weiblich, der du dich versteckst... in meinem Fleisch, in diesen meinen Gliedern verbirgst... ich habe diesen Kot mitgebracht. Hüte dich, du Versteckter... verschwinde...»
Kot schien also als Abschreckungsmittel gegen die Krankheitsgeister im Körper gegolten zu haben. Und es beeinträchtigte die Einschätzung der Papyri noch mehr, daß andere unappetitliche Stoffe in zahlreichen Rezepten auftauchten, die man mühsam und lückenhaft entzifferte. «...Kot vom Löwen, Kot vom Panther, Kot vom Steinbock, Kot von der Gazelle, Kot vom Strauß...» so hieß es in einem Rezept zur Vertreibung von Dämonen aus einem Manne. Und in der Übersetzung hieß es dann weiter: «Der Mann werde damit beräuchert.»

Man zählte das Jahr 1922, als im Bulletin der New York Historical Society ein Aufsatz mit dem Titel: «The Edwin Smith-Papyrus» erschien. Diese Veröffentlichung erregte Aufsehen, kündigte sie doch die bevorstehende Veröffentlichung eines neuen großen medizinischen Papyrus aus Ägypten an – und zwar eines Papyrus, der keine Beschwörungen enthalten, sondern nicht weniger darstellen sollte als ein «chirurgisches Lehrbuch aus allerfrühester Zeit». Das Bild rechts zeigt eine Seite aus diesem Papyrus.

51

Bereits 1862, so wurde jetzt bekannt, hatte ein junger amerikanischer Ägyptologe namens Edwin Smith (Bild links) eine Papyrusrolle erworben. Ihre Länge betrug 4,68 Meter; ihr Fundort war ein Grab bei Theben.

Edwin Smith war wahrscheinlich der erste Amerikaner, der Ägyptisch lernte und sich in London, Paris und Kairo mit dem Studium der ägyptischen Schrift beschäftigte. Später erfuhr man, daß er in Luxor auch den Papyrus in Händen gehalten hatte, den Jahre später Georg Ebers erwarb – Smith hatte in diesem Falle jedoch nicht zugegriffen. Der Amerikaner konnte Altägyptisch hinreichend lesen, um zu erkennen, daß es sich bei dem Fund, den er erworben hatte, um einen medizinischen Text handelte. Er unternahm jedoch keinen Versuch, diesen Text zu veröffentlichen. Erst nach seinem Tode im Jahre 1906 übergab seine Tochter den Papyrus der New York Historical Society, die eine Übersetzung veranlaßte.

Henry James Breasted (links) hieß der Mann, dem die äußerst schwierige Aufgabe dieser Übersetzung anvertraut worden war. Der 1865 geborene Amerikaner war ursprünglich Theologe gewesen, dann aber hatte er sich ganz dem Studium der Ägyptologie gewidmet. Unter seiner Leitung waren Ausgrabungen in Ägypten und im Sudan durchgeführt worden, und Breasted war auch der Begründer des Orientalistischen Institutes an der Universität von Chicago. Er beherrschte die ägyptische Schrift wie die ägyptische Sprache und deren Entwicklungsformen im Verlauf ihrer Geschichte so gründlich, daß ihm und seinen Mitarbeitern eine bewundernswerte Übersetzung des schwierigen Papyrustextes gelang.

Bei seiner Arbeit feuerte ihn das Bewußtsein an, daß er auf dem Wege war, der Fachwelt nicht nur etwas ganz und gar Neues vorzulegen, sondern auch das älteste medizinische Werk Ägyptens zu erschließen.

Geschrieben war der Papyrus Smith (ähnlich wie der Papyrus Ebers) zwar erst um das Jahr 1550 v. Chr., aber es handelte sich bei ihm eindeutig um eine Abschrift weit älterer Texte. Die Verwendung ägyptischer Worte, die um 1550 vor Christi Geburt nicht mehr im Gebrauch gewesen waren, sondern aus der Zeit des Alten Reiches stammten, war ein Beweis dafür, daß die Vorlagen des Papyrus schon in der geschichtlichen Frühzeit Ägyptens entstanden waren.

Endlich, im Jahre 1930, lag Breasteds Übersetzung vor: zwei Bände, mit umfangreichen Kommentaren versehen. Länger als zehn Jahre hatte die Übersetzungsarbeit gedauert, aber dafür lieferte sie nun auch eine Art Offenbarung.

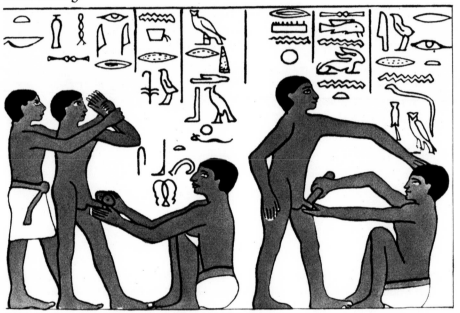

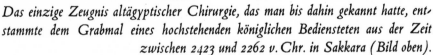

Das einzige Zeugnis altägyptischer Chirurgie, das man bis dahin gekannt hatte, entstammte dem Grabmal eines hochstehenden königlichen Bediensteten aus der Zeit zwischen 2423 und 2262 v. Chr. in Sakkara (Bild oben).

Ein zum Teil zerstörtes Relief an einem Türpfosten dieses Grabes zeigte zuunterst die Beschneidung zweier Jünglinge mit Hilfe grober Steininstrumente. Während der Operierte auf der linken Seite an beiden Armen festgehalten wurde, stützte der andere seine linke Hand auf den Kopf des Operateurs. Laut Inschrift erklärte dieser: «Ich werde dir gut tun.» Die Abbildung am rechten Rand dieser Seite zeigt eines der bei solchen Eingriffen verwendeten *Steininstrumente*.

Die Beschneidung, deren Vornahme Elliot Smith schon an Mumien der frühesten ägyptischen Zeit nachwies, war offenbar ägyptischen Ursprungs. Es gelang allerdings bis heute nicht, ihre Motive eindeutig zu interpretieren.

Vor allem blieb unerfindlich, weshalb dieser König oder jener Priester beschnitten, andere aber unbeschnitten waren. Offenbar hatte die Sitte im Laufe der ägyptischen Geschichte mancherlei Wandlungen erfahren. Der Kernpunkt für die medizingeschichtliche Forschung aber blieb dabei der Umstand, daß die Beschneidung in den Tempeln von einfachen Helfern der Priesterschaft durchgeführt worden war. Das besagte bei der engen Beziehung zwischen Priestern und Ärzten zunächst allerdings wenig, und dennoch: In den vorhandenen Inschriften war in diesem Zusammenhang niemals von Ärzten die Rede gewesen. So hatten die Reliefs von Sakkara nicht als Beweis für echte chirurgische Arbeit altägyptischer Ärzte gelten können.

Um so größer war die Überraschung, welche der Papyrus Smith zu bieten hatte. Er war in der Tat ein regelrechtes Lehrbuch der Chirurgie aus der Zeit zwischen 2500 und 2000 v. Chr. – ja er war mehr als das.

Nur wenn man wenigstens einige Proben seines Inhalts in der Ausdrucksweise des Originals liest, begreift man seine Bedeutung. Die Ausdrucksweise ist oftmals kompliziert. Man merkt, wie die alten Ärzte darum rangen, sich verständlich zu machen. Aber gerade darin liegt ein Teil des tiefen Eindrucks, den diese ärztlichen Formulierungen, die da nach einem Abstand von Jahrtausenden wieder lebendig an unsere Ohren klingen, hervorrufen.

Anweisung Nr. 35

«Wenn du untersuchst einen Mann mit einem ... hsb-Bruch an seinen beiden Schlüsselbeinen, und du findest seine beiden Schlüsselbeine, indem ersteres verkürzt (und) in veränderter Lage ist gegenüber seinem zweiten ..., dann mußt du dazu sagen: einer mit einem hsb-Bruch an seinen beiden Schlüsselbeinen, eine Krankheit, die ich behandle. Dann mußt du ihn ausgestreckt hinlegen (auf den Rücken), indem etwas Zusammengefaltetes zwischen seinen beiden Schulterblättern ist. Dann sollst du seine beiden Schulterblätter ausbreiten, so daß sich seine beiden Schlüsselbeine strecken, so daß jener hsb-Bruch an seine richtige Stelle fällt. Dann mußt du ihm zwei Bäusche aus Stoff machen. Dann mußt du deren einen legen innen an seinen Oberarm, den anderen unten an seinen Oberarm. Dann sollst du ihn (den Bruch) verbinden mit imr: w -Mineral ...»

Anweisung Nr. 6

«Wenn du untersuchst einen Mann mit einer ... Wunde an seinem Kopf, die bis zum Knochen reicht; gebrochen ist sein Schädel, aufgebrochen ist das Gehirn seines Schädels ... diese Windungen, die entstehen am gegossenen Metall. Etwas ist daran ... das zittert (und) flattert unter deinen Fingern wie die schwache Stelle eines Scheitels eines Kindes, der noch nicht fest geworden ist. Es entsteht dieses

Zittern und Flattern unter deinen Fingern, weil das Gehirn seines Schädels aufgebrochen ist. Er gibt Blut aus seinen beiden Naslöchern.

Dann mußt du dazu sagen: einer mit einer Klaffwunde an seinem Kopf... eine Krankheit, die man nicht behandeln kann.»

Bis zu dieser Offenbarung des Papyrus Smith hatte Alkmaion von Kroton, ein um 500 v. Chr. lebender griechischer «Naturphilosoph», als der erste gegolten, der über das menschliche Gehirn schrieb. Jetzt aber stand fest: Man hatte sich geirrt.

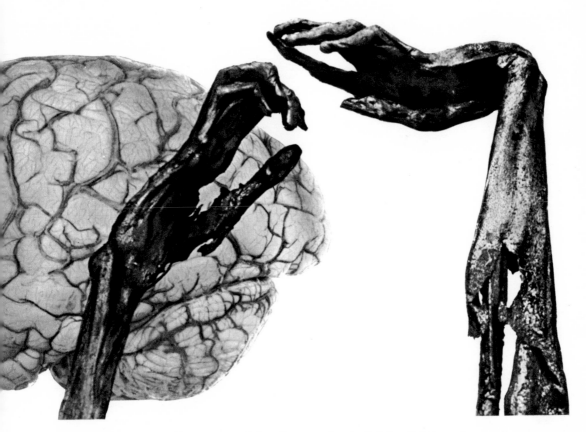

Es ist nicht erkennbar, in welchem Ausmaß den Ägyptern der Einfluß des Gehirns auf körperliche Funktionen bekannt gewesen ist. Wahrscheinlich hatten ihre Ärzte Schlüsse gezogen, z.B. aus einer verkrampften Handstellung, wie sie die Mumie eines an Schädelverletzungen gestorbenen Königs aus der Zeit um 1700 v. Chr. zeigt (oben). Inwieweit sich in ihre Vorstellung von dem «Mysterium Gehirn» Reste alten Dämonenglaubens einmischten, interessiert uns hier nicht: Entscheidend war, daß die Ärzte, welche der Papyrus Smith aus dem Dunkel fernster Vergangenheit ins Licht unserer Gegenwart stellte, klar beobachtet, ihren Beobachtungen entsprechend gehandelt und ihre Schüler unterrichtet hatten.

Über diese Statue des ägyptischen Arztes Nin-anch-re aus der Zeit der VI. Dynastie (2423–2280 v. Chr.) schrieb ihr Entdecker Hermann Junker: «Er war ein Mann mit den Gesichtszügen eines kultivierten Menschen.»

Zweifellos wären unkultivierte Männer nicht in der Lage gewesen, inmitten der vielgestaltigen Götter- und Dämonenvorstellungen für sich und ihre Schüler den Erfahrungsschatz und die Lehren aufzuschreiben, welche der Papyrus Smith enthielt.

Die «Anweisungen zur Behandlung» Nr. 35 und Nr. 6, die wir zitierten, bilden nur einen Bruchteil der 48 Lehrsätze, die man im Papyrus Smith findet. Ein jeder ist sorgfältig aufgeteilt in Krankheitsbeschreibung, Diagnose, Prognose und Behandlungsvorschrift.

Brüche, so erfahren wir, wurden nicht nur eingerichtet: sie wurden auch mit mehr oder weniger großen röhrenförmigen Rindenstücken geschient.

Das Bild links zeigt uns eine solche Behandlung im Fall eines Bruches beider Unterschenkelknochen.
Leinenbinden, die in leimartige Gummiharze oder Asphalt getaucht wurden, ersetzten den heute üblichen Gipsverband.

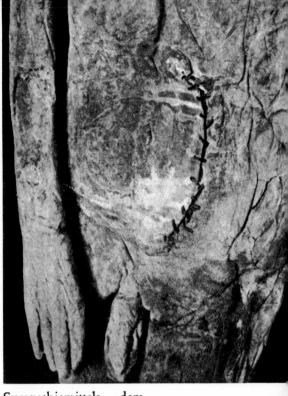

Weit klaffende Wunden wurden so vernäht, wie man es auf der gegenüberliegenden Seite in der Bauchdecke einer Mumie sieht.

Diese Wunde wurde allerdings einem Toten bei, gebracht, um bei der Mumifizierung seine Ein, geweide zu entfernen.

Weniger klaffende Wunden zog man mit kle, benden, harzgetränkten Leinenstreifen zusam, men oder verband sie mit frischem Fleisch. Die, ses Fleisch ergab nicht nur einen weichen Druck, verband, sondern enthielt auch blutstillende Fer, mente. Natürlich entsprang diese Methode nicht etwa Kenntnissen über die Blutchemie; sie war lediglich die Frucht der Erfahrung, die bei der 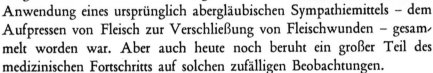 Anwendung eines ursprünglich abergläubischen Sympathiemittels – dem Aufpressen von Fleisch zur Verschließung von Fleischwunden – gesam, melt worden war. Aber auch heute noch beruht ein großer Teil des medizinischen Fortschritts auf solchen zufälligen Beobachtungen.

Bei offenen Brüchen und großen Wunden waren die Ägypter von der Wundinfektion nicht weniger tödlich bedroht wie zahllose nachfolgende Menschengeschlechter bis zur Entdeckung der Antisepsis gegen Ende des 19. Jahrhunderts. Ägyptische Ärzte waren es auch, die solche Infektionen zum ersten Male beschrieben: «Wenn du untersuchst einen Mann mit einer Anomalie der Wunde... und jene Wunde ist entzündet... eine Ballung von Hitze, sie strömt aus der Öffnung jener Wunde gegen deine Hand, gerötet sind die Lippen jener Wunde und – jener Mann ist heiß infolgedessen, da mußt du dazu sagen: einer mit einer Anomalie einer Wunde... eine Krank, heit, die ich behandle. Dann sollst du ihm machen Kühlmittel zum Heraus, ziehen der Hitze... Blätter der Weide...» Diese Beschreibung und die Behandlung mit den auch nach den Erkenntnissen einer späteren Zeit ent, zündungswidrigen Lösungen aus Weidenblättern und Weidenrinde waren wiederum fern von jedem Aberglauben.

Ein anderes Mittel, um Infektionen und Entzündungen beizukommen, lehrte die Anweisung Nr. 39 des Papyrus Ebers: das Ausbrennen. An dieser Methode haben die folgenden Jahrtausende immer wieder festgehalten.

Der Papyrus Smith endet mit der Anweisung Nr. 48, die eine Wirbel-
zerrung betraf. «Dann sollst du ihm machen ...» sind seine letzten Worte.
Mitten im Satz hatte der Schreiber aus Gründen, die für immer unbekannt
bleiben werden, seine Arbeit unterbrochen. Er hatte nichts mehr mitgeteilt
über all die chirurgischen Eingriffe, die zweifellos den unteren Teilen des
menschlichen Körpers gegolten hatten. Der Papyrus Smith enthielt jedoch
noch eine überraschende Enthüllung – die überraschendste von allen.

*Gespenstisch, als schlüge es über Jahrtausende hinweg in einer weitgeöffneten Brust, so
wirkt das Herz in der unten gezeigten Mumie eines ägyptischen Priesters aus der Zeit
der XXI. Dynastie.*

Nicht weniger gespenstisch aber wirken einige Sätze, die gleich in der ersten
Anweisung des Papyrus Smith enthalten sind.
Sie sind unvollständig, verstümmelt und waren besonders schwer zu übersetzen. Sie lauten in gekürzter Form: «... messen ist, wie wenn man irgendwelche Dinge mit dem ipt-Maß zählt. Das Zählen von irgend etwas mit
den Fingern (geschieht) – um zu erkennen den Gang des Herzens. Es sind
Gefäße in ihm zu jeder Körperstelle ... Wenn ein Sachmet-Priester, irgend-
ein swnw-Arzt ... seine Finger gibt auf den Kopf ... auf die beiden Hände,
auf die Stelle des Herzens ... auf die beiden Beine, dann mißt er das Herz ...
Es spricht ... in jedem Gefäß, jeder Körperstelle ... man mißt die Gefäße

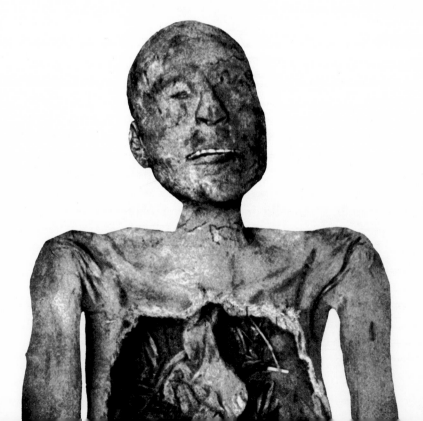

seines Herzens, um die Bekundungen zu erkennen, die darin stattfinden.»
Wenn es noch irgendeinen Zweifel darüber gegeben hatte, daß Ärzte
schon im alten ägyptischen Reich, inmitten allen Götterglaubens und Dä-
monenzaubers, medizinische Beobachter gewesen waren, dann bewiesen
es diese Sätze.

Die ägyptischen Ärzte hatten nicht nur das Herz beobachtet, sie
hatten auch den Pulsschlag gezählt.

In der ersten Begeisterung über diese Entdeckung schrieb Henry James
Breasted: «Sie (die Ägypter) waren nicht weit von der Entdeckung des Blut-
kreislaufes entfernt» ... (einer Entdeckung, die erst dem Engländer William
Harvey im 17. Jahrhundert n. Chr. gelang). Zweifellos schoß Breasted hier
über das Ziel hinaus. Aber das änderte nichts daran, daß der Papyrus Smith
gerade durch diese Anmerkung über Puls und Herz den Anstoß dazu gab,
den Papyrus Ebers und die anderen Papyri mit völlig neuen Augen zu
sehen – und mit ihnen auch die ganze ägyptische Medizin.

Es dauerte noch sieben Jahre, dann lieferte B. Ebbell (unten),
ein Däne, die erste bedeutende Übersetzung des Papyrus Ebers.

Zwanzig Jahre später folgte eine Übersetzung durch den Deutschen Hermann Grapow und seine Mitarbeiter Hildegard v. Deines und Wolfhart
Westendorf.

Als Ebbells Werk 1937 in Kopenhagen in eng-
lischer Sprache erschien, gab er ihm den Unter-
titel «das bedeutendste medizinische Dokument
Ägyptens». Damit unterstrich er kurz die Wandlung, die in der Beurteilung der ägyptischen Medizin im Gange war. Voller Sorgfalt und zugleich
doch mit schöpferischer Phantasie begabt, zeichnete Ebbell aus der Papyrusrolle ein neues Bild
dieser Medizin. Es war faszinierend, wie unter
seinen Händen eine Welt emporstieg, die hinter
einem Gestrüpp von mythischen Vorstellungen,
Beschwörungen und alten abergläubischen Rezepten nur verborgen gewesen war.

Auch der Papyrus Ebers erwies sich, wie vor ihm
der Papyrus Smith, als eine Abschrift viel älterer
Lehrbücher – und zwar sowohl eines Lehrbuches der Chirurgie als auch eines Lehrbuches
der inneren Medizin. Damit verbunden war eine
Heilmittel- und Rezeptkunde voller Erfahrung
und voller Offenbarungen.

KAPITEL IV

Der fruchtbare Boden Ägyptens
sei unsagbar reich an Vielfalt der Pflanzen,
so hatte Homer, der sagenumwobene Dichter aus der Zeit des frühen Griechenland, um 800 v. Chr. in seiner Odyssee bewundernd berichtet. Viele
von ihnen lieferten heilsame Tränke, doch manche seien auch giftig.

Zu den ersten faszinierenden Ergebnissen von Ebbells Erschließung des
Papyrus Ebers gehörte der Einblick in die Welt der ägyptischen Heilmittel
und Drogen. Sie erregte um so größeres Erstaunen, je mehr man sich mit
ihr beschäftigte. Rund 900 ärztliche Rezepte waren im Papyrus Ebers aufgezeichnet. Und ihre überwiegende Mehrzahl bestand keineswegs nur aus
leeren magischen Floskeln, wie man zuerst geglaubt hatte.

Dem Dänen Ebbell und seinen späteren Nachfolgern gelang es zwar nicht,
alle ägyptischen Drogennamen zu entziffern. Das ntjw-Harz, die isd-Frucht,
die netr-Pflanze und viele andere Bezeichnungen, bei denen Hinweise oder
Anhaltspunkte fehlten, mußten bloße Namen bleiben. Vielleicht verbargen sich hinter ihnen wirkungsvolle Drogen, welche die Neuzeit unter anderem Namen oder überhaupt nicht mehr kennt. Aber Zahl und Art der
Drogen, deren Feststellung aus den ägyptischen Schriftzeichen nach und
nach gelang, rechtfertigten die Behauptung, die Ägypter hätten wenigstens
ein Drittel aller Heilmittel gekannt und verwendet, die in neuzeitlichen
Drogenbüchern verzeichnet sind. Eine kleine Auswahl nur sei genannt:
Wacholder, Koloquinte, Granatapfel, Leinsamen, Fenchel, Bergahorn,
Kardamom, Kümmel, Knoblauch, Lattich, Terpentin der Fichte, Terpentin der Föhre, Sennesblätter, Lilie, Bryonia, Rizinus, Christrose, Thy-
mian, Therebinthe, Schöllkraut, kriechendes Fünffingerkraut, Sellerie,
Tamariske, Bockshornklee, Schilfrohr und Lotos.

«Heilmittel für das Beseitigen von übermäßigem Ge-schrei», *so hieß es in den Rezepten, welche der Papyrus Ebers für ägyptische Mütter und Kinder (auf dem Bild rechts verkörpert durch die Göttin Isis und ihren Sohn Horus) enthielt.*

Das Rezept selbst aber lautete: «spnn» von «spn» sowie Kot von Fliegen, der sich an der Mauer befindet, werde gemacht zu einer Masse, werde durchgepreßt, werde getrunken an vier Tagen.

Wenn man den «Kot von Fliegen» zunächst übergeht, der sich später als ein gar nicht so sinn-loses Mittel erwies, dann bleiben die Worte «spnn und spn». Letzteres aber bedeutete selbst in den vorsichtigsten Übersetzungen «Mohn».

Zum ersten Male in der Geschichte der Medizin tauchte also hier der Name jener Pflanze auf, die später im Bösen wie im Guten ihren Zug über die ganze Erde antrat: Mohn, die Quelle des Opiums und des Morphiums, des Codeins, Narcotins und Papaverins, ohne deren schmerz-betäubende und krampflösende Wirkung die Geschichte der modernen Medizin undenkbar wäre.

Lange Zeit ist bezweifelt worden, ob die Ägypter wirklich den *Schlafmohn* (wie ihn eine spätere, mittelalterliche Darstellung rechts zeigt) gekannt und außerdem gewußt hätten, daß seine wirkungs-vollen Stoffe im Milchsaft der unreifen Früchte ent-halten sind. Homer schon hatte es besser gewußt in der gleichen Odyssee, welche den märchen-haften Drogenreichtum Ägyptens pries, als er von Helena berichtete, die dem ob der Erinnerung an Odysseus weinerlich gestimmten Helden Tele-mach einen «Vergessenheitstrank» kredenzte. Er beschrieb für Fachleute völlig unverkennbar die betäubende Wirkung des opiumhaltigen Mohn-saftes. Sein Bericht aber endete: «Solcherlei zaub-rische Mittel besaß sie, die Tochter des Gottes, wirksame, die ihr schenkte die Gattin des Thot, Polydamna, eine Ägypterin.»

In Echet-Aton, jener unglücklichen Traumstadt des Königs Amenophis IV. (Echnaton) aus dem 14. Jahrhundert v. Chr., hatte das oben abgebildete, bemalte Relief bereits eine andere Droge aus dem Dunkel der frühen Medizingeschichte auftauchen lassen – eine Droge, die gleichfalls in der Folge eine außergewöhnliche, nachträglich kaum abzuschätzende Bedeutung erlangte.

Erst die Neuzeit entriß ihr das Geheimnis ihrer berauschenden und betäubenden Wirkung. Mandragora oder Alraune hieß diese Pflanze.

Wegen ihrer gespaltenen Wurzel, die leicht als Menschengestalt zu sehen war, wie sie die Abbildung der Mandragora aus einem alten Drogenbuch zeigt, blieb die Pflanze durch Jahrhunderte von Mythen und Aberglauben umwoben. Besonders während des Mittelalters wurde sie immer wieder als Betäubungsmittel bei Operationen verwendet, zugleich aber wegen ihrer unkontrollierbaren Giftwirkung gefürchtet und verdammt. Unsere Zeit entdeckte schließlich im Atropin und Scopolamin die beiden Wirkstoffe, durch die man Kranke in einen zur Einleitung von Operationen nützlichen Dämmerschlaf versetzen konnte. Die doppelwurzelige Pflanze, welche die Königin Nofretete auf unserem Bilde ihrem Gemahl entgegenhält, einfach als Mandragora zu bestimmen, war vor den Augen der kritischen Fachwelt nicht ganz einfach – fand sich in den Papyri doch kein Hinweis auf die Mandragora. Wieviel Pflanzennamen in diesen Papyri aber blieben unübersetzbar – eine ganze Reihe konnte Mandragora bedeuten.

Dafür enthielt der gleiche Papyrus Ebers, in dem zum ersten Male vom Mohn als Medikament die Rede war, ein Rezept zur Beseitigung von Schmerzen, «welche durch Würmer (in den Eingeweiden) hervorgerufen werden». Für dieses Rezept verwendete man bezeichnenderweise in pulverisierter Form eine Pflanze, welche der Mandragora aufs engste verwandt ist: *Hyoscyamus* oder *ägyptisches Bilsenkraut* (Folia Hyoscyami mutici; Abbildung *a*).

a

Auch das Bilsenkraut sollte durch mehrere Jahrtausende in der Medizingeschichte eine Rolle spielen. Einmal als Rauschgetränk, das «mit unsichtbarer Kraft die Augenlider niederdrückte» und den Schlaf mit Phantasmen begleitete. Es erzeugte bei offenen Augen Halluzinationen und Gesichte und trieb sogar zum Wahnsinn. Aber es konnte auch Schmerz und Qual überwinden. Es sollte Orakelpriester, Heilige und die unglücklichen Hexen des Mittelalters zu «Gesichten und Offenbarungen, zu Fanatismus und Selbstbezichtigungen» treiben, gleichzeitig aber wie die Mandragora bei den Schmerzbetäubungsversuchen mittelalterlicher Chirurgen eine große Rolle spielen.

Auch im Bilsenkraut entdeckten die Chemiker unserer Tage das Scopolamin mit seiner lähmenden Wirkung auf bestimmte Teile des Zentralnervensystems und nutzten es zur Bekämpfung notorischer Unruhe sowie zur Herbeiführung des Dämmerschlafs.

Außer Mohn, Alraune und Bilsenkraut fand man im üppigen Pflanzenschatz Ägyptens auch noch andere Gewächse, aus denen tödliche, aufreizende und geistverwirrende Gifte oder schmerzlindernde, lösende und beruhigende Mittel zu gewinnen waren. Unter ihnen befand sich der *Stechapfel* (Abbildung *b*), von dem man lange Zeit geglaubt hat, daß er zum ersten Male in den Berichten über den Feldzug des Römers Antonius gegen das Volk der Parther in Kleinasien im Jahre 36 v. Chr. erwähnt worden sei. Dort nämlich hieß es: «Die Truppen mußten ihre Zuflucht zu Wurzeln und Kräutern nehmen, die sie nicht kannten. So stießen sie auch auf ein Kraut, das tötete, nachdem es geisteskrank gemacht hatte. Wer etwas davon gegessen hatte, vergaß, was er bisher getan, und erkannte nichts...»

b

Diesen Stechapfel, der Hyoscyamin und Atropin enthielt, verwendeten bereits die Ägypter, um Schmerzen zu stillen.

Niemand vermag zu sagen, wer im Niltal zuerst die Wirkung obiger Drogen erkannte und wieviel Menschen der Frühzeit deren unfreiwillige Erprobung mit ihrem Leben bezahlten... Niemand kann abschätzen, wieviel Sklaven und Gefangene bei den Erprobungen unbekannter Pflanzen zugrunde gingen. Sicher aber ist, daß die Ägypter sowohl die hilfreichen als auch die tödlichen Wirkungen der Drogen kannten. Denn sie suchten tödliche Wirkungen bei den Kranken zu vermeiden, indem sie bei der

Herstellung ihrer Arzneien zum ersten Male in der Geschichte alle Bestandteile genau wogen oder maßen. Wie man aber bei den giftigen Drogen verfuhr, so verfuhr man im Laufe der Zeit auch bei Verordnung und Herstellung fast aller Heilmittel. So wurden die Ägypter die Schöpfer der genauen Rezeptur.

Dieses Grabgemälde aus Theben-West, auf dem wir das Abwägen von Gold für die Herstellung von Schmuck betrachten, könnte ebenso den Helfer eines Arztes oder den Arzt selbst beim Abwägen der Zutaten für eine Arznei zeigen. Eine noch größere Rolle als die Waage spielte das Raummaß, der Scheffel, welcher etwa 4,785 Liter entsprach. Eine immer wieder benutzte Rezepteinheit war das *ro,* gleich dem 320. Teil eines Scheffels, was ungefähr so viel ausmachte wie den Inhalt eines Eßlöffels. Worauf sich einfache Gewichtsangaben wie ein Viertel, ein Sechzehntel oder ein Vierundsechzigstel in den Rezepten des Papyrus Ebers beziehen, hat sich allerdings ebensowenig sicher ergründen lassen wie die vielen senkrechten roten Striche hinter den Einzelangaben eines Rezepts. Im letzteren Falle bleibt nur die vage Vermutung, dieser rote Strich bedeute das gleiche wie dasselbe Zeichen in den Rezepten der Neuzeit, nämlich: «Zu gleichen Teilen».
So bieten die alten ägyptischen Rezepte immer wieder ein außerordentlich interessantes Bild.

Außer den Drogen spielten in diesen Rezepten Mineralien der verschiedensten Art eine bedeutsame Rolle. Malachit (ein Kupfererz), Hammerschlag des Kupfers, Alabasterpulver, Metall von Kusai, «rotes» Mineral, Glasfluß, unterägyptisches Salz oder Lapislazuli werden genannt. Bleiglanz, das wichtigste Ausgangsmaterial für die Gewinnung von Blei, ferner «Kohle», die man als «Ruß von der Wand» bezeichnete und oberhalb der ägyptischen Feuerstellen abkratzte, bildeten zusammen mit Gänsefett die Hauptbestandteile der *schwarzen Schminke, welche ganzen Generationen vornehmer Ägypterinnen jenen auffallenden Ausdruck der Augen verlieh, den auf dem Bild rechts die beiden Damen aus der Zeit der 18. Dynastie zeigen.*

Gepulvertes, smaragdgrünes Kupfererz (auch als Farbstoff für Wandgemälde verwandt) ergab den Hauptbestandteil der grünen Augenschminke, die ebenso wie die schwarze Schminke nicht nur kosmetischen Zwecken, sondern auch dem Schutz der Augen vor den zahlreichen am Nil drohenden Augeninfektionen diente. Bleiglanz, Ruß, Malachit oder Grünspan aber waren nur eine kleine Auswahl unter den Mineralien, die in den Rezepten der verschiedenen medizinischen Papyri hervortreten. Alles in allem finden wir eine Ansammlung heilsamer Mittel, aber auch tödlicher Gifte – vom Magnesium über Schwefel, Salpeter, Vitriol, Säuren und Salze bis zum...

...Antimon, dem giftigen Spießglanz. Es fand sich in einer Schminkdose aus der Zeit um 2500 v. Chr., aus der Glanzzeit des alten ägyptischen Reiches also, als wichtigster Bestandteil der Lippenschminke, wie sie diese junge Ägypterin hier aufträgt. Es handelte sich um jene Art des Antimonerzes, die wegen ihrer kirschroten Kristalle den Namen Rotspießglanz trägt. Der häufigere Grauspießglanz dagegen bildete den wirksamen Bestandteil zahlreicher ägyptischer Salben.

Noch 4000 Jahre nach dem Ende des Alten Reiches entfachte das Antimon als innerlich gegebenes Mittel gegen Lepra, Pest, Vergiftungen, Malaria und «Brustübel» einen «medizinischen Aufruhr» in Europa. Unter dem Namen Brechweinstein ließ es Freunde und Gegner innerhalb der Ärztewelt aufeinanderprallen, bis die der Anwendung von Antimon zugeschriebene Heilung des typhuskranken jungen französischen Königs Ludwig XIV. den Kampf zugunsten dieses Mittels entschied.

Die Verwendung dieses metallischen Elements in Ägypten stand am Anfang der Beziehung zwischen Chemie und Heilkunst. Sie war aber auch unter einem anderen Gesichtspunkt sehr interessant.

Nirgendwo im Nillande oder in der näheren Umgebung waren nämlich in der ägyptischen Frühzeit Antimonvorkommen bekannt gewesen. Antimon gab es nur im Südwesten Afrikas, vor allem am Sambesi-Fluß. Zur Zeit der Abschrift des Papyrus Ebers begnügten sich Priester und Ärzte schon längst nicht mehr mit den Pflanzen und Drogen des eigenen Landes. Die «Welt» hatte sich ihnen trotz der natürlichen Abgeschlossenheit Ägyptens aufgetan – weiter als die Medizinhistoriker lange Zeit glaubten.

Nicht allzulange nach der Zeit, in welcher der Papyrus Ebers niedergeschrieben worden war, nämlich im Jahre 1493 v. Chr., brach in Ägypten eine Flotte von Handelsschiffen zur Fahrt durch das Rote Meer nach Süden auf. Königin Hatschepsut (von 1504–1483 v. Chr.), die tatkräftigste Beherrscherin Ägyptens, entsandte ihre Schiffe zu einer Fernexpedition nach dem afrikanischen Lande Punt. Hatschepsut folgte damit nur glanzvollen Beispielen aus der Geschichte des Alten Reiches, wie sie das Bild mit der Darstellung einer Punt-Fahrt aus der Zeit des Königs Sahure (zwischen 2600 und 2500 v. Chr.) vorstellt.

66

Im Tempel von Deir el-Bahari ließ die Königin Hatschepsut ihre Punt-Fahrt in Bildern festhalten. Auf diesen Bildern befand sich auch die hier wiedergegebene auffallende Gestalt der «Fürstin v. Punt». Da nirgendwo eine genaue Lagebeschreibung des Landes Punt überliefert wurde, gaben die ungewöhnlichen Körperformen der Fürstin zu der Vermutung Anlaß, es habe sich bei ihr um eine südafrikanische Hottentottenfrau mit typischer Fettsteißbildung gehandelt. Punt habe demnach in Südafrika gelegen. Manche Ärzte betrachteten das Bildnis der Fürstin auch als medizingeschichtlich einmaligen Beleg für das frühe Vorkommen krankhafter Drüsenstörungen und Fettgeschwülste in Afrika. Aus dieser These waren freilich noch weniger Anhaltspunkte für eine Lagebestimmung des Landes Punt zu gewinnen. Trotzdem wird nicht mehr bezweifelt, daß die ägyptischen Punt-Fahrten bis tief an die Südostküste Afrikas (s. Karte rechts) hinunterführten, bis zu den Antimon-Vorkommen am Sambesi.

Weniger groß war die Reichweite der Beute-Expeditionen und Handelskarawanen, die auf dem Landweg in das unbekannte Innere Afrikas vorzudringen suchten. Wüsten, Sümpfe und Urwälder stellten sich ihnen entgegen, Tod und Grausamkeit waren ihre Begleiter. Schon seit der Zeit der ersten ägyptischen Könige führte von der Oase Charge die schauerliche Durststraße der «vierzig Tage» ins Tschad-See-Gebiet nach Westen. Nicht nur Sklaven kamen von dort – sondern auch Medikamente: das «Salz der Wüste», Malachit und gelber Ocker, Akaziengummi, Akazienspitzen und Ami-Majos, eine Wurzel, welche die Karawanentreiber kauten, weil sie nach ihrer Erfahrung gegen die Glut der Sonne schützte. Die moderne Wissenschaft entdeckte in dieser Wurzel den Stoff 8-Methoxypsoraten, der die Pigmentbildung der Haut verstärkt und künstliche Sonnenbräune bewirkt. Wichtig waren

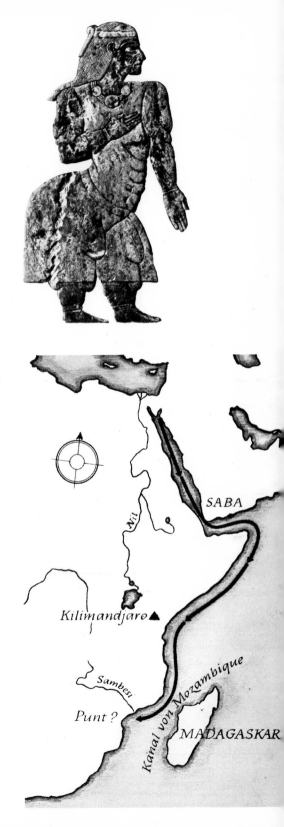

die Wege nach dem Süden, in Richtung auf die rätselhaften Quellen des Nils, nach Nubien, Äthiopien oder, kurz, dem «Lande Kusch». Siebzigtausend schwarze und braune Sklaven hatte König Snofru schon um 2700 v. Chr. auf einem einzigen Zug aus diesen Ländern nach Ägypten gebracht. Das Land Kusch war seither mit dem «Wechsel der Reiche» abwechselnd Raubgebiet oder Handelspartner geblieben, der in guten Zeiten...

...auch freiwillig Gesandte und schöne Prinzessinnen mit reichen Geschenken nach Ägypten sandte, so wie es die Darstellung unten aus Theben aus der Zeit der Könige Amenophis und Thutmosis zeigt Diese Reichtümer aber bestanden nicht nur aus Sklaven, Gold, Elfenbein sowie den unentbehrlichen Leopardenfellen für die Bekleidung der Ärzte. Sie bestanden auch aus Drogen und Mineralien von hohem Wert. Da waren Alaun und Natron, unentbehrlich nicht nur bei der Einbalsamierung, sondern für viele Arzneien, besonders solcher für die Augen. Da waren Faulbaumbeeren und Faulbaumrinde als Abführmittel, Durrha oder Mohrenhirse für den häufig benutzten diätischen Pflanzenschleim bei Verdauungskrankheiten. Da gab es den adstringierenden, entzündungswidrigen nubischen Myrrhengummi, der als Myrrhentinktur die Jahrtausende über

dauern sollte. Es gab den ebenfalls in Nubien beheimateten Gummi Olibanum, der bei Mundentzündungen Wunder wirkte. Rotsandelholz hingegen war angezeigt bei Durchfällen. Aus Abessinien kamen auch die ersten Kessoblüten, dieses früheste bekannte Bandwurmmittel, und vielleicht auch die Kathblätter, die man kaute und damit eine ähnlich stark belebende Wirkung erzielte wie heute mit den modernen Weckaminpräparaten. Lag das Land Kusch noch verhältnismäßig nahe, so reichte die Brücke, über die neue und geheimnisvolle Drogen aus der Welt östlich des Nillandes in die ägyptischen Tempel und zu den ägyptischen Ärzten wanderten, sehr weit – nämlich um die halbe Erde.

In den Rezepten des Papyrus Ebers stoßen wir häufig auf das Wort Zimtbaum. Vorsichtige Übersetzer haben zuweilen noch ein Fragezeichen hinter das Wort gesetzt. In anderen Übersetzungen erscheint jedoch nicht allein der Ausdruck Zimtbaum, sondern auch die Worte Zimt, Pfeffer und Ingwer. Zimt und Pfeffer aber wuchsen Tausende Meilen vom Nil entfernt, in China, in Indien, auf Ceylon, also in anderen Ländern mit früher Kultur und bereits entwickelter Medizin, von denen man lange angenommen hatte, daß sie keine derart frühen Verbindungen zu den Kulturen an Euphrat und Nil unterhielten.

Kein geschriebenes, kein steinernes Dokument zeugt bis heute dafür, daß Ärzte des alten Ägypten den Weg in den Fernen Osten gefunden haben oder fernöstliche Ärzte den Weg nach Ägypten.

Aber die Nomaden und Halbnomaden in den ungeheuren Landstrichen zwischen Nil und Indus, nicht zuletzt jedoch frühe, kühne Seefahrer, schlugen die Brücken, über die Drogen aus China und Indien als erste Boten einer frühen asiatischen Medizin an den Nil gelangten.

Die Sabäer, die Bewohner des Südwestzipfels der arabischen Wüste, waren es, die mit monopolistischem Geschäftsgeist den Hauptpfeiler dieser Brücke errichteten. Sie waren geschützt durch Wüsten, in denen jeder fremde Angreifer verschmachtete, waren sicher durch die glühende Unwirtlichkeit

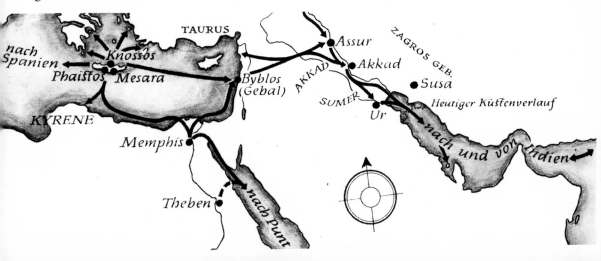

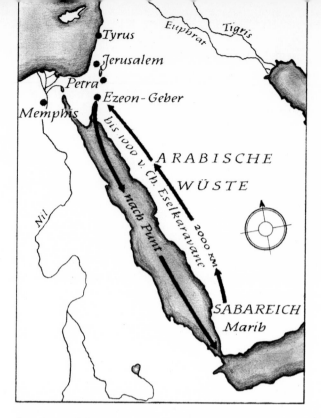

des Roten Meeres; eine starke Flotte verteidigte sie. Die Sabäer und einige andere semitische Stämme hatten sich den Fluß Adhanat dienstbar gemacht. Mit Hilfe einer gewaltigen Staumauer war so die Wüste in einen Garten verwandelt worden, in dem Myrrhensträucher und neuartige weihrauchspendende Gewächse, wie Storaxbaum, Tragant und die Zistrose, in Üppigkeit gediehen. Vor allem aber wuchs hier ein Strauch, dessen gelbe Harzkörner sich zu einem Weihrauch verbrennen ließen, dessen aromatischer und zugleich leicht betäubender Geruch alles in den Schatten stellte, was bis dahin als Weihrauch benutzt worden war – die später als arabischer Weihrauchbaum bekannte Boswellia. Spätestens seit der Zeit des mittleren ägyptischen Reiches tauchten aus den Wüsten östlich des Roten Meeres *Eselkarawanen im Nildelta* auf. Von Sabäern und Beduinen geführt, brachten sie den Ägyptern Weihrauch, Myrrhe und andere Harze. *In einem Lande, in dem zahlreiche Reliefs wie das aus Deir el-Bahari (rechts Mitte)* den Myrrhenbaum und andere Weihrauchpflanzen als unentbehrlichen Schmuck der Tempel und Paläste verewigten, fanden die Sabäer einen aufnahmebereiten Markt. Noch Jahrhunderte später, um 1200 v. Chr., verbrannte allein der Amun-Tempel in Theben in einem einzigen Jahr 2189 Krüge und 304093 Scheffel der duftenden Harze.

Mit Schmuck und Gold beladen kehrten die Sabäer in ihr fernes, bald schon legendenumwobenes Reich zurück.

Immer reicher wurden dadurch die Saba-Städte des Landes Hadramaut, so reich, daß sie für die Umwelt zu Märchenstädten wurden, in denen das Wachstum wunderbarer Kräuter keine Grenzen zu kennen schien.

In Wahrheit aber hatten die Sabäer auf der Suche nach neuen duftenden Gewächsen, mit denen sie ihren Weihrauchhandel noch intensiver betreiben konnten, den Seeweg nach Indien erschlossen. Sie hatten an den indischen Küsten Niederlassungen gegründet, die ihre Herkunft durch Namen wie Sabana und Sabrara verrieten. Umgekehrt fanden indische Schiffe

ihren Weg nach dem Hafen von Gerrha am späteren Persischen Golf. Dort gaben sie ihre Frachten an die Karawanen weiter, welche sie quer durch die Arabische Wüste nach Saba brachten. Außer indischen und chinesischen Geweben, Edelsteinen und Edelhölzern aber luden diese Schiffe die ersten indischen Drogen, welche die Länder des Mittelmeers erreichten.

Sie luden die genannte Rinde des Zimtbaumes (b), die in China Kuei hieß und nach chinesischer und indischer Erfahrung nicht nur als aromatischer Reizstoff, sondern auch für Magen und Verdauung wertvoll war. Sie luden den Pfeffer aus Malaia, den sie zur Anregung des Kreislaufs benutzten. Sie luden die Kesso-Wurzel, die den Chinesen ein wertvolles Beruhigungs- und Schlafmittel war, ferner den *Ingwer (c)* als Anregungsmittel für Magen und Herz sowie die Wurzelrinde des *Granatapfelbaumes (a),* welche infolge ihrer Bitterstoffe der Behandlung von Wurmkrankheiten in den Eingeweiden diente. Sie brachten den Kalmus, der als Mittel gegen Blutarmut galt und wegen seiner Gerbstoffe als Medikament gegen die Dysenterie geschätzt wurde.

Zu Beginn hatten die Sabäer ihr Hauptaugenmerk darauf gerichtet, den Duft ihres Weihrauchharzes durch Beimischung von neuen Drogen zu verbessern. Das gelang ihnen auch, nicht zuletzt durch den Zusatz von Zimt. Später entdeckten sie in Ägypten, daß es dort Ärzte gab, welche nach neuen, heilkräftigen Kräutern verlangten.

71

a

b

c

Selbst ohne schöpferisches Interesse für die Heilkunde, als reine Händler, lieferten sie zuerst Drogen, die in ihrer Heimat wuchsen und für die sie bei der Weihrauchherstellung keine Verwendung fanden. So handelten sie mit der Aloe, die auf der Insel Socotra wuchs, einem Abführmittel wie die Rizinuspflanze. Sie brachten Ami Visnaga, das später in Ägypten selbst wuchs und als Mittel gegen schwache Herztätigkeit verwendet wurde. Sie transportierten Asphalt oder Erdpech, ein schwarzes Mineral, das in Ägypten als eine Art Salbe gegen Hautausschläge geschätzt war und auch als Material für Schienenverbände bei Brüchen Verwendung fand. Bald aber wanderten auch die Drogen aus Indien über die Weihrauchstraße zum Nil. «Ein anderes Heilmittel für die beiden Augen, das ein Asiat aus Byblos mitgeteilt hat», so lautet die Einleitung zu dem Rezept 422 des Papyrus Ebers. Und das Rezept Nr. 361 für die Beseitigung von «Hitze in beiden Augen» schrieb vor: «prt-snj-Frucht aus Byblos werde fein zerrieben in Wasser». Es gibt kaum einen ägyptischen Text, der deutlicher das Interesse der Ägypter an Heilmitteln aus allen möglichen Ländern zeigt. Diesmal sind es die Länder östlich und nördlich des Nildeltas, also am Mittelmeer, denn Byblos (Gebal) lag zur Zeit des Papyrus Ebers an der syrischen Mittelmeerküste.

Die «Asiaten aus Byblos» lebten in dem damals weit ausgedehnten ägyptischen Machtbereich, und das abgebildete Relief aus Theben zeigt eine ihrer Gesandtschaften, die in den Jahren zwischen 1425 und 1408 v. Chr. dem König Thutmosis IV. Gaben überreichte. Als ehemaliger semitischer Nomadenstamm schickten sie sich gerade an, unter dem Namen Phönikier für tausend Jahre die mächtigsten Seefahrer des Mittelmeeres und Beherrscher seines Handels zu werden, der bis dahin in den Händen der Bewohner Kretas gelegen hatte.

Vieles läßt vermuten, daß die Ägypter, die mit ihren Schiffen schon zwischen 2600 und 2500 v. Chr. den Weg nach Südostafrika fanden, um die gleiche Zeit mit seegehenden Fahrzeugen ins Mittelmeer vorstießen. Sie fuhren zu den für die Ägypter barbarischen Stämmen der Pelasger im Gebiet der Ägäis, zu den Ligurern im späteren Italien und zu den Alt-Iberern in Spanien, um bei ihnen das iberische Zinn oder das ägäische Kupfer für die Herstellung der Bronze zu holen. Ebenso läßt vieles vermuten, daß die Kreter, die um 2000 v. Chr. ihren Weg als beherrschende See- und Handelsmacht des Mittelmeeres begannen, ihren Aufstieg den schweren inneren Kämpfen in Ägypten verdanken, die zwischen der Zeit des Alten und des Mittleren Reiches sich abgespielt hatten. Wahrscheinlich fuhren die kretischen Schiffe zeitweise im Auftrag der Ägypter, bis ihre Besitzer selbst die Seewege sowohl nach Spanien wie ins Schwarze Meer beherrschten.

Aus jener Zeit um 1500 v. Chr. stammt das unten abgebildete kretische Fresko im Hause der Fresken in Knossos, das einen Safran-Sammler bei der Arbeit zeigt.
Safran gehörte zu den Drogen, die aus Kreta an den Nil gelangten; krampfstillend und Koliken lösend, war es später bis in die Neuzeit hinein ein Zusatz zur Opiumtinktur, diesem Generalmittel gegen Dysenterie und Bauchbeschwerden aller Art. Kreta lieferte auch die Gartensalbei – zeitlos berühmt als Mittel gegen Entzündungen des Halses – und schließlich den Kyprosstrauch. Aus seiner Rinde und seinen Blättern stellte man das «Henna» her, womit die Ägypterinnen Hand- und Fußnägel färbten.

KAPITEL V

Iwti, ein bedeutender Hofarzt (links), der zur Zeit der Könige Ramses I. und Sethos II. lebte, verfügte in seiner Medizin- und Salbenküche (Bild rechts oben) über die erstaunlichste Auswahl an Drogen, Mineralien und anderen Stoffen, die Generationen von Ärzten auf die geschilderte Weise zusammengetragen hatten.

Allerdings – das war nur ein Teil seines Rüstzeugs. In seiner Papyrus-Bibliothek befanden sich auch die Lehrbücher, die ihm verrieten, wie er diese seine Rohstoffe zu Rezepten zu verarbeiten habe. Was aber noch wichtiger war: sie wiesen ihn an, bei welchen Krankheitserscheinungen welche Mittel anzuwenden waren, wie die verschiedenen Krankheiten sich feststellen ließen und – wie die Entstehung der einzelnen Krankheiten aus Funktionen des menschlichen Körpers und nicht nur aus höheren dämonischen Gewalten zu erklären sei. Der Papyrus Ebers war eines dieser Lehrbücher.

Als der Papyrus Smith zum ersten Male in der Geschichte der Medizin vom Schlag des menschlichen Herzens «in allen Gliedern» sowie vom Zählen des Pulses sprach, hatte er die Fachwelt verwundert aufhorchen lassen.

Es gehört zu den großen Entdeckungen in der Geschichte der ägyptischen Medizin, daß der Papyrus Ebers das hier angeschlagene Thema wieder aufgriff. Die Überschrift des entsprechenden Kapitels lautete: «Das Geheimnis des Arztes. Das Wissen um die Bewegungen des Herzens und das Wissen um das Herz.»

Eine Hieroglyphe der ägyptischen Schrift für das Wort Herz hatte bei einigen Forschern schon sehr früh die Vermutung aufkommen lassen, die Einbalsamierer seien durch ihre Arbeit die ersten Anatomen der Welt geworden. Und dies mehrere Tausend Jahre vor den Anfängen der offiziellen anatomischen Wissenschaft im 13. Jahrhundert n. Chr.!

Ähnliches hatten die vielen anderen Hieroglyphen vermuten lassen, die für zahlreiche Organe des Körpers, so für den Magen, die Leber, die Luftröhre, die Milz, die Blase und für die weibliche Gebärmutter, existierten.

Man hat angenommen, die Priester als Schöpfer der Einbalsamierungs-kunst hätten ihr anatomisches Wissen gesammelt, bevor diese Tätigkeit von mehr oder weniger unkultivierten Helfern ausgeübt wurde und schließlich zum groben Handwerk entartete. Von ägyptologischer Seite war dem von Anfang an entgegengehalten worden, daß eine bewußte anatomische Sek-tion toter Menschen, so wie die neuere Zeit sie in ihrem Wissensdrang schuf, während der ganzen Dauer der altägyptischen Geschichte unmöglich gewesen sei. Gerade der Ursprung der Einbalsamierungsidee, nämlich der Glaube an ein Fortleben nach dem Tode, habe jedes derartige Unter-nehmen unmöglich gemacht.

Das Kapitel des Papyrus Ebers über «Das Wissen um die Bewegungen des Herzens» ließ vermuten, daß die Wahrheit zwischen den Meinungsfronten lag. Sicher hatten Priester oder Ärzte keine Sektion in unserem Sinne durchgeführt. Aber zweifellos hatten Erfahrungen und Beobachtungen bei der Einbalsamierung wie auch beim Schlachten von Opfertieren die Grund-lagen für die Vorstellungen geschaffen, welche hinter diesem Kapitel über das «Wissen um die Bewegungen des Herzens» standen. Die Schöpfer des «Geheimnisses des Arztes» hatten in jedem Falle mehr vom Inneren des Menschen gesehen. Und was sie niederschrieben, faszinierte die Nachwelt als frühes Zeugnis menschlichen Geistes und menschlicher Phantasie.

75

Zwei wichtige Tatsachen hatten die alten Ägypter erkannt: 1. die Existenz des Herzens und seiner pumpenden Bewegung bis in alle Teile des Körpers; und 2. die Existenz von «Kanälen und Strängen», die vom Herzen in alle Teile des Körpers führten. Auf der Erfahrung und dem Wissen von diesen beiden Tatsachen bauten sie ihre Physiologie auf, die Lehre von den Lebensfunktionen im Menschen.

Sie war eine Konstruktion so wie alle verwandten Lehren, einschließlich der griechischen, bis in die Zeit des 15. und 16. Jahrhunderts n. Chr. Sie war genau genommen ein Irrtum. Aber sie war auch ein Suchen nach der Wirklichkeit des Körpers an Stelle eines dumpfen Glaubens an seine Lenkung durch Götter und Dämonen.

Beeinflußt vom Gedanken an den Nil, der alles Leben in Ägypten speiste, beeinflußt auch vom Gedanken an die Kanäle, welche die Äcker mit Wasser versorgten, machten Priester und Ärzte auch für den Menschen ein System von Kanälen zur Grundlage der Physiologie.

Vom Herzen ausgehend führten Kanäle, «metu» genannt, in alle Körperteile: vier zum Kopf und zur Nase, vier zu den Ohren, sechs zu den Armen, sechs zu den Füßen, vier zur Leber, vier zur Lunge und Milz, vier zum Darmausgang, zwei zu den Hoden und zwei zur Blase. Angetrieben vom schlagenden Herzen beförderten sie Luft und Blut, Schleim, Nahrung, Samen und Ausscheidungen.

So wie ein Ausbleiben des Nils, eine zu hohe oder zu geringe Flutwelle oder gar eine Verstopfung der Bewässerungskanäle verhängnisvolle Folgen für das Nilland hatten, so mußten auch Stauungen oder andere Unregelmäßigkeiten in den Kanälen des menschlichen Körpers üble Folgen zeitigen. So entstanden die Krankheiten. Stauungen von Blut und Schleim bewirkten Krankheit. Ebenso Stauungen der Darmausscheidungen, die durch die «metu» in die verschiedenen Glieder, unter Umständen sogar bis ins Herz zurückgelangen konnten. Durch die Kanäle wurden aber auch «vehedu» befördert, Schmerzstoffe, welche die Schmerzen erzeugten, und Krankheitsstoffe, welche Entzündungen, Fieber und zahlreiche andere Erscheinungen hervorriefen und von außen, besonders durch Nase und Ohren, eindringen konnten.

Da in den meisten Fällen die Kanäle durch Blut, Schmerz oder Krankheitsstoffe überfüllt waren und der Fluß gehemmt schien, ergab sich von selbst die Notwendigkeit, diesen Fluß wieder in Gang zu bringen und Stauungen und Überfüllungen zu beseitigen. Besonders gefährlich erschienen dabei die Stauungen in den Darmkanälen. Und dadurch erhielt jene mysteriöse ärztliche Spezialität, die uns zu Beginn dieses Buches einmal unter dem Titel «Hüter der königlichen Darmöffnung» begegnete, ihre Bedeutung und ihren Sinn.

Der Ibis, mit glänzend weißem Körper und schwarzem Kopf (Bild oben), war für die Ägypter ein heiliger Vogel. Er war die Verkörperung des Gottes Thot. Aber er bedeutete ihnen noch mehr. Bis in die spätere Römerzeit hinein erzählte man, daß die ägyptischen Ärzte vom Ibis eine der wichtigsten Behandlungsmethoden gelernt hatten gegen die Überfüllung der unteren «metu» mit Ausscheidungen. Gemeint waren der Einlauf oder das Klistier.

Die Ägypter glaubten beobachtet zu haben, wie der Ibis, im Nilwasser stehend, mit seinem eigenen langen Schnabel Wasser in seinen After einführte und diesen inwendig wusch. Der Satz: «Werde eingegossen in seinen After» gehörte zu den Anweisungen, die im Papyrus Ebers immer wiederkehrten. Das Horn des Rindes, am spitzen Ende abgeschnitten, so daß es eine kleine Öffnung erhielt, diente den Ärzten als Hilfsmittel für den Einlauf, der aus Ochsengalle, Fetten und zahlreichen anderen Medikamenten ihres reichen Drogenschatzes bereitet wurde. Mit der Beseitigung von Stauungen und Erhitzungen in den Darmkanälen mußte die Behebung entsprechender Stauungen und Erhitzungen des Blutes Hand in Hand gehen. Darüber schien zunächst der Papyrus Ebers nichts zu verraten – mit Ausnahme allerdings von zwei Stellen. An der einen war davon die Rede, man müsse mit Splittern von Feuerstein die Haut bearbeiten, bis Blut abgehe. An der anderen hieß es: «Heilmittel für das Gesundmachen der irwt-Krankheit – es werde ihm eine Messerbehandlung gemacht auf seinem Unterschenkel.»

Bedeutete das etwa gar den *Aderlaß,* das erleichternde Abzapfen von Blut, dessen erste Erwähnung man bis dahin in griechischen Berichten 1000 bis 2000 Jahre später gefunden zu haben glaubte? Hatten die Ägypter als erste diese Behandlungsart angewendet, die später bis ins 19. Jahrhundert hinein ein Hauptmittel aller Ärzte sein würde? Die Philologen, die durch ihre Bindung an das «überlieferte Wort» viele Irrtümer in der Darstellung alter Geschichte verhindert, aber ebenso auch eine Reihe von Irrtümern verursacht haben, waren naturgemäß skeptisch.

Die Entdeckung dieser ägyptischen Instrumente, die späteren Aderlaßinstrumenten stark ähneln, schien ihnen nicht zu genügen, um ihre Zweifel zu beseitigen.

Da aber gab das Grab des Schreibers Userhat aus der Zeit der 18. Dynastie (1567–1308 v. Chr.) ein unge- wöhnliches Wandgemälde frei.

Es zeigt, wie ein Arzt, oder besser der Helfer eines Arztes, einem Kranken Blutegel ansetzt, die er einer Schale auf dem Boden entnimmt.

Der älteste bis dahin bekannte Bericht über die Verwendung von Blutegeln, wie sie das Bild rechts unten zeigt, stammte von einem Griechen, Nikandros, der zwischen 135 und 130 v. Chr. in Alexandria gestorben war – also aus später hel- lenistischer Zeit. Nikandros beschreibt, wie man die blutsaugenden Würmer auf die Körperstellen setzte, welche von Blut- oder Säftestauungen be- freit werden sollten. Man beließ sie dort so lange, bis sie sich vollgesogen hatten und von selbst ab- fielen. Die Ägypter hatten das alles schon wenig- stens 1000 Jahre vorher gekannt, und es bestand nun kein Zweifel mehr, daß man dort, wo diese Art der Blutentziehung geübt worden war, auch künstliche Blutungen mit dem Messer hatte herbeiführen können; in welcher Form – ob als echte Öffnung von Venen – blieb allerdings eine offene Frage.

Neben derartigen nützlichen Maßnahmen stan- den zweifellos Verordnungen, die im günstigsten Falle wirkungslos, im ungünstigeren schädlich oder sogar verhängnisvoll waren. Der Glaube an Verbindungskanäle zwischen After und Herz oder Ohren und Augen mußte zu verfehlten Behandlungsmethoden führen. Die Behandlung von Augenkrankheiten durch das Eingießen von Medikamenten in das Ohr oder die Behandlung von Herzsymptomen durch Engüsse in den

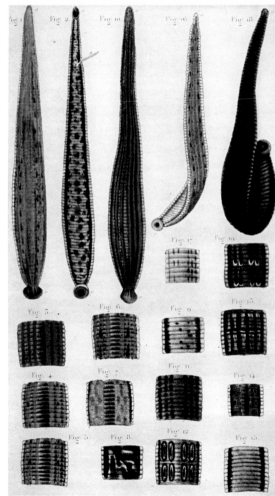

Darm, die von hier zum Herzen gelangen sollten, sind Beispiele für derartige Verirrungen.

Wenn durch solche Irrtümer am Ende immer wieder erstaunlich viel Licht hindurchleuchtet, dann lag es daran, daß ägyptische Ärzte nicht nur den Theorien, sondern auch ihren praktischen Erfahrungen gefolgt waren. Sie hatten praktische Erfahrungen niedergeschrieben und in Lehrsätze verwandelt, selbst wenn diese den theoretischen Vorstellungen des «Geheimnisses des Arztes» nicht immer entsprechen wollten.

Die Krankheit des halben Kopfes, so nannte einer dieser klar und praktisch denkenden altägyptischen Ärzte im Papyrus Ebers ein Leiden, das in der Neuzeit als «Migräne» zu einem vertrauten und gefürchteten Begriff wurde.

In jenem Teil des Papyrus, der als Lehrbuch für die innere Medizin bezeichnet werden kann, fanden sich andere Krankheitsbeschreibungen, die bei aller durch die altertümliche Sprache bedingten Umständlichkeit noch nach Tausenden von Jahren ohne sonderliche Mühe zu deuten waren.

War es die «Angina pectoris», diese in der Neuzeit so gefürchtete Herzkrankheit, welche im folgenden Lehrsatz anschaulich beschrieben wurde? «Wenn du untersuchst einen Mann, der an seinem Magen leidet. Er leidet an seinem Oberarm, seiner Brust, und zwar an der Seite... Man sagt dazu, es ist die *wid*-Krankheit... Dann sollst du sagen... es ist der Tod, der ihm naht.» Gemeint war wohl die Todesangst, die den von Krampfzuständen der Herzkranzgefäße Befallenen erfaßt. Es wurde empfohlen, dem Kranken anregende Mittel für das Herz zu geben (deren Zusammensetzung leider größtenteils nicht entzifferbar ist) und die Hand beruhigend auf seine Brust zu legen, bis der Anfall vorüber war, und ihn dann vor einem möglichen zweiten Anfall zu warnen. «Nicht werde das Mittel jedoch wiederholt...»

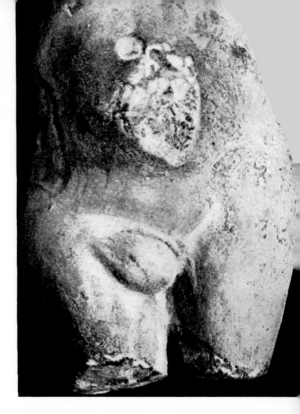

In der Erde Griechenlands fand man eine Terrakotta-Figur, die mit allem Realismus zeigt, daß die Bevölkerung der griechischen Stadtstaaten und Kolonien um 500 v. Chr. ebenso an Brüchen gelitten hatte wie die Menschen der Neuzeit.

Der ägyptische Boden gab keine Stele, keine Statue, keine Votivtafel frei, die ein ähnliches Zeugnis abgegeben hätte. Doch dessen bedurfte es auch nicht. Denn wieder war es die klare und vernünftige Beobachtungsgabe der Verfasser der Papyruslehrbücher über innere Medizin, die schon damals erkennen ließ, daß die Leibbrüche auch die Männer und Frauen des Nil-landes geplagt hatten: «Wenn du beurteilst eine Geschwulst der Bedeckung (auf dem Scheitel) eines Bauches... dann sollst du deinen Finger auf sie geben, dann sollst du seinen Bauch abtasten... das was herauskommt... durch Husten entsteht...» Schon damals hatte man also beobachtet, daß Brüche bei Hustenstößen leicht aus den Bauchdecken hervortreten. Wies nicht vieles auf eine Blinddarmentzündung hin, wenn gelehrt wurde: «Wenn der Arzt einen Kranken untersuche, der an Leibschmerzen leide, und er finde, daß sich das Leiden auf der rechten, tiefen Bauchseite befestigt habe, dann hätten sich die Krankheitsstoffe dort angesammelt und einen Klumpen gebildet.»?

Es handelte sich offensichtlich um eine Krampfadererkrankung, wenn von einer «Gefäßgeschwulst» mit folgenden Worten die Rede war: «Geschlän-gelt, fest, mit vielen Knoten, und wie durch Luft aufgeblasen...»

81

Aus toten Augen
blickt dieser blinde Harfner aus der Zeit des Königs Tutanchamun vor sich hin.
Der Brief eines Malers aus der Zeit Ramses II. an seinen Sohn aber liefert
einen ergreifenden Kommentar zu dieser altägyptischen Darstellung der
Blindheit: «Nachricht des Malers Poi an seinen Sohn, den Maler Pp-
Rahotep. Verlasse mich nicht. Ich lebe in Verzweiflung... Ich lebe in Dun-
kelheit. Mein Gott Amun hat mich verlassen. Bringe mir Honig für meine
Augen und Fett... und echte Augenschminke, sobald wie möglich. Bin
ich nicht dein Vater? Ich möchte sehen, aber meine Augen verlassen mich.»

Der Papyrus Ebers, der sich mit inneren Krankheiten und chirurgischen
Krankheiten beschäftigt, enthält auch ein Lehrbuch für Augenleiden.
Es lehrt, daß die ägyptischen Augenspezialisten eine ganze Anzahl von
Augenkrankheiten kannten und mehr oder weniger deutlich unterschieden:
die Bindehautentzündung, das Leukom (eine weiße Narbe in der Hornhaut), das Schielen, das Einwachsen der Wimpern nach innen, krank-
haften Tränenfluß, das Hornhautgeschwür, die Nachtblindheit, die Regen-
bogenhautentzündung, das Gerstenkorn, wahrscheinlich den grünen und
auch den grauen Star, vor allem aber das gefürchtete Trachom, die ansteckende, schleichende und in fünfzig Prozent der Fälle zur Erblindung
führende Körnerkrankheit, die in späteren Jahrhunderten sogar den Namen
Ägyptische Augenkrankheit erhielt...

Wie ein Bericht aus dem Sprechzimmer eines modernen Augenarztes, so klingt die folgende Geschichte aus der ägyptischen Götterwelt – darin prüft der Gott Horus das Augenlicht des Gottes Re. Re setzte Horus, dessen eines Auge verletzt worden war, vor eine helle Wand, auf die ein kleinerer schwarzer Strich und daneben ein größeres schwarzes Schwein gemalt waren. Re hielt das unverletzte Auge zu, richtete Horus' Blick auf den Strich und fragte, ob er ihn sähe. Als Horus ihn nicht erkannte, lenkte Re seinen Blick auf das schwarze Schwein. Und Horus sah dieses Schwein. Da wußte Re, daß ein Teil von Horus' Sehkraft erhalten geblieben war.

Keine derartige Geschichte ist wohl ohne Hintergrund. Sie läßt vermuten, daß die ägyptischen Augenärzte die Sehkraft auf diese Weise prüften.

Sie mochten dies vor allen Dingen beim grauen Star getan haben, dessen Kenntnis ihnen gemeinhin bestritten wird, weil die Papyri hierzu keinen eindeutigen Bericht überliefern. Was aber besagt das angesichts der geringen Zahl und der Lückenhaftigkeit der Papyri? Was besagt es angesichts der Tatsache, daß die östlichen Nachbarn der Ägypter, die Ärzte der Babylonier und Assyrer, damals bereits wußten, daß man den grauen Star beseitigen konnte, wenn man die undurchsichtige Linse innerhalb des Auges mit einer Nadel nach unten aus dem Blickfeld herausdrückte!

Sei dem wie ihm sei – in jedem Falle gaben die Behandlungsanweisungen des «Lehrbuches für Augenkrankheiten» recht einprägsame Beispiele dafür, wie Iwty und seine Zeitgenossen ihren Schatz an Heilmitteln auf Krankheiten anwandten, deren Beobachtung und Beschreibung in den Papyri niedergelegt waren.

Reiseapotheken ägyptischer Königinnen (von denen das Bild rechts ein Beispiel zeigt) verrieten der staunenden Nachwelt, daß vornehme ägyptische Damen bereits in jener Frühzeit außer Kosmetika vor allem Augenmittel mit sich führten. Wüstenwinde und die grelle Sonne hatten sie solche Vorsicht gelehrt. Die Augenmittel selbst aber beweisen, daß die altägyptischen Spezialisten Medikamente anwandten, welche in vieler Beziehung selbst Verordnungen der Neuzeit vorwegnahmen.

Gleichgültig auf welche Weise sie die spezifische Wirksamkeit bestimmter Mittel erkannten, jedenfalls hatten sie sie erkannt. Es war in dieser Beziehung nicht mehr von Bedeutung, welche Rolle dabei ursprünglich Aberglaube und Sympathie-

vorstellungen gespielt hatten und bei einer Anzahl untauglicher Mittel auch weiter spielen mochten. Wenn die Ärzte schwarze und grüne Augensalben und Pasten aus Bleiglanz, Kohle, Salz und Kupferlösungen, Myrrhe und anderen Harzen auf entzündete Augen auftrugen, so hatten diese Mittel ohne jeden Zweifel entzündungswidrige Wirkung. Wenn sie – wie mit einer neuzeitlichen Pipette – mit Hilfe eines Geierfederkiels Lösungen aus Bleisalzen, Kupfer oder Schwefel in die Augen einträufelten, so galt dafür das gleiche. Honigsalben mit Rizinus waren in späteren Zeiten im Gebrauch, da der Rizinus nicht nur eine abführende, sondern auch eine wundheilende Wirkung besitzt. Puder aus Ebereschenholz und ähnliche Mittel saugten entzündliche Exsudate auf.

Nicht ohne Erstaunen und mit einiger Bescheidenheit stellt man fest, daß unter die Mittel gegen das Trachom Kupfer, Alaun und Ton zählten. In einem Lehrbuch für Augenkrankheiten aus dem 20. Jahrhundert aber steht über die Trachombehandlung: «Kombiniert wird... die Wattemassage mit der Kupferstiftbehandlung; wenn diese nicht vertragen wird – mit Alaunstiftbehandlung. Zur häuslichen Behandlung läßt man bor- oder essigsaure Tonerdeumschläge anwenden und abends eine Kupfersalbe einstreichen...» (Professor Dr. Wilhelm Grüter, «Augenkrankheiten», in «Grundriß der gesamten praktischen Medizin», 1931).

Weniger ehrfürchtig allerdings lasen die Erforscher der ägyptischen Augenrezepte jene Stellen, an denen folgende Ingredienzen angegeben waren: Kot der Fliege, Kot des Pelikans, Harn des Menschen, Mist der Eidechse, Kot eines Kindes, Mist der Gazelle, *am häufigsten aber Kot des Krokodils.*

Die anderen Medikamente hatten zu dem früher geschilderten Heilschatz gehört, dessen Umfang und Entstehung mit Recht mancherlei Bewunderung hervorgerufen hat. Auch für die Anwendung von Fischgalle und zerdrückter Kuhleber gegen Augenentzündungen hatten sich in der Neuzeit rationale Erklärungen gefunden – sind es doch infektionsfeindliche Abwehrstoffe, welche sich in Leber und Galle bilden. Die Anwendung von Schmutz und Exkrementen dagegen erschien als ein eindeutiges Anzeichen abstoßender Barbarei.

Die Medizinhistoriker der neueren Zeit haben in dem Wort «Dreckapotheke» eine umfassende Bezeichnung für derartige Medikamente gefunden, die auch im Mittelalter noch hoch geschätzt worden waren.

*«Schlamm des Nils», «Schlamm des Sumpfes» und Erde,
darunter eine besondere Erde namens btj, die ebenfalls in den Rezepten genannt wurde,
riefen zwar nicht das gleiche Maß von Verachtung hervor.*

Doch immerhin fielen auch sie im 19. Jahrhundert und in der ersten Hälfte
des 20. Jahrhunderts noch weithin unter den Begriff «Dreckapotheke».
Die ägyptischen Augenärzte hatten Kot, in getrockneter und zerriebener
Form, mit Augensalbe oder Honig, und zwar besonders gern mit «gären-
dem» Honig, vermischt. Die Anwendung dieser Mixturen war hauptsäch-
lich gegen die hartnäckigsten Formen des Trachoms und sonstiger Augenentzündungen erfolgt, die anderen Behandlungen trotzten. Urin diente zu
Waschungen. Schlamm und Erde aber wurden zu Verbänden benutzt.
Als Dr. Benjamin M. Duggar, seit 1927 Professor für Pflanzenphysiologie
an der Universität von Wisconsin (USA), im Jahre 1948 der Welt das neue
Heilmittel Aureomycin vorstellte, dachte er gewiß nicht daran, welche Aus-
wirkung seine Entdeckung auf die Einschätzung der altägyptischen Medizin
haben könnte. Es gelang nämlich, das Trachom und seine Erreger mit
Aureomycin wirkungsvoll zu bekämpfen.
Aureomycin war das neueste Mittel unter den sogenannten antibiotischen
Wunderdrogen, deren Reihe mit dem Penicillin begonnen hatte. Es entstammte einer besonders gern in der Nähe von Friedhöfen vorkommenden
Erdsorte, welche Duggar und seine Mitarbeiter zwischen 1944 und 1946
neben 30 000 anderen untersucht hatte. Es war eine der Erdsorten, welche
Pilze hervorbringen, die auf krankheitserzeugende Bakterien genauso
vernichtend wirken wie die pilz- oder (volkstümlicher) schimmelartigen
Stoffwechselprodukte anderer Bakterien, aus denen das Penicillin entstanden war. Bald darauf ergab die Forschung, daß auch Kot und Harn infolge

der Ausscheidungsprodukte der im Menschen lebenden Bakterien antibiotische Wirkstoffe enthielten.

Sicherlich konnten nur Enthusiasten in diesem Augenblick erklären, die Ägypter seien die Entdecker der antibiotischen Medikamente gewesen. Dennoch führte die Erforschung der Antibiotika zu einer deutlichen Wandlung in der Beurteilung der «Dreckapotheke».

Es besteht gar kein Zweifel daran, daß die Ägypter Kot und Harn ursprünglich in ihre Rezepte aufgenommen hatten, weil sie damit krankheitserzeugende Dämonen vertreiben wollten. Dann aber hatten diese Stoffe in vielen Fällen eine unwahrscheinliche Wirkung gezeigt, mochten sie im anderen Falle auch Unheil angerichtet und neue Infektionen hervorgerufen haben, weil ihre Wirkungsweise den Ägyptern verschlossen blieb und ihre Verwendung von Zufälligkeiten abhing. Immerhin: gerade in verzweifelten Fällen hatten sie Wunder gewirkt. So waren die Stoffe schließlich zu rationalen Heilmitteln geworden. Allein der Papyrus Ebers enthält nicht weniger als 55 äußerlich und innerlich anzuwendende Rezepte, in denen Kot und Harn wichtige Bestandteile bilden. Viele dieser Rezepte verraten dabei eine ungewöhnliche Spezifizierung bezüglich der Herkunft von verschiedenen Tieren, von Männern und Frauen, eine Spezifizierung, die vermuten läßt, daß die Ägypter hier jahrhundertelange Erfahrung gesammelt hatten. Jedes Tier erzeugt nämlich andere antibiotische Stoffe, und das gleiche gilt für Schlamm und Erden.

Die Erkenntnis, daß die ägyptischen Augenspezialisten unbewußt und oft in roher Form in so früher Zeit mit Stoffen gearbeitet hatten, die in der Mitte des 20. Jahrhunderts als neuester Trumpf wissenschaftlicher Erkenntnis galten, bildete indessen nur den Anfang für eine ganze Reihe weitere Einsichten.

«Schlamm des Bieres» oder «Bodensatz des Bieres», so hieß es immer wieder im Lehrbuch für innere Medizin des Papyrus Ebers, dort wo es nicht mehr um die Diagnose von Krankheiten, sondern um deren Behandlung ging. Bier – wie es auf diesem Bilde auf syrische Art durch eine Art Heber getrunken wird – bildete neben Pflanzenschleim *das* Mittel der ägyptischen Ärzte, mit dem sie den Kranken ihre innerlich wirkenden Medikamente einverleibten. Zugleich aber entpuppte sich sein Bodensatz selbst als wichtiges Medikament, als einer der wichtigsten Wirkstoffe zur Ergänzung von Drogen und Mineralien. Bald trat an die Stelle des Wortes Bodensatz auch die

Bezeichnung Hefe. Die ersten Erforscher der Papyri konnten nicht erkennen, daß die Ärzte am Nil abermals ihrer Zeit voraus waren, indem sie Hefe nicht nur bei Darmbeschwerden, sondern vor allem als inneres Mittel gegen Hautgeschwüre verordneten und zu Verbänden für Schwellungen und Geschwüre an den Beinen benutzten. Diese Erkenntnis dämmerte erst auf, als die Vitaminforschung in den Hefen das Vitamin B entdeckte und als sich herausstellte, daß auch in der Hefe antibiotische Stoffe stecken, die vor allen Dingen gegen die Erreger der Furunkulose wirken.

Die Frauen, die hier aus grob geschrotetem Getreide das ägyptische Brot backen, wußten nicht, daß sie die Grundlage für ein Heilmittel schufen, das einige Jahrtausende später zwar nicht so viel Ekel, aber genau so viel Verwunderung hervorrufen würde wie die Verwendung tierischer und menschlicher Ausscheidungen. Gemeint ist ein Medikament, das kurz «Brot in fauligem Zustand», also verschimmeltes Brot, genannt wurde. Es galt als das stärkste Mittel gegen Darmkrankheiten, gegen Blasenkrankheiten und eiternde Wunden. Und es hieß dabei, der Arzt «solle damit gegen die Krankheit auftreten und ihr nicht aus dem Wege gehen». Auch hier lehrte erst die Entdeckung der Antibiotika und der infektionsfeindlichen Wirkung von Schimmelkulturen, daß die ägyptischen Ärzte bereits nach noch fernen Sternen gegriffen hatten.

«Es arbeiteten aber immer hunderttausend Menschen je drei Monate lang. So war das Volk schwer geknechtet. Zehn Jahre lang arbeiteten sie allein an der Straße, auf der sie die Steine zogen. An der Pyramide selbst aber baute man zwanzig Jahre.»

So hatte Herodot über den Bau der Pyramide berichtet, die zur Zeit König Cheops' um 2600 v. Chr. bei Gise erbaut worden war.

Neuzeitliche Berechnungen zeigten zwar, daß an einer Pyramide wie der von Cheops kaum gleichzeitig mehr als 36000 Menschen gearbeitet haben konnten. Aber die Transportdienste und die Arbeit in den Steinbrüchen erforderten sicher mehr Arbeitskräfte als die Baustelle selbst. Die Zahl von 100000 arbeitenden Menschen, die Herodot angegeben hatte, dürfte also durchaus der Wahrheit entsprochen haben. Jährlich zur Zeit der Nilüber-schwemmung, wenn die Feldarbeit ruhte, strömten Massen von Menschen in die Arbeitslager, militärisch aufgeteilt in Kolonnen, zusammengepfercht in Lehmbaracken, die noch weniger Platz boten als die Hütten der heimat-lichen Dörfer. Die Medizinhistoriker haben gelegentlich die Frage gestellt, wie es denn möglich gewesen sei, diese Menschenmenge so weit vor Seuchen und anderen Krankheiten zu schützen, daß sie arbeitsfähig blieb und das Werk vollenden konnte? Es war eine Frage, die gleichzeitig für viele andere Menschenansammlungen zu stellen war, welche im Laufe der ägyptischen Geschichte der Errichtung großer Bauwerke, vor allem von Nildämmen und Großkanälen, gedient hatten. Wie war es trotz aller Geringschätzung «gewöhnlicher» Menschenleben möglich gewesen, daß Werke entstanden wie etwa die 45 Kilometer lange Mauer des Königs Senusret III., welche die Wasser des Faijum-Beckens im Moerissee sammelte und 25000 Morgen Sumpfland urbar machte? Oder die Kanäle zwischen Nil und Rotem Meer?

Schon an früherer Stelle erwähnten wir, daß Armand Ruffer, der große Erforscher der ägyptischen Mumien, im Jahre 1911 darauf hingewiesen hatte, daß die mörderische Seuche der Pocken Ägypten heimgesucht hatte. Er hatte ebenfalls Bakterien gefunden, die auf das Erscheinen der echten Pest hinwiesen.

Ruffers Kollegen Smith und Derry fanden im Jahre 1909 bei einer aller-dings sehr späten Mumie aus Nubien...

...an Händen und Füßen die eindeutigen Zeichen echter Lepra – das heißt von Aussatz. Es war ein Fall, den der Engländer Dawson dann in seinem hochinteressanten Buche «Egyptian Mummies» bildmäßig vorstellte (siehe die Abbildungen links).

Der Papyrus Ebers nennt immer wieder «die schlimme Krankheit» und meinte die verschiedenen Formen der schweren Durchfalleiden, die Amö-benruhr, die blutige Enteritis, den Typhus und die Cholera – ständige Be-drohungen und Heimsuchungen für ein Volk, dem das zwangsläufig verseuchte Nilwasser als das beste Trinkwasser der bewohnten Erde erschien. In den Kanälen brüteten Mücken und brachten die Malaria in die Dörfer, besonders in den Niederungen. In der Sonnenglut stiegen Schwärme von Fliegen auf und trugen die Ansteckungsstoffe des Trachoms schon in die Augen schlafender Kinder.

«Beschwörung der Asiatenkrankheit», so lauteten Formeln aus dem Hearst-Papyrus wie aus dem London-Papyrus, die zwar vorwiegend in die Dämonenmedizin gehören. Sie verraten jedoch, daß den Ägyptern bekannt war, wie leicht Krankheiten von Ländern außerhalb des Nilgebiets eingeschleppt werden konnten.

Jede Kolonne von Negersklaven, die, wie auf diesem Bild, unter Peitschenhieben nach Ägypten geführt wurde, konnte die Keime von Seuchen in sich tragen.

Ruffer und Smith hatten im alten Ägypten keine Anzeichen für die Syphilis finden können. Die Krankheitsbeschreibungen der Papyri, welche auf die Gonorrhoe, die zweite der großen Geschlechtskrankheiten, hinwiesen, waren den Philologen und Ärzten nicht eindeutig genug erschienen. Dafür aber hatte man, wie wir noch sehen werden, bei den Babyloniern und Assyrern Tontafeln gefunden, deren Eindeutigkeit in dieser Beziehung nichts zu wünschen übrig ließ. Sofern nicht Gefangene und Sklaven diese Krankheit nach Ägypten brachten – dann taten es Sklavinnen, die ihren ägyptischen Herren mit Selbstverständlichkeit als Konkubinen dienten und nicht nur die Harems von Königen und Priestern, sondern vor allem die zahlreichen Bordelle des Landes bevölkerten.

Das Bild dieser nackten Tänzerin
aus der Zeit der achtzehnten Dynastie
fand sich in Theben im Grabe des Hofbeamten
und Priesters Nakht.

Zwar hatte die Notwendigkeit der Aufrecht-
erhaltung einer sozialen Ordnung in Ägypten zu
Gesetzen gegen den Ehebruch geführt, aber die
sinnlichen Leidenschaften waren mächtig im
Lande des Nil und bestimmten das Handeln von
Königen und Priestern nicht weniger als das des
Volkes.

Selbst in den Göttergeschichten gewann Re, der
Sonnengott, seine gute Laune zurück, wenn die
Göttin Hathor ihr Gewand hob. Die Götter
beobachteten mit Genuß den Dämon Bobo beim
Liebesakt, bei dem ihn der Schoß seiner Freundin
nicht mehr frei ließ. Es wurde berichtet, daß
König Phiops II. sich mit einem seiner Generale
vergnügte. In Gräbern wurden pornographische
Schriften gefunden, damit der Tote deren Lek-
türe in einem zweiten Leben nicht entbehren
mußte. König Ramses II. beschäftigte sich außer
mit einer ständig zunehmenden Zahl von Sklavinnen aus ganz Vorderasien mit mehreren hundert Ehefrauen. Von seinen fünfzig anerkannten
Töchtern nahm er eine große Zahl zu Frauen,
um mit ihnen Kinder «seinesgleichen» zu zeugen.
Und Herodot erzählt, daß die Ägypter die Leichen schöner Frauen erst nach Tagen den Ein-
balsamierern auslieferten, weil sie befürchteten,
diese könnten noch an den Toten den Beischlaf
ausüben. Der gleiche Herodot wußte aber auch
mitzuteilen, daß König Rampisint seine eigene
Tochter ins Bordell geschickt hatte, um das Volk
auszuhorchen.

Mochte dies auch eine Anekdote sein, sie war jedenfalls bezeichnend für eine Welt, der Bordelle selbstverständliche Einrichtungen waren, in denen aber jede Geschlechtskrankheit einen günstigen Boden fand.

Infektionskrankheiten und Infektionsmöglichkeiten gab es also in großer Zahl. Was hat man dagegen getan?

Eine gewisse Antwort gab Diodorus Siculus, ein Grieche aus Sizilien, der im letzten Jahrhundert vor Christi Geburt Ägypten besuchte. Er schrieb: «Die ganze Lebensweise (der Ägypter) war so gleichförmig geordnet, daß man glauben sollte, sie wäre nicht von einem Gesetzgeber geschrieben, sondern von einem geschickten Arzt nach Gesundheitsregeln berechnet.»

Diodorus zeichnet sich im Gegensatz zu Herodot nicht durch besondere Zuverlässigkeit aus; zudem war es nicht schwierig, im Vergleich mit Rom, das, abgesehen von seiner Wasserleitung, nur erbarmungswürdige hygienische Verhältnisse bot, in einem anderen Land bessere hygienische Bedingungen zu finden. Trotzdem war Diodorus' Bericht ein spätes Zeugnis dafür, daß die ägyptischen Ärzte es bis zu einem gewissen Grade verstanden hatten, eine Urform hygienischer Ordnung und Vorbeugung gegen die Infektionskrankheiten zu schaffen, die ringsum lauerten.

Herodot war es, der schon vierhundert Jahre früher einen entsprechenden Hinweis gegeben hatte.

«Jedermann», so schrieb er, und die altägyptische Darstellung unten möge seine Worte unterstreichen, «besitzt ein Netz, mit dem man bei Tage Fische fängt. Über Nacht hängt man es um das Lager, auf dem man schläft. Wenn man unter einem Tuch oder in Kleidern schläft, stechen die Insekten durch den Stoff hindurch, aber durch das Netz versuchen sie nicht so zu stechen...»

Es bedarf keines Kommentars, um hieraus eindeutig den Schluß zu ziehen, daß es sich um die früheste bekannte Anwendung von Schutznetzen gegen Insekten und Stechmücken handelte – Netze, die sehr engmaschig gewesen sein müssen.

Wahrscheinlich waren es solche Netze, die Herodot zu der Ansicht brachten, die Ägypter seien das «gesündeste Volk, das er kenne». Zweifellos war dies ein Irrtum. Aber was die Malaria anbelangt, so mußte schon deren relativ seltenes Auftreten am Nil einen Mann tief beeindrucken, der, wie Herodot, aus Karien kam. Letzteres bildete nämlich wie auch die übrige kleinasiatische Küste und die Ägäischen Inseln eine wahre Brutstätte für das Wechselfieber, dessen Übertragung durch Insekten hier noch niemand kannte, geschweige denn ahnte. Hier glaubte man, daß schlechte Luft oder schlechte Dünste aus Sümpfen das Fieber erzeugten, dessen Existenz in Ägypten sich noch nach Jahrtausenden durch die typisch vergrößerte Milz in Mumien nachweisen ließ.

Es bleibt eine offene Frage, ob die Ägypter geahnt haben, daß sie sich mit ihren Netzen nicht nur gegen Insektenstiche und Skorpione, sondern vor allem gegen die Infektion mit Malaria schützten. Immerhin mochte es zu denken geben, daß der römische Schriftsteller Varro (116–27 v. Chr.), zu einer Zeit, in der zahlreiche Römer in Ägypten kämpften, krank heimkamen und den neugierigen Schriftsteller informierten, zum ersten Male folgendes niederschrieb: Es sei ein Irrtum zu glauben, das Wechselfieber ginge auf die Ausdünstungen von Sümpfen zurück. Vielmehr werde das Leiden durch kleine Tiere («bestiolae») verursacht, welche hier wie bei anderen Krankheiten krankmachende Stoffe mit sich führten. Nie vorher war solches ausgesprochen worden, und es sollte auch in den folgenden Jahrhunderten so bald nicht mehr ausgesprochen werden.

Schon Herodot hatte über die Lager der Pyramidenbauer berichtet: «In ägyptischer Schrift ist auf der Pyramide verzeichnet, wieviel an Rettichen, Zwiebeln und Knoblauch (Bildreihe links) an die Arbeiter ausgegeben wurde. Wenn ich mich dessen, was der Dolmetscher vortrug, richtig erinnere, so wurden rund 1600 Silbertalente (etwa 16 Millionen DM) dafür ausgegeben.»

Es ist bezweifelt worden, daß Herodot sein Wissen auf die geschilderte Weise habe erhalten können, kaum jedoch zweifelt man am Inhalt seiner Mitteilungen selbst. Lange blieb die Bedeutung der massenhaften Verteilung der genannten Gemüse an die Zehntausende zusammengedrängt lebenden Arbeiter vom medizinischen Standpunkt aus unbeachtet.

Das wurde erst anders, als im Jahre 1948 die Schweizer Karrer und Schmidt aus Rettichsamen einen Stoff, Raphanin, erzeugten, der eine bestimmte antibiotische Wirkung gegen verschiedene Bakterien, darunter Koken und Koli,

Altägyptisches Relief eines wahrscheinlich durch Kinderlähmung verkrüppelten Mannes (mit freundlicher Genehmigung der Ny Carlsberg Glyptothek in Kopenhagen).

*Ägyptische Kanope. Solche und ähnliche urnenartige Tongefäße dienten zur Auf-
bewahrung der aus dem Leichnam vor seiner Mumifizierung entfernten Eingeweide.*

besaß. Dieselbe Wirkung wurde auch im Rettichsaft entdeckt. In den gleichen Jahren gewann man auch aus Knoblauch und Zwiebeln Wirkstoffe wie das Allicin und Allistatin, die mehr oder weniger starke Wirkung gegen die verschiedensten Erreger, selbst gegen diejenigen von Ruhr, Typhus und Cholera, zeigten. Von diesem Augenblick an entstand die Vermutung, daß hinter der Verteilung von Zwiebeln, Knoblauch und Rettich in den Lagern der Pyramidenarbeiter ein bewußter Wille zur Krankheitsabwehr stand.

In Echet-Aton, der um 1370 v. Chr.
neu erbauten und bald wieder verfallenen Hauptstadt Königs Amenophis IV.,
der sich Echnaton nannte, fand man in den Überresten eines der vornehmen, oben rekonstruierten Häuser steinerne Gebilde. Es handelte sich, wie sich herausstellte, um *Sitze von Toiletten (rechts)*. Echet-Aton – ausgestattet mit breiten, einst von Bäumen besäumten Straßen – lieferte alle Anzeichen dafür, daß sich in der Mitte dieser Straßenzüge Kanäle befunden hatten. Mit Hilfe von Wasser wurde nachts der Inhalt der Toiletten in die Kanäle geschwemmt.

93

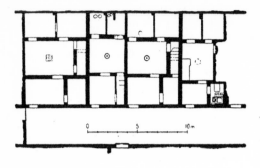

...*Und nicht nur die Häuser der Vornehmen enthielten derartige Überreste von Sitztoiletten und Waschräumen. Auch die Grundrisse der kleineren Häuser (links) in den Arbeitervierteln der «Planstadt» des revolutionären Königs deuteten darauf hin, daß jedes Haus einen einfachen Abort und einen Waschraum enthalten hatte.* Doch Echet-Aton, die kurzlebige Stadt, schien ein Einzelfall. Vielleicht hatten einige Ärzte und Beamte unter einem ungewöhnlichen König zum ersten Male mehr oder weniger klare Erkenntnisse dessen, was die Neuzeit Hygiene nennen würde, auch auf die Masse der Unterschicht übertragen können, um die sich die ägyptische Medizin als Schöpfung der Priester-Oberschicht sonst wenig kümmerte. Wahrscheinlich war man im Laufe von Jahrhunderten und im Laufe vieler Epidemien zu der Erkenntnis gelangt, daß Infektionskrankheiten meistens in den Massenquartieren ausbrachen und von hier auf die vornehmen Viertel übergriffen. Doch wie gesagt, die Stadt Echet-Aton und ihre Arbeiterviertel hatten nur ein kurzes Leben. Grundlegende soziale Umwälzungen lagen nicht im Willen der ägyptischen Oberschichten einschließlich ihrer Priester.

Die Masse jener rund 7 Millionen Menschen, welche das Reich am Nil bevölkerten, lebte zu jener Zeit wie auch heute noch in ihren engen, verwinkelten, oft vom Nilwasser umspülten Dörfern und Städten ohne Kanalisation, ohne Latrinen, ohne Wasserleitung. Sie lebte in ihren dunklen, engen Lehmziegelhäusern, an schmutzigen und staubigen Straßen, dicht bei den Tieren, im Qualm der Öllampen und Herdfeuer, auf denen getrockneter Dung verbrannte – umgeben von Fliegen und Ungeziefer aller Art, das im Nillande genauso gedieh wie die üppige Vegetation, deren Heilpflanzen die Medizin so viel verdankte.

Wolken duftenden Weihrauchs durchzogen die Paläste,
die Tempel und die Häuser der Vornehmen. Auf unserem Bild oben, das
dem Tempel des Königs Sethos I. entstammt, opfert Sethos Weihrauch vor
dem Totengott Sokar.

Der Oberschicht des «Neuen Reiches» schien Weihrauch das wichtigste
und wirkungsvollste Mittel, um vor den üblen Gerüchen, zugleich damit
aber auch vor den Krankheiten der Massenquartiere bewahrt zu bleiben.
Der Aufwand an Weihrauch war an den Feiertagen am größten, wenn das
Volk zu religiösen Festen strömte. Seit man in der Neuzeit herausfand, daß
sich beim Verbrennen des Weihrauchpulvers Phenal oder Carbolsäure
entwickelt – also das bedeutendste Antiseptikum, mit dem in der 2. Hälfte
des 19. Jahrhunderts die Antiseptik zum ersten Male in die Operationsräume
der Welt einzog –, wurde der medizinische Sinn jener Räucherwolken verständlich.

Um so bemerkenswerter war es, daß Staatsbeamte oder Ärzte darüber hinaus
nach hygienischen Maßnahmen strebten, welche, ohne die soziale Schich-
tung zu ändern, in der Masse wirken sollten, auch wenn es wiederum nur
geschah, um sich selbst vor Krankheit zu schützen und die notwendige
Arbeitskraft der Untertanen so weit als möglich zu erhalten.

«Der größte der Ärzte von Ober- und Unterägypten» lautete die Titelin-
schrift im Grab eines sehr frühen Arztes; man hat mit Recht gefragt, ob es
sich dabei um einen «Gesundheitsminister» gehandelt habe, der für hygienische Maßnahmen in ganz Ägypten verantwortlich war.

Jedenfalls fiel dieser Titel aus dem Rahmen der üblichen Würden und Bezeichnungen der Ärzte heraus. Das gleiche galt für die Ernennung eines
Oberarztes für die Arbeiterstadt von Deir el-Medine vor dem Tal der Könige oder für die Ernennung eines Arztes namens Metm zum «Arzt der
Hörigen». Dies alles geschah bereits im Alten Reich.

Alle diese Männer hatten unzweifelhaft nur eine Aufgabe gehabt, nämlich als «Amtsärzte der Könige» darauf zu achten, daß deren Arbeiter und Sklaven arbeitsfähig blieben.

Um wenigstens zu ahnen, wie diese Überwacher der Hygiene und der Infektionskrankheiten gearbeitet hatten und welchen Regeln sie gefolgt waren, dazu bedurfte es eines gewissen Umweges. Es ist wohl heute noch ein Gegenstand von Meinungsverschiedenheiten, wann die Vorfahren der Juden, das semitische Hirtenvolk Abrahams (um 1900 v. Chr.), auf der Flucht vor dem Hunger nach Ägypten gelangten. «Also», wie es im Alten Testament heißt, «wohnte Israel in Ägypten im Lande Gosen und hatten's inne und wuchsen und mehrten sich.»

Wenn man den Berichten des Alten Testaments folgt, dann wanderten die Israeliten etwa um 1730 v. Chr. ein – zu jener Zeit, in welcher das Volk der Hyksos mit seinen Streitwagen in Ägypten eingefallen war und die Herrschaft über das Land an sich gerissen hatte. Sie taten es mit Hilfe Josephs, eines ihrer Stammesgenossen, der ein hoher Beamter bei den fremden Herrschern über Ägypten geworden war. Sie blieben 400 Jahre im Lande, bis in die Zeit des neuen ägyptischen Reiches, als den zu neuer Macht gelangten ägyptischen Königen aus dem Geschlecht der Ramessiden die Anwesenheit der Fremden zum Ärgernis wurde. Sie zwangen sie zur Fronarbeit, «und man setzte Fronvögte über sie, die sie mit schweren Diensten drücken sollten, denn man baute dem Pharao die Stätte Pithon und Raemses zu Vorratshäusern...»

Moses (hier gesehen mit den Augen Michelangelos), wahrscheinlich ein Sohn des Volkes Israel, aber in der ägyptischen Oberschicht erzogen, führte um 1330 v. Chr. die Israeliten zu einem günstigen Zeitpunkt aus Ägypten heraus. Er gab ihnen die neue Religion «des einen Gottes» und führte sie nach mehrjährigen Wüstenmärschen und Wüstenaufenthalten ihrer neuen Heimat in Palästina entgegen. Er war es auch, der ihnen unter dem Zeichen gottgegebener Weisungen hygienische Gesetze auferlegte, welche sie erst in die Lage versetzten, die vierzig Jahre Wüstenwanderung zu überstehen. Zweifellos waren in diesen Gesetzen eigene Gedanken und Erfahrungen niedergelegt. Trotzdem waren viele ihrer Grundsätze durch die Lehrjahre des Moses in Ägypten gefärbt, und hygienische Lehren des Nillandes, die das Handeln von dessen «öffentlichen Ärzten» mitbestimmt hatten, sprachen mit hinein.

Wenige Beispiele, niedergelegt im Alten Testament, genügen, um zu sagen, was hier gesagt werden soll.

Derjenige, der einem körperlichen Bedürfnis nachging, hatte Lager oder Ansiedlung zu verlassen, eine kleine Schaufel mit sich zu führen und seine Ausscheidungen zu vergraben.

Jedermann hatte sich vor und nach dem Essen und nach geschlechtlichen Berührungen zu waschen. Jede krankhafte Ausscheidung aus den Sexualorganen machte den Betreffenden «unrein», er hatte das Lager zu verlassen. Jeder, der ihn berührte, wurde ebenfalls verbannt. Alles, womit er selbst Kontakt gehabt hatte, vom Trinkgefäß bis zu seiner Lagerstatt, mußte gereinigt oder vernichtet werden.

Jedermann, der den Körper eines Menschen berührte, von dem man vermuten konnte, daß er an einer Seuche gestorben war, galt für die Dauer von 7 Tagen als unrein. Danach hatte er sich mit Hilfe einer Lösung aus Pottasche, Ysop und Zedernholz zu reinigen. Krieger, die von einer Begegnung mit anderen Völkern oder Stämmen zurückkehrten, blieben für 8 Tage vom Lager ausgeschlossen. Diejenigen, die mit gefallenen Feinden in Berührung gekommen waren, hatten sich nach Ablauf dieser Zeit mit der oben genannten Lösung zu waschen. Derjenige Teil ihrer Ausrüstung, den man der Hitze des Feuers aussetzen konnte, wurde darin gereinigt.

Wie gesagt: Was immer auch die besondere Härte des Wüstenlebens an Schärfe und erbarmungsloser Strenge in diese Gesetze hineingetragen haben mochte, ihre Ursprünge lagen in den hygienischen Gesetzen und Gedanken des Landes am Nil.

Diese beiden Hieroglyphen der altägyptischen Schrift bedeuten seit der frühesten Zeit «Frau» und «schwangere Frau». Wahrscheinlich gibt es keine andere Schrift, die mit diesen und nur zwei weiteren Zeichen der Nachwelt berichtet, wie sich in dem Lande, in dem sie geschrieben wurde, vor Jahrtausenden Niederkunft und Geburt vollzogen.

«Gebären» bedeuten die beiden Schriftzeichen rechts. Das obere verrät, daß den Ägyptern die Geburt des Kindes mit dem Kopf voran als die normale Geburt erschienen war. Das untere aber lehrt, daß die Ägypterin wie auch die Frauen der meisten frühen Völker nicht im Liegen, sondern hockend ihre Kinder zur Welt brachten.

Die Lehmziegel,

diese so wichtigen und vielseitigen Hilfsmittel des Nillandes, hatten auch dazu gedient, einen einfachen Gebärstuhl zu errichten, wobei man einige Steine in gewissem Abstand nebeneinander aufschichtete, so daß genügend Platz zwischen dem Schoß der Gebärenden und der Erde entstand, um das Neugeborene herausgleiten zu lassen. Aus Ziegeln war auch das Lager hergerichtet, auf dem danach das Kind gebettet wurde. «Sie wuschen es, schnitten seine Nabelschnur ab und legten es auf das Lager von Ziegeln...», so überliefert es ein ägyptisches Geschichtenbuch, der Papyrus Westcar.

Im Jahre 1898 fand Sir Flinders-Petrie,

der früher schon genannte berühmte britische Archäologe, bei Ausgrabungen in Kahun einen interessanten Papyrus. Er war nicht umfangreich, drei Seiten stark, offenbar nur ein Fragment eines weit größeren Buches. Sein Alter ließ sich verhältnismäßig leicht bestimmen. Da der altägyptische Ort Kahun um 2200 v. Chr. erbaut und einhundert Jahre später wieder zer-

stört worden war, mochte das Dokument aus dieser Zeit stammen. Es war also ziemlich alt. Dies war indessen nicht das Entscheidende. Wichtiger war, daß es sich abermals um ein medizinisches Lehrbuch handelte. Auf der ersten Seite befanden sich siebzehn ärztliche Anweisungen, und sie begannen mit den Worten: «Heilmittel für eine Frau, die da leidet an...»
Petrie brachte den Papyrus nach London. Es stellte sich heraus, daß er sich ausschließlich mit Frauenkrankheiten beschäftigte. Als gynäkologischer Papyrus Kahun ging er in die Medizingeschichte ein.
Es gab Hinweise auf die typischen Blasenstörungen als Begleiterscheinungen der Schwangerschaft. Es gab Schilderungen von Krankheitserscheinungen in den Beinen, möglicherweise Venenentzündungen.
Eine Krankheitsdarstellung des Papyrus beschäftigte die neuzeitlichen Ärzte in besonderem Maße. Bei der knappen Schilderung eines Unterleibsleidens war von einem «Geruch nach Braten» als typischem Symptom die Rede, was die genannten Fachleute der Neuzeit auf Grund ihrer Erfahrung zu der Deutung veranlaßte, es habe sich um einen Fall von Unterleibskrebs gehandelt.
Als dreißig Jahre nach dem Auftauchen des Papyrus Kahun der Papyrus Smith die Welt überraschte und abermals zehn Jahre darauf der Papyrus Ebers seine neue Wertung erfuhr, rundete sich das Bild der altägyptischen Frauenheilkunde weiter ab.

Es zeigte sich, daß die Ärzte eines Volkes, welches den Frauenkörper so vollendet hatte darstellen können wie im Falle dieser Mädchenstatuette in El-Amarna, sich auch eingehender mit den Schwächen und Anfälligkeiten dieses Körpers befaßt hatten. Sie beschrieben Blutungen, Regelstörungen, Geschwülste, Entzündungen der verschiedenen Unterleibsorgane und der Brust sowie offensichtliche Verlagerungen der Gebärmutter, von der es hieß, man «müsse sie wieder an ihren Ort eintreten lassen».
Es fehlten zwar auch hier nicht die Beschwörungen und abergläubischen, offenbar sinnlosen und wirkungslosen Rezeptzusammenstellungen. Es fehlten nicht die falschen Vorstellungen, die aus dem irrigen, rein theoretischen Gebäude der ägyptischen Anatomie und Physiologie stammten – so der Glaube, die Gebärmutter sei nach oben offen.

«Akazienspitzen (wie in dem Bild links aus dem Grab des Chumhotep in Beni Hasan), fein zerrieben, mit Datteln und Honig auf einen Faserbausch gestrichen und tief in ihren Schoß gegeben», lautete eines unter einer ganzen Anzahl von Rezepten, die eindeutig der «Vorbeugung der Empfängnis» dienten. Es herrschte ausgesprochene Verwunderung, als sich Jahrtausende später herausstellte, daß die Akazienspitze eine Art Gummi enthält, der beim Auflösen in wäßrigen Flüssigkeiten Milchsäure bildet. Zahlreiche empfängnisverhütende Gelees der Neuzeit aber enthalten – Milchsäure.

Mancherlei Kontroversen rief eine der Anweisungen hervor, die es ägyptischen Ärzten ermöglichen sollte, frühzeitig festzustellen, ob eine Frau schwanger sei und ob sie einen Knaben oder ein Mädchen zur Welt bringen werde. In der Übersetzung des Dänen Eric Iversen lautete die Anweisung: «Du mußt Weizen und Gerste in Stoffbeutel geben. Die Frau soll ihr Wasser täglich darauf entleeren ... Wenn beide keimen, wird sie gebären. Wenn der Weizen keimt, wird sie einen Jungen gebären. Wenn die Gerste keimt, wird sie ein Mädchen gebären. Wenn beide nicht keimen, wird sie nicht gebären...»

Im Jahre 1926 beschrieben die Frauenärzte Selmar Aschheim und Bernhard Zondek ihre später berühmte «Reaktion», mit deren Hilfe man aus dem weiblichen Urin mit 95 Prozent Sicherheit den Eintritt einer Schwangerschaft feststellen kann, und zwar schon innerhalb der ersten zwei Monate. Diese «Reaktion» war ein Ergebnis neuzeitlicher Wissenschaft. Sie beruhte auf der Ausscheidung von Hormonen aus den Hypophysenvorderlappen, einer Ausscheidung, die bei Schwangeren besonders stark ist. Aschheim und Zondek benutzen allerdings keinen Weizen und keine Gerste, um die «Reaktion» auszulösen, sondern Mäuse. Sie versuchten auch keine Voraussagen, ob das zu erwartende Kind ein Mädchen oder ein Junge sei.

Trotzdem warf die Entdeckung ihrer «Reaktion» Licht auf die Methode, bei der die Ägypter Tausende von Jahren zuvor ebenfalls den weiblichen Urin zu Voraussagen benutzt hatten. Der Deutsche Julius Manger wies dann im Jahre 1933 am pharmakologischen Institut in Würzburg zum Erstaunen der Fachwelt nach, daß der Urin von schwangeren Frauen, die später Knaben zur Welt brachten, tatsächlich eine Wachstumsbeschleunigung von Weizen, derjenige von Frauen, die später Mädchen zur Welt brachten, eine Wachstumsbeschleunigung von Gerste zur Folge hatte.

Niemand sollte auch hier dem Irrtum verfallen, wissenschaftliche Erkennt,
nisse der Neuzeit eilfertig in die Vorstellungswelt der Frauenärzte am Nil zu
verlegen. Aber damals stieg wieder jene zur Bescheidenheit mahnende
Ahnung von medizinischen Erkenntnissen früher Kulturen auf. Und sie
blieb auch bestehen, als bei einer Neuübersetzung der ägyptischen An,
weisung der Übersetzer einfach Weizen an die Stelle von Gerste setzte und
die ägyptischen Voraussagen von Junge oder Mädchen damit erklärte, daß
das ägyptische Wort für Gerste männlich, dasjenige für Weizen weiblich
gewesen sei.

War damit alles gedeutet oder erklärt?

Niemals, auch nicht während der stolzesten Höhepunkte neuzeitlicher Me,
dizin, hat die Natur aufgehört, Grenzen zu ziehen, vor denen der wissen,
schaftliche und ärztliche Fortschritt kapitulieren muß. Die Menschen der
alten Zeiten, denen keine medizinische Hilfe mehr zuteil werden konnte,
sahen ihr Heil zu allen Zeiten in den Göttern und Heiligen, in Opfern,
Gebeten und Wundern.

Kein Zweifel, daß ihre Zahl im Nillande sehr groß war, taten dessen Ärzte
doch inmitten einer alten und mächtigen Götter, und Dämonenwelt die
ersten Schritte zu medizinischer Erkenntnis.

Kein Zweifel, die Zahl der Verlorenen und Ver,
lassenen in diesem Lande war gewaltig, denn die
Medizin war hier eine Schöpfung der Ober,
schicht und hatte zuerst dieser Schicht zu dienen;
und nur mittelbar half sie auch der Masse, die
ihre Leiden ohne ärztliche Hilfe trug und nur die
eine Zuflucht kannte – die Zuflucht zu ihren
Göttern.

Das Horus,Standbild,
vor dem der Leidende (rechts) opfert
und ein Klagelied singt, war nur *ein* Götterbild
unter derart vielen, daß es der Nachwelt unmög,
lich wurde, sie alle zu erfassen oder zu deuten.
Ihre Zahl wuchs mit der Dauer der Geschichte
des altägyptischen Reiches, und es entstand eine
unübersehbare Schar von hohen und niederen,
allgemeingültigen und örtlichen, freundlichen
und bösartigen Gottheiten.

Die Zahl der Götter und der heilkräftigen Be,
schwörungen wurde so groß, daß sie die Hi,
storiker zeitweise zu der Ansicht bewog, das ägyp,

tische Arzttum habe vor allem während und nach dem Ende des Neuen Reiches Degeneration und Niedergang erlebt. Es sei von einer Flut des Wunderglaubens verdrängt worden und mit ihm seine ersten Vorstöße in das Reich echter Erkenntnis.

Für die Zeit gegen Ende des Neuen Reiches hatten sie sicherlich nicht ganz unrecht. Die mit Ramses I. beginnenden Ramessidenkönige bedurften zur Beherrschung des Volkes der Priesterschaft. Sie hatten die Tempelherren in einem solchen Maße an der ungeheuren Beute ihrer siegreichen Kriegszüge durch Vorderasien beteiligt, daß die natürliche Folge jeder solchen Überfütterung, die Entartung, eintrat. Zur Zeit Ramses III. besaßen die ägyptischen Tempel und die Priesterschaft 750000 Morgen Land, 500000 Stück Vieh und 107000 Sklaven. Sie kassierten die Abgaben von 169 Städten in Ägypten und Syrien. Die Amun-Priester erhielten vom Pharao Ramses III. 32000 kg Gold und 1000000 kg Silber, außerdem jährlich 185000 Sack Korn.

Die Zeichen der Entartung, gegen die sich der unglückliche Amenophis IV. – Echnaton – vergebens gewandt hatte, waren nur ein Vorspiel. Die gleiche Priesterschicht, welche einmal die ägyptische Wissenschaft und Medizin geboren und weiterentwickelt hatte, wurde nun zu einer Gruppe machtlüsterner und gieriger Blutsauger, die bald auch durch Priesterkönige die Macht in Ägypten zeitweilig an sich riß.

Die Scharen der Kranken, die bei den Priesterärzten Hilfe, Heilung oder wenigstens einen tröstlichen Orakelspruch als eine Prognose ihrer Leiden erhofften, wurden zu Opfern der Gier nach immer mehr Reichtum und Macht. Immer schon waren die Opfer Heilungsuchender, wie alle Götteropfer, in den Besitz der Priester übergegangen. Sie hatten deren Lebensgrundlage gebildet. Jetzt wurden sie zur Grundlage gieriger Bereicherung. Immer schon hatte der Glaube der Masse an helfende Götter und Geister der Priesterschaft sowohl wie der Oberschicht zur Beherrschung der gleichen Masse gedient. Jetzt wurde er immer schrankenloser ausgenutzt.

Wahrscheinlich waren es nicht, wie man lange Zeit geglaubt hatte, die Griechen, welche als erste die Heiltempel, die bei ihnen dem Asklepios geweiht waren, schufen.

Die Idee, Tempel zu errichten, in denen Heilgötter und ihre Priester heilungsuchende Kranke durch Riten und Heilschlaf behandelten, entstand möglicherweise in Ägypten. Sie diente ebenfalls als Instrument zur Machtgewinnung für die Priester der Spätzeit, aber auch als Instrument zu weiterer Bereicherung. Ein neuer Heilgott stieg am Firmament des Glaubens der Masse empor: Imhotep. Man griff auf diese Arztgestalt der Frühzeit zurück, deren Name irgendwie ständig weitergelebt haben mußte, und es gelang dadurch, neue Wogen der Glaubensinbrunst und der Hoffnung zu entfachen.

Wie dieser Tempelhof auf der Insel Philae sahen auch die Tempelhöfe aus, die vor den Heiligtümern des Heilgottes Imhotep gelegen hatten.

Einige dieser Tempel, meist aus der Spätzeit Ägyptens, haben sich erhalten und zeigen einen ähnlichen Stil wie dieser Bau aus der Epoche der Ptolemäer. Aber die ersten Heiltempel des Imhotep in Memphis im Gebiet von Theben bis hinauf zu Imhoteps einstigem Wirkungsort Sakkara entstanden viel früher, bevor die ersten Griechen überhaupt ägyptischen Boden betraten. Hier vollzogen sich ähnliche Schauspiele wie später in Griechenland: Kranke, durch Opium oder Bilsenkraut in rauschähnlichen Schlaf versetzt, glaubten, dem heilenden Gott selbst zu begegnen und hielten sich für geheilt oder waren es wirklich.

Trotz alledem wäre es ein Irrtum zu glauben, das alte ägyptische Arzttum sei wirklich verdrängt worden. Bei seiner traditionellen Beziehung zur Priesterschaft bestand Grund zu der Annahme, daß es in den Heiltempeln sogar eine ähnliche Rolle spielte wie später griechische Ärzte in den Heiltempeln des Asklepios. Vielleicht reichten sie den Kranken nicht nur Rauschmittel, sondern auch Heiltränke, die wenigstens vorübergehend eine mehr als psychische Wirkung hatten. Doch ist das nicht das Entscheidende. Entscheidend ist, daß neben dieser Welt der von Machtgier getragenen Heilpriester die ärztliche Welt weiterlebte. Das ging aus der Wertschätzung hervor, deren sich die ägyptischen Ärzte in allen Nachbarländern nicht nur im 2., sondern auch im 1. Jahrhundert vor Christus bis zum Ende des Reiches, ja weit über sein Ende hinaus, erfreuten.

Auf Tontafeln und in Keilschrift geschrieben war die «Staatskorrespondenz» zwischen Ägypten und einer Anzahl seiner Nachbarvölker im Osten, welche der Nachwelt in Funden von El-Amarna erhalten blieb. Zwar kündigte darin der König des Landes Mitanni im Nordosten dem kranken ägyptischen König Amenophis III. (1408–1372 v. Chr.) die Übersendung eines heilkräftigen Bildes der von ihm verehrten Göttin Ischtar von Ninive an, und dieses Bild wurde auch gern entgegengenommen. Aber gerade die Fürsten im Osten und an den Mittelmeerküsten verlangten bei ihren Krankheiten nicht nach ägyptischen Götterbildern oder Amuletten, sondern nach jenen Ärzten, die aus dem Dunkel mythischer Vorstellungen heraus die Anfänge einer rationalen Medizin geschaffen hatten.

Im Grabmal Nebamons, des obersten Arztes am Hofe des ägyptischen Königs Amenophis II. (1450 bis 1425 v. Chr.), fand man dieses Gemälde. Es zeigt einen unbekannten Fürsten aus Mesopotamien, dem Land zwischen Euphrat und Tigris, das eine zweite große, vom lebenspendenden Wasser zweier Flüsse emporgetragene Kultur gebar. Wenn man Nebamon glauben darf, hatte der Fürst sich nach Ägypten begeben, um Hilfe zu suchen und aus Nebamons Hand Mittel gegen seine Leiden zu empfangen. Es sprach für die ägyptischen Ärzte, wenn der Assyrer den weiten Weg nach Ägypten zurücklegte, obwohl die Kultur des Zweistromlandes im gleichen Zeitraum ihre eigene Medizin schuf.

II

Asu

oder die Ärzte in Assur und Babylon

KAPITEL I

«Ein unbekannter sumerischer Arzt, der gegen Ende des 3. Jahr-
tausends v. Chr. Geburt lebte, entschloß sich, seine wertvoll-
sten Rezepte für seine Kollegen oder Schüler zu sammeln.
Er verfertigte aus feuchtem Ton eine Tafel, rund acht Zentimeter breit und fünfzehn
Zentimeter hoch, spitzte ein Schilfrohr an und schrieb mehr als ein Dutzend seiner
Rezepte in der Keilschrift jener Tage nieder. Dieses Dokument aus Ton, das älteste
ärztliche Handbuch, das die Menschheit kennt, lag länger als viertausend Jahre unter
den Ruinen der Stadt Nippur begraben.»

Im Jahre 1956 stellte so der amerikanische Keilschriftforscher S. N. Kramer
die oben abgebildete Tontafel in seinem Buche «Die Geschichte beginnt
mit Sumer» der Fachwelt vor. Diese Welt war zwar durchaus mit der
Tatsache vertraut, daß Mesopotamien in den gleichen Jahrtausenden
wie Ägypten seine eigene, in mancher Beziehung rätselhafte, aber in jedem
Fall farbige und interessante Heilkunst entwickelt hatte. Aber das, was der
Amerikaner jetzt enthüllte, war neu. Er lieferte den ersten Beweis dafür, daß
die Wurzeln dieser Heilkunst bis in eine ungeahnte Frühe reichten, bis in
die Anfänge der mächtigen Reiche, die vom 3. Jahrtausend v. Chr. bis zur
Mitte des 1. Jahrtausends in Mesopotamien blühten.

Land zwischen den Strömen,

so lautet die Übersetzung des Namens Mesopotamien, den der griechische Historiker Polybios im 2. Jahrhundert v. Chr. dem Gebiet zwischen dem Oberlauf von Euphrat und Tigris gab. Er wurde zur Bezeichnung für das ganze weitgedehnte Land zu beiden Ufern der Flüsse, von den Gebirgs‚ rändern Armeniens bis zur Küste des Persischen Golfs.

Mehr als 2700 Kilometer weit floß der Euphrat von seinem Quellgebiet durch gebirgiges Hochland hinunter zu den weiten Ebenen am Persischen Golf, bis er sich dort ins Meer ergoß. 1950 Kilometer legte der reißende Tigris zurück, der dem Euphrat parallel lief. Anders als der Nil, führten beide Ströme während des ganzen Jahres Wasser. Aber auch sie schwollen an, wenn im März und Mai der Schnee in den armenischen Gebirgen schmolz. Unberechenbarer noch als der Nil, oft wild und zerstörend, traten sie über ihre Ufer, überschwemmten weithin das Land, in dem nicht ohne Grund die Geschichte von der Sintflut entstand. Mochte ihre Natur anders sein als diejenige des Nils, mochten sie auch keinen fruchtbaren Schlamm mit sich führen und Jahr für Jahr in ihrem Überschwemmungsgebiet ab‚ lagern, so waren sie dennoch die Quelle aller Fruchtbarkeit; das Wasser, welches inmitten eines von der Sonne verdorrten, durch furchtbare Sand‚ stürme heimgesuchten Wüstenlandes die Grundlage für das Wachstum mächtiger Reiche bildete. Sumerer – so nannte sich das Volk, mit dem im 4. Jahrtausend v. Chr. die Entwicklung einer Hochkultur im südlichen Teil Mesopotamiens begann.

Detail der Bronzetore vom Palast Salmanassars III. von Imgur Bel (Balawat).
Der kranke König von Hama ergibt sich den assyrischen Eroberern 849 v. Chr.

Assyrisch-babylonisches Tonfigürchen, vermutlich der Krankheitsdämon Pazuzu.

Die Daten beruhen auf der sog. «Kurzen Chronologie» (Albright-Cornelius); sie können sich im 2. Jahrtausend möglicherweise um etwa 50 Jahre nach oben verschieben.

c. 3000–2800	URUK-ZEIT		1647–1620	Abieschuch
			1619–1583	Ammiditana
c. 2800–2700	DJEMDET-NASR-ZEIT		1582–1562	Ammisaduqa
			1561–1530	Samsuditana
c. 2600	MESILIM-ZEIT			
	Lugalannemundu		c. 1530–1160	KASSITENZEIT
	von Adab?		c. 1530	Agum II.
			c. 1450	Ulamburiasch
c. 2500–2350	UR-I-ZEIT		c. 1420	Karaïndasch
	Lagasch Ur		c. 1380	Kurigalzu I.
	Mesannepadda		c. 1350	Burnaburiasch II.
	Aannepadda		1336–1314	Kurigalzu II.
	Entemena		1313–1288	Nazimaruttasch
	Lugalanda		1283–1269	Melischipak
c. 2360	Urukagina Lugalzaggesi			
	von Uruk		c. 1380–1078	MITTELASSYRISCHES REICH
			1356–1320	Assuruballit I.
c. 2350–2150	AKKAD-ZEIT		1297–1266	Adadnarari I.
	Sargon		1265–1235	Salmanassar I.
	Rimusch		1235–1198	Tukultininurta I.
	Manischtusu		c. 1128–?	Nebukadnezar I. v. Babylon
	Naramsin		1116–1078	Tiglatpileser I.
	Scharkalischarri			
			909–612	NEUASSYRISCHES REICH
c. 2150–2070	GUTÄERZEIT		909–889	Adadnirari II.
c. 2070	Utuchengal von Uruk		888–884	Tukultininurta II.
			883–859	Assurnasirpal II.
c. 2065–1955	UR-III-ZEIT		858–824	Salmanassar III.
2044–2027	Urnammu		823–810	Schamschiadad V.
	Gudea von Lagasch		809–782	Adadnirari III.
	Schulgi		745–727	Tiglatpileser III.
	Bursin		726–722	Salmanassar V.
	Schusin		721–705	Sargon II.
	Ibbisin		704–681	Sanherib
	Ischbierra von Isin		680–669	Asarhaddon
			668–626(?)	Assurbanipal
c. 1955–1700	ISIN-LARSA-ZEIT		625–621	Assuretililani
c. 1875–1865	Lipitischtar von Isin		620–612	Sinscharischkun
c. 1780	Sargon I. von Assur			
c. 1757–1735	Rimsin von Larsa		625–539	CHALDÄERREICH
1748–1716	Schamschiadad v. Assur		625–605	Nabopolassar
			604–562	Nebukadnezar II.
c. 1830–1530	HAMMURABI-DYNASTIE		561–560	Amelmarduk
1728–1686	(6. König) Hammurabi		559–556	Nergalscharussur
1685–1648	Samsuiluna		555–539	Nabonid

Das Bild dieses sumerischen Fürsten
aus der zweiten Hälfte des 3. Jahrt. v. Chr. vermittelt einen Eindruck von
den Menschen, welche die ersten Städte und Stadtstaaten Mesopotamiens,
wie Uruk, Ur, Nippur, Lagasch, Kisch, Umma, begründeten. Sie leiteten
das Wasser der Flüsse durch Kanäle weit über Land, erfanden Pump⁄
werke, um es auch auf die höher gelegenen Felder zu bringen, bauten
Dämme, um die Wasserfluten des Frühjahres von diesen Feldern fernzu⁄
halten, stauten Wasser zu künstlichen Seen, um es nach Bedarf den Äckern,
Weiden und Palmenhainen zukommen zu lassen.
Wie die ägyptischen Herrscher der Frühe, waren auch die sumerischen
Fürsten sich des Wertes ihrer überlegenen Intelligenz bewußt. Alles Land
gehörte ihren Göttern, mit Enki, dem «Herrn der Wassertiefe», an der
Spitze. Sie aber waren die Statthalter der Götter auf Erden, Hohepriester und
Könige in einer Person, denen alle Einwohner dafür zu dienen hatten, daß
sie ihnen mit göttlicher Weisheit und Kraft Wasser und Fruchtbarkeit für
ihre Felder sicherten. Sie bauten ihren Göttern Tempel, in denen die Prie⁄
ster dann selbst lebten. Und es war wie in Ägypten: der Zwang zur Ver⁄
waltung des Wassers, zur Leitung der Damm⁄ und Kanalbauten, zur
Überwachung und Kontrolle der Felder und Ernten und zur Erhebung
von Abgaben führte auch ihren schöpferischen Geist zur Erfindung der
Zahl, der Rechenkunst, des Kalenders und der Schrift.

Ursprüngliche Bilderschrift	Bilderschrift in der Lage der späteren Keilschrift	Früh-baylonisch	Assyrisch
Vogel			
Fisch			
Esel			
Ochse (Stier)			
Sonne Tag			
Getreide Korn			
Garten			
pflügen bestellen			
Bumerang werfen niederwerfen			
stehen gehen			

Auch für Sumer vermag niemand zu sagen, wer der Schöpfer jener Schrift war (rechts), deren erste Spuren bereits in den Ruinen der alten Stadt Kisch aus der Zeit um 3500 v. Chr. gefunden wurden. Ähnlich der ägyptischen, aber unabhängig davon entwickelte sie sich aus bildlichen Darstellungen für Worte und Begriffe, so wie sie *das Kalksteintäfelchen oben* (mit den Zeichen für Kopf, Hand, Tier, Dreschflegel usw.) zeigt. Im Laufe der Jahrhunderte und Jahrtausende entstand daraus eine wegen des mesopotamischen Sprachengewirrs komplizierte Silbenschrift. Wer immer als erster auf den Gedanken kam, den im Zweistromland überall vorhandenen Lehm zu Tafeln zu formen und mit einem angespitzten Schilfrohr Bilder und Zeichen in dies weiche, aber schnell trocknende Material zu drücken – ihn erfüllte der gleiche Genius wie die Erfinder von Papyrus und Hieroglyphen. Die Schwierigkeiten, die sich beim Zeichnen von Bogen in Ton ergaben, ließen schließlich eine aus zahlreichen keilförmigen Linien zusammengesetzte Schrift entstehen, die wir als Keilschrift kennen.

Unwillkürlich dachte man an die Pyramiden Ägyptens,
als sich der Neuzeit nach erfolgreichen Ausgrabungen zum ersten Male der Blick
auf diese Lehmziegelgebirge in Ur und anderen Stadtruinen Mesopotamiens eröffnete.
Aber die frühen Herrscher im Zweistromland hatten für sich selbst keine
Grabpyramiden errichtet; sie hatten nur versucht, die Tempel so hoch
wie möglich in den Himmel ragen zu lassen.
Für die frühen sumerischen Priesterkönige war der Tempel wahrscheinlich
alles zusammen gewesen: Anbetungs- und Opferstätte für die Götter wie
Palast- und Verwaltungszentrum. Hier befanden sich die großen Staats-
archive auf Tontafeln und die Erntelager, die ersten Gerichte, die Steuer-
verwaltung und – der Geldverleih. Die Könige herrschten in der Tat in
ihren Stadtstaaten wie die Götter. Unter den Göttern, die als Standbilder
in den Tempeln standen, befand sich die Fruchtbarkeits- und Liebesgöttin
Innana. In ihrem himmlischen Reich fand sie sich alljährlich zu Neujahr
bei der Feier des Endes der Sommerhitze und des Beginns der «Fruchtbarkeit auf den Feldern» in einem Liebesfest mit dem aus der Unterwelt
(der Welt der Sonnenglut) befreiten Hirten Dumuzi zur «heiligen Hoch-
zeit» zusammen. An den gleichen Festtagen vereinigten sich auch die Könige in ihren Tempeln mit der Hohenpriesterin – eine Verkörperung des
göttlichen Tuns.

Dudu
nannte sich dieser königliche sumerische Tempelschreiber,
der in der 1. Hälfte des 3. Jahrtausends v. Chr. lebte.
Trotz seiner vor der Brust gefalteten Hände
spricht Selbstbewußtsein aus seinem Gesicht. Es
erinnert in seiner Selbstgefälligkeit an die Gesich-
ter ägyptischer Schreiber, die so früh als Priester
und Beamte die absolute Gewalt der früheren
Könige hatten überwinden können. Manche
Forscher bezeichnen Dudu auch als «Großprie-
ster» – Haupt einer Priesterschaft, die ursprünglich noch nackt und demütig vor ihre göttlichen
Herren trat, um wenige Jahrhunderte später selbst
die Herren in ihren von Reichtum überfließenden
Tempeln zu sein.
Die Zersplitterung Sumers in Stadtstaaten, die
bald beginnende Rivalität zwischen diesen Städten trugen dazu bei, die Priesterschaft aus der
Rolle von Dienern des Königs zu Mächtigen neben dem König emporzuheben; die Entwicklung in Ägypten wiederholte sich auf mesopota-
mischem Boden.
Sumers erste große Blüte dauerte etwa bis zum Jahre 2350 v. Chr. Seine
Städte wuchsen, seine Ernten wurden von Jahr zu Jahr reicher. Die Könige
errichteten Bauten für sich und für die immer begehrlicheren Götter, das
heißt deren Priester. Sumerische Handelskarawanen und Euphrat-Schiffe
gelangten weit nach Norden und Nordwesten. Sie brachten aus den nördlichen Regionen Natursteine für die Baumeister, die sich mit Lehmziegeln
allein nicht mehr begnügen wollten. Sumers Ruhm verbreitete sich dabei
unter den semitischen Stämmen, die in den Berggebieten im Osten und
Norden lebten oder als Nomaden die weiten Wüsten im Westen durch-
streiften. Immer häufiger versuchten semitische Völker, in das lockende,
blühende Land einzubrechen, das ohne natürliche Grenzen nach allen
Seiten offen dalag.

*Ganz und gar nicht sumerische,
sondern semitische Züge
zeichnen diesen lebensgroßen Bronzekopf aus, der
in Ninive am Oberlauf des Tigris gefunden wurde.*
Mit großer Wahrscheinlichkeit stellt er Sargon
von Akkad dar, dem es um 2350 v. Chr. gelang,
zum ersten Male ganz Sumer zu besetzen und zu
unterwerfen. Erbarmungslos, doch mit den Eigen-
schaften eines Weltherrschers begabt, eroberte er
Elam und die von den noch unbedeutenden
semitischen Assyrern bewohnten Gebiete am
Oberlauf der beiden Ströme, besetzte große Teile
Syriens, schloß alle diese Teile zu einem Reich
zusammen und erbaute sich eine prachtvolle
Hauptstadt im Land von Akkade – Akkad.

Seine Götter waren semitisch, so der Sonnengott Schamasch und der Mond-
gott Sin, aber seine Göttin Ischtar war ein Abbild der sumerischen Innana.
Und Sargon war klug genug, die kulturellen Schöpfungen der Sumerer
zu würdigen und sich der Hilfe ihrer «wissenden» Priester zu versichern.
Er verbannte ihre Götter nicht, sondern gesellte sie zu den seinen. Er machte
Akkadisch zur Staatssprache, aber Sumerisch blieb, so wie später das Latein
im Mittelalter, die «Sprache der Wissenden».
Rund 200 Jahre herrschten er und seine Nachfolger mit Gewalt und Klug-
heit zugleich über Mesopotamien. Dann zerbrach das Akkadische Reich.
Noch einmal errangen die Sumerer die Herrschaft. Von 2065 bis 1955 v. Chr.
erlebten sie unter ihren Königen Urnammu, Schulgi, Bursin, Schusin,
Ibbisin und unabhängigen Stadtfürsten wie Gudea von Lagasch eine
«sumerische Renaissance». Aber 1955 v. Chr. zerbrach dieser schwächere
Abglanz einstiger Macht unter dem Ansturm neuer semitischer Völker.
Für den Schilderer der politischen Entwicklung des Zweistromlandes ist es
unmöglich, der fast zweihundertjährigen Zeit der Wirren und Kämpfe von
Dynastien und Priestern, Völkern und Städten zu folgen, die dem Ende
Sumers folgten. Es ist auch nicht notwendig. Entscheidend für die weitere
Geschichte des Zweistromlandes ist die ständige Wiederholung des Vor-
gangs, der sich unter Sargons Herrschaft vollzog: die semitischen Eroberer
und alle ihre Nachfolger übernahmen die auf den sumerischen Schöpfungen

aufgebaute Kultur. Sie brachten neue Elemente mit – Eroberergeist, die Härte der Wüstenbewohner und Bergvölker, barbarische Sitten, eigenen Götterglauben und Aberglauben, aber immer gingen sie irgendwo in der vorgefundenen Kultur auf. Ausgehend von dem noch unbedeutenden Ort Babylon am Euphrat, den einer seiner Vorfahren gegründet hatte, schuf König Hammurabi (1728–1686) ein Reich, das von Eridu und Ur bis nach Assur und Mari reichte. Er machte Babylon zur Kapitale dieses Reiches und zu einer Stadt, die fortan nie mehr aufhören sollte, eines der großen Zentren Mesopotamiens zu sein. Unsterblichkeit errang er sich mit seinem großen Gesetzeswerk, den Hammurabischen Gesetzen, die ihn für die Nachwelt lange Zeit als den ersten Gesetzgeber der Weltgeschichte erscheinen ließen. Hammurabis Reich währte 200 Jahre, dann traten barbarische Kassiten aus den iranischen Bergen ihre dreihundertjährige Herrschaft über Babylon an. Sie machten Babylon zur größten Handelszentrale jener Jahrhunderte. Von dort zogen militärisch geschützte Karawanen nach Ägypten, Palästina, Syrien, Anatolien und Indien. Aber auch die kassitischen Herren gingen in der Kultur Mesopotamiens auf. Die Tempel Babylons, in denen, außer den alten Göttern, vor allem der babylonische Stadtgott Marduk verehrt wurde, wurden mehr als je zuvor Zentren des Wissens und der Kultur, damit aber auch Zentren des Reichtums, der Geldwirtschaft und politischer Intrigen. Nie war seither das eine vom anderen mehr zu trennen. Aber in diesen Jahrhunderten wurde die bedeutendste Dichtung des Zweistromlandes, das Gilgamesch-Epos, in jene Form gegossen, die einmal die Nachwelt tief beeindrucken sollte. Damals sprach man in ganz Vorderasien vom Reichtum, der Tempelherrlichkeit und den Sternenkundigen der Stadt Babylon. Und wie einst der legendäre Ruf Sumers die Zerstörer seiner Macht angelockt hatte, so lag jetzt in Babylons Reichtum und Ruhm die Versuchung, im Lande der zwei Ströme die Herrschaft zu gewinnen.

«... Babylon und Upi, die großen Städte Babyloniens eroberte ich samt ihren Befestigungen. Ein großes Blutbad richtete ich in ihnen an, zahllose Beute führte ich fort. Marduknadinachches, des Babylonierkönigs Paläste in Babel, nahm ich und verbrannte sie mit Feuer. Zweimal lieferte ich Marduknadinachches, dem König von Babylon, eine Wagenschlacht und tötete ihn...»
So berichtete Tiglatpileser I., von 1116 – 1078 v. Chr. König von Assyrien, über die Eroberung Babylons, mit der das babylonische Reich für fast 400 Jahre von der Bühne der Geschichte Mesopotamiens abtrat und die Herrschaft den Assyrern überließ.

Mehrere Hundert Jahre lang hatten die Assyrer im oberen Zweistromland gelebt, längst befreit aus ihrer einstigen Unterwerfung durch Hammurabi, aber sie hatten im Schatten Babylons und unter dem ständigen Druck räuberischer Nachbarvölker gestanden.

Ihrem Lande fehlte die Fruchtbarkeit des Südens; es war kühler und rau,
her und vermochte ohne das Getreide Babyloniens nicht zu leben. Aber
gerade die Kargheit und der ständige Druck von außen hatten die Assyrer
hart und kriegerisch gemacht. Ihr Gott Assur, den sie neben vielen aus
Sumer und Babylon übernommenen Göttern und Göttinnen verehrten,
war ein grausamer, kriegerischer Gott. In der Zeit von 1300 v. Chr. bis
zum Machtantritt Tiglatpilesers hatten sie ihre Nachbarn niedergezwungen
und ein Heer aufgebaut, das in den kommenden Jahrhunderten zum
Schrecken ganz Vorderasiens werden sollte. Zum ersten Male mit Eisen
bewaffnet, auf schnellen Streitwagen und mit Belagerungsmaschinen kämp,
fend, eröffneten sie unter Tiglatpileser einen Kampf, der sie trotz vieler
Rückschläge für 300 Jahre zu Herren nicht nur des ganzen Zweistrom,
landes, sondern auch weiterer Gebiete in Syrien, Palästina und Ägypten
machen sollte. Von Anfang an war die mesopotamische Geschichte mit
viel Blut geschrieben worden, aber niemand vergoß es so reichlich wie die
Assyrer, deren Sturmtruppen auf dem Relief unten aus dem Palast König Tiglatpi,
lesers III. in Kalach eine Stadt berennen, während zu ihren Füßen Tote liegen
und im Hintergrund auf Pfähle gespießte Gefangene qualvoll ihr Leben aushauchen.

Jetzt waren es die Assyrer aus dem Norden, die hier die Herrschaft antraten. Hart und drohend wie ihre Kriegführung, so zeigen auch die Reliefs ihre Könige, die das Assyrische Reich errichteten und beherrschten. Alle Bildnisse, die sie hinterließen, zeigten eine frappierende Ähnlichkeit im Ausdruck, von *Sargon II. (721–705 v. Chr., Bild rechts)* bis Assur-banipal (668–626 v. Chr.).

Gewaltig waren die Tempel, die sie errichteten, um sich der Hilfe der Priester und ihrer Götter zu vergewissern. Keine ihrer Städte war ohne Zikkurat, ohne den himmelwärts ansteigenden Stufenturm.

Trotz aller Gewalttätigkeit bei der Eroberung und Beherrschung ihres Reiches entgingen in-dessen auch sie nicht der Macht der kulturellen Tradition, die sie in Babylon und im südlichen Zweistromland gleichsam miterobert hatten. Der gleiche Assurbanipal II., der seinen Feinden die Haut abziehen ließ, um sie an die Mauer einer er-oberten Stadt zu hängen, tat alles, um Kalach zum geistigen Zentrum seines Reiches zu machen, indem er die Tradition der sumerisch-babylo-nischen Priesterwissenschaften aufleben ließ. Und König Assurbanipal strebte in seiner Residenz Ninive danach, die größte Keilschriftbibliothek seiner Zeit zu schaffen.

Als Assurbanipal im Jahr 625 v. Chr. starb, war allerdings der Höhepunkt des Assyrerreiches in Mesopotamien bereits überschritten.

Das Streben nach dem Gigantischen hatte all ihr Tun durchdrungen, aber nirgendwo wurde es der Nachwelt deutlicher vor Augen geführt als in ihren Bauten, so wie sie die Archäologen an Hand ihrer Funde rekonstruierten:

Die Hauptstadt Assur wirkte ebenso gigantisch wie ...

... die Tigrisfront der Stadt Kalach (oben) oder Durscharukkin, die Burg Sargons II. (unten).

612 v. Chr. schlug noch einmal die Stunde Babylons, das dieses Rekonstruktionsbild mit dem herrlichen Ischtar-Tor und der gewaltigen Zikkurat im Hintergrund zeigt.
Unter der Führung König Nabopolassars, eines Angehörigen des semitischen Stammes der Chaldäer, nutzte es die Schwäche von Assurbanipals Nachfolgern aus. 612 v. Chr. stürmten die Babylonier zusammen mit den Medern nach mehrjährigen Kämpfen Ninive und machten es wie alle anderen Städte Assyriens dem Erdboden gleich. Für knapp siebzig Jahre wurde Babylon noch einmal zum Mittelpunkt des Zweistromlandes. Sein König Nebukadnezar II. (604–562 v. Chr.) unternahm wieder gewaltige Anstrengungen, um Babylon zur bedeutendsten Stadt der ihm bekannten Welt zu machen. Aber die Kräfte waren erschöpft. So wie das Ägyptische Reich nach 3000 Jahren den wiederholten Anstürmen fremder Eroberer erlag, so zerbrach Babyloniens Macht im Jahre 539 v. Chr. an der aufstrebenden Übermacht des Perserreiches.

«Ärzte besitzen sie nicht.» Zu diesem für die Medizin im alten Zweistromlande erstaunlich negativen Urteil gelangte im Jahre 450 v. Chr. der gleiche Herodotos von Halikarnassos, der in seinen Reisebeschreibungen ein so lebendiges Zeugnis vom Wirken des ägyptischen Ärztestandes hinterlassen hatte.

«So groß ist die Stadt Babylon», bemerkte er, «und war prächtig gebaut wie meines Wissens keine andere Stadt auf der Welt.» Selbst nach dem Ende ihrer großen Epochen, nach Zerstörungen und Verwüstung beeindruckte Babylon den Griechen aus Kleinasien tief. Aber über die Situation der Kranken und über die Medizin in Babylon schrieb er:

«Sie bringen die Kranken auf den Markt, denn Ärzte besitzen sie nicht. Nun tritt ein jeder zu dem Kranken heran und gibt ihm einen Rat in betreff der Krankheit, wenn er selbst das Übel gehabt, woran der Kranke leidet oder einen anderen daran Leidenden kennt. Darüber bespricht sich der Hinzutretende mit dem Kranken und rät ihm Mittel an, die ihm selbst oder Bekannten bei einer ähnlichen Krankheit geholfen haben. Still darf aber niemand bei dem Kranken vorübergehen, bevor er ihn gefragt, woran er leide.»

In seinen Berichten über die hohe Entwicklungsstufe der ägyptischen Medizin hatte Herodotos recht behalten. Für die Historiker, die Anfang des 20. Jahrhunderts damit begannen, sich um die frühe Medizin Mesopotamiens zu kümmern, erhoben sich vielerlei Fragen:

War der berühmte Berichterstatter Herodotos auch hier im Recht? War es möglich, daß die im ganzen so eindrucksvolle Kulturentwicklung der alten mesopotamischen Reiche auch nicht die Spur einer medizinischen Wissenschaft, zumindest aber die Anfänge eines ärztlichen Standes, hervorgebracht hatte?

Sir Austen Henry Layard (rechts),
einer der frühesten Pioniere der Archäologie in
Mesopotamien, trug gemeinsam mit seinem Helfer
Hormuzd Rassam (Bild unten) von 1845 bis 1854
unbewußt, aber entscheidend dazu bei, eine erste
Antwort auf diese Frage zu finden. Ohne jegliche
archäologische Erfahrung, aber mit dem Glück
des romantischen Abenteurers entdeckte der knapp
dreißigjährige Engländer Layard unter einem
Schutthügel auf dem Ostufer des Tigris die Überreste von Ninive, der einstigen Hauptstadt des
Assyrerreiches, die unter Sanherib ihren größten
Glanz entfaltet hatte.

Mit der gleichen Rastlosigkeit, die Layard 1840
aus der Enge eines Londoner Anwaltbüros nach
Konstantinopel und von dort nach Mossul getrieben hatte, ruhte er nicht auf den Lorbeeren eines
Entdeckers von Ninive aus, sondern stürzte sich
in eine erfolgreiche politische Karriere. So blieb
es dem um neun Jahre jüngeren, in Mossul geboren, aber in Oxford ausgebildeten Hormuzd
Rassam vorbehalten, jene Entdeckung zu machen, die sich in der Folge als eine der bedeutendsten Quellen für die Erforschung der Geschichte
und Kultur Mesopotamiens erwies. Rassam stieß
in den Resten des Palastes, den König Assurbanipal (668–626 v. Chr.) in Ninive errichtet hatte,
auf eine halbmeterhohe Schicht von mehr oder
weniger erhaltenen Keilschrifttafeln – insgesamt
über zwanzigtausend Stück. Rassam hatte die bedeutende Bibliothek gefunden, die von Assurbanipal in Ninive angelegt worden war. Glück-
licherweise hatten die einstigen Schöpfer dieser
Bibliothek ihre Tafeln mit so guten Kennmarken
versehen, daß es in London gelang, das Zer-
brochene und Zerstreute zum größten Teil wieder zu ordnen und zu vereinen. Diese Arbeit eng-
lischer und deutscher Keilschriftforscher dauerte
Jahrzehnte. Und während dieser Zeit stellte sich
bald heraus, daß die Sammlung überraschende
Schätze für die Medizinhistoriker barg.

K 191,
so lautet die Bezeichnung dieser
unansehnlichen, aus mehreren
Bruchstücken zusammengesetzten
Tontafel.

Es ist eine unter nicht weniger als 660 Tafeln, deren Text sich in irgendeiner Form mit medizinischen Fragen beschäftigt. Die Schwierigkeiten der
Übersetzung waren ungeheuer. Wie bei der Entzifferung der ägyptischen
Papyri blieben medizinische und anatomische Begriffe, Namen von Drogen und Instrumenten anfangs so gut wie unübersetzbar. Eine erste Entzifferung des Engländers Sayce, die schon 1885 erschien, war nur ein unzu-
länglicher Versuch. Erst von 1904 bis 1921 ließen die Deutschen Friedrich
Küchler, E. Ebeling und F. von Oefele genauere Übersetzungen folgen.
Und 1923 veröffentlichte der Engländer R. Campbell Thompson die bis
dahin größte Zusammenfassung: «Assyrian medical texts from the originals
in the British Museum».
Alle Übertragungen, auch die letztgenannte, blieben lückenhaft. Oft fehlten die Zusammenhänge. Darüber hinaus hinterließen sie den gleichen Eindruck, den die ersten medizinischen Papyri Ägyptens bei ihren Übersetzern
hervorgerufen hatten – den Eindruck eines oft unverständlichen oder gar
abstoßenden Durcheinanders von Götterglauben, Dämonenfurcht, Opfer
und Beschwörung. Doch so groß und verwirrend dieses Durcheinander
auch sein mochte, hie und da traten anatomische Begriffe, Bruchstücke von

Krankheitsbeschreibungen und Rezepten hervor. Eines war gewiß: Herodot hatte auf jeden Fall ein unzulängliches Bild vom Zustand der mesopotamischen Medizin gezeichnet. Es hatte wirkliche Ärzte in den Reichen des Zweistromlandes gegeben; es waren medizinische Lehrsätze auf Tontafeln aufgezeichnet worden. Eines Tages würde man sie besser entziffern können. Bevor es allerdings dazu kam, entrissen Archäologen dem Boden noch weitere, höchst lebendige Beweise für das Wirken früher Ärzte im Land zwischen Euphrat und Tigris.

Die Visitenkarte eines Arztes aus der Zeit um 2000 v. Chr. – genau das, nicht mehr und nicht weniger, zeigt dieser in Ton gepreßte Abdruck eines Rollsiegels, den der Franzose Ernest de Sarzec bei der Durchforschung eines *Tello* genannten Schutthügels im unteren Stromgebiet zwischen Euphrat und Tigris fand. Von 1877 an hatten er und seine Nachfolger in einem Tello die alte sumerische Stadt Lagasch ausgegraben, die Stadt des Fürsten Gudea und seines Sohnes Urningirsu.
Der Rollsiegelabdruck zeigte rechts und links die Gestalt eines Heilgottes, der in seiner rechten Hand ein Medikament emporhielt. Rechts von der Siegelmitte befanden sich einige medizinische Gerätschaften, zwei Messer und eine Art Stößel, der zum Zerstampfen oder Zerreiben von Drogen in einem Mörser gedient haben mochte. Ferner sah man daneben zwei Töpfe auf Stangen, die als Salbentöpfe oder auch als Schröpfköpfe gedeutet wurden. Die Inschrift lautete: «O Gott Edinmugi, Wesir des Gottes Gir, der du den werfenden Tiermüttern hilfst, Urlugaledina, der Arzt, ist ein Diener...»
Aus den ganzen Begleitumständen des Fundes konnte man schließen, daß dieser Arzt, der sich selbst Urlugaledina nannte, der Leibarzt des Fürsten Urningirsu von Lagasch gewesen war.

Die größte Überraschung jedoch brachte im Jahre 1902 die Entdeckung dieses großen schwarzen Steines aus Basalt.
Er zeigte Hammurabi, den großen König und Gesetzgeber von Babylon (1728–1686 v. Chr.), in dem Augenblick, in dem er vom Sonnengott Schamasch die dreihundert Gesetze empfing, die ihn unsterblich machten. Der untere Teil der mehr als zwei Meter hohen Stele, die einst in Babylon aufgestellt und später von räuberischen Elamitern nach Susa verschleppt worden war, zeigte die eingemeißelten Texte des berühmten Gesetzeswerkes.

Beim Studium dieser Texte fand man nicht nur Paragraphen, die sich mit Prozeßrecht, Diebstahl, Amtspflichten Geldgeschäften, Körperverletzung, Familienrecht und Sklavenwesen beschäftigten. Der Paragraph 215 lautete: «Wenn ein Arzt einen Mann mit einem bronzenen Instrument von einer schweren Wunde geheilt oder das Fleckchen im Auge eines Mannes mit dem bronzenen Instrument geöffnet und das Auge des Mannes geheilt hat, sind ihm dafür 10 Schekel Silber zu bezahlen...»

Paragraph 216 verkündete: «Wenn es sich um einen Adeligen handelt, wird er (der Arzt) fünf Schekel Silber erhalten.»

Paragraph 217: «Wenn es sich um einen Sklaven eines freien Mannes handelt, wird der Herr des Sklaven dem Arzt zwei Schekel Silber geben.»

Paragraph 218: «Wenn der Arzt einen freien Mann mit einem bronzenen Instrument an einer schweren Wunde behandelt und sterben läßt, und wenn er das Fleckchen im Auge des Mannes mit dem Instrument aus Bronze geöffnet, aber das Auge des Mannes zerstört hat, wird man seine Hände abschlagen.»

124

Paragraph 221: «Wenn ein Arzt ein zerbrochenes Glied eines freien Mannes geheilt hat und kranke Eingeweide hat wieder leben lassen, so bezahlt der Kranke dem Arzt 5 Schekel Silber.»

Paragraph 222: «Wenn es der Sohn eines Adeligen ist, so wird er ihm 3 Schekel Silber geben.»

Paragraph 224: «Wenn ein Tierarzt die schwere Wunde eines Ochsen oder Esels behandelt und die Tiere rettet, wird der Besitzer des Ochsen oder Esels dem Arzt ein Sechstel eines Schekels Silber als Honorar geben.»

Nach dem Fund dieser Dioritstele in Susa bestand überhaupt kein Zweifel mehr daran, daß es in Mesopotamien einen Ärztestand gegeben hatte. Der Ärztestand mußte bedeutend genug gewesen sein, um Hammurabi zu veranlassen, ihn in seine Gesetzesverordnungen aufzunehmen und neben Straferlassen gegen Leichtfertigkeit oder andere ärztliche Fehler eine staatliche Honorarregelung zu schaffen – die erste ärztliche Honorarordnung dieser Art in der Geschichte. Bald darauf erschlossen die Forscher weitere medizingeschichtlich hochinteressante Quellen, die einen tiefen Einblick in das Leben von Königen und Ärzten gestatteten.

Gewaltig, prachtvoll und farbenfroh erhob sich der unten abgebildete Südwest-Palast des Assyrerkönigs Asarhaddon (680 bis 669 v. Chr.) in Kalach, der Königsstadt des Neuassyrischen Reiches zwischen Ninive und Assur. So jedenfalls zeigte ihn eine Rekonstruktionszeichnung in einem Buch Austen Henry Layards, und das Bild entfernte sich gewiß nicht allzu weit von der einstigen Wirklichkeit. Es erweckte den Eindruck einer Stätte der Macht, des Reichtums, des Luxus und des Wohllebens.

...*und auch diese mächtige Siegesstele Asarhaddons, des Herrn des Palastes in Kalach, schien eine einzige Verkörperung von gewaltiger Größe und Macht zu sein.* Zum ersten Male war es den assyrischen Herren unter Asarhaddon gelungen, dem mächtigen Nachbarn im Südwesten, Ägypten, wenigstens vorübergehend einen Teil seines Reiches mit der Stadt Memphis zu entreißen. Die Besiegten knien oder stehen im Staub vor den Füßen Asarhaddons, der sie verachtungsvoll am Nasenseil hält. In Wahrheit aber waren Reichtum, Macht, Wohlleben und Glück nur Schein. Hinter der Fassade verbargen sich Krankheit und Angst, vor deren bedrohlichem Hintergrund die Entwicklung der mesopotamischen Medizin ihre überaus lebendigen Linien zeichnet.

In den Jahren, in denen es gelang, große Teile der auf Tontafeln dieser Art verewigten Korrespondenz vom Hofe Asarhaddons in Kalach auszugraben und zu entziffern, trat zum ersten Male eine mesopotamische Arztgestalt ganz deutlich aus dem Dunkel der Frühgeschichte hervor. Es war Arad-Nana, der Arzt des Königs.

Asarhaddon, der scheinbar Glückliche, war seit der zu vermutenden Teilnahme an der Ermordung seines Vaters Sanherib nicht nur von ständiger
Angst vor Unglück und Tod erfüllt, er litt auch unter schweren rheuma-
tischen Erkrankungen, die sein Leben mit jedem Jahr mehr zur Qual wer-
den ließen. «Meine Arme und Beine sind gelähmt», klagte er seinem Priester
Marduk-Shakinshum. «Ich kann meine Augen nicht öffnen», oder: «Ich
bin verzehrt vom Fieber, das in meinen Gliedern glüht...»
Arad-Nana, der nicht in Kalach selbst lebte, erschien in Abständen zur
Behandlung bei Hofe und sandte in der Zwischenzeit schriftliche Anweisungen. Aus ihnen sprach deutlich die Vorstellung von der Erzeugung der
Krankheiten durch Götter und Dämonen, die man schon aus Assurbanipals
Bibliothek kannte. So schrieb Arad-Nana: «Der König möge sich salben
gegen den Wind, der König möge Zaubereien vornehmen lassen...» Aber
dabei blieb es nicht. Als das chronische Leiden Asarhaddons sich nicht
besserte, wie es der ungeduldige und angstverzehrte König wünschte,
schrieb Arad-Nana: «Fortwährend spricht mein Herr und König: Du er-
kennst nicht die Beschaffenheit dieser meiner Krankheit und bewirkst nicht
ihre Heilung! Ich habe bereits früher vor dem König gesprochen: Seinen
Rheumatismus soll ich nicht erkannt haben?... In diesem Augenblick habe
ich einen Brief gesiegelt und expediert... Die Krankheit liegt im Blute. Man
soll dem König Süßholz bringen... So wie es schon zweimal geschehen ist,
soll der König kräftig massiert werden... Der König wird sofort Schweiß-
ausbruch haben... Ich sende dem König eine Lösung... sie soll auf seinen
Nacken gegeben werden...»
Asarhaddons Leiden verschlimmerte sich jedoch ständig. Verzweifelt warf
er Arad-Nana vor, seine Vorfahren seien besser behandelt worden als er.
Arad-Nana erklärte, er sei jederzeit zur Stelle, wenn der König es wün-
sche: «In bezug auf die Anweisung meines Herrn und Königs, ihm die
wahre Diagnose mitzuteilen... Ich habe... meine Diagnose in einem Wort
mitgeteilt: Entzündung! Er, dessen Kopf, Hände und Füße entzündet sind,
verdankt diese Krankheit dem Zustand seiner Zähne. Die Zähne meines
Herrn müssen entfernt werden. Aus diesem Grunde ist sein Inneres entzündet. Die Schmerzen werden sofort verschwinden, sein Zustand wird
zufriedenstellend sein...»
Arad-Nana befand sich in der unglücklichen, keinem Arzt der Neuzeit
fremden Lage, mit dem vielgesichtigen Ungeheuer des chronischen Rheumatismus ringen zu müssen. Er konnte wenig ausrichten, trotz der Wendig-
keit seiner Methoden und seines sehr neuzeitlich anmutenden Hinweises
auf die Beziehungen zwischen Rheumatismus und Zahnkrankheiten.
Im Jahre 669 v. Chr. zwang ein Aufstand in Ägypten den kranken Asarhaddon, sich selbst mit einer Strafexpedition auf den über 1300 km langen

Weg in das Aufstandsgebiet zu begeben. Im Oktober des gleichen Jahres mußte der Leidende seinen Marsch in Charran unterbrechen. Wenige Tage später war er tot.

Naqia, die Gattin des ermordeten Königs Sanherib und Mutter Asarhaddons – das Bild zeigt sie links im Gefolge des Sohnes –, überlebte diesen und übte einen großen Einfluß am assyrischen Hofe aus. Auch sie beschäftigte neben ihrem Leibarzt Nabunassir den vielgesuchten Arad-Nana. Bei ihren Leiden war Arad-Nana erfolgreich und sicherte seiner Patientin viele Jahre weiterer politischer Tätigkeit. Erfolgreich war er auch in der Behandlung zweier jüngerer, kränkelnder Söhne Asarhaddons, der Prinzen Aschur-mukinpalu und Aschuretilschamersitiuballitsu. Im Falle des letzteren, der an hartnäckigem Nasenbluten litt, berichtete er an den König: «Die Bandagen waren unfachmännisch angelegt. Sie waren auf die Knorpel der Nase gelegt. Sie müssen jedoch in die Nase gestopft werden. Die Atmung wird dadurch zwar behindert, aber der Blutfluß wird herabgesetzt. Wenn es dem König genehm ist, werde ich morgen kommen und die Sache selbst überwachen.» Ein anderer Bericht lautet: «Dem armen Kleinen, der an den Augen leidet, geht es gut. Gestern abend habe ich den Verband, den man darauf legte, abgenommen. An dem Schorf, der darauf liegt, ist so viel Eiter wie die Spitze des kleinen Fingers.»

Aber auch Beamte und Diener des Hofes und der Oberschicht begehrten und erhielten ärztliche Hilfe. So meldete ein Beamter aus der Provinz, der nicht, wie ihm befohlen war, in Assur erschien: «Ich bin krank. Ich gehe nicht einmal zum Marktplatz. Sofern ich ginge, würde ich am Wege sterben... der König möge einen Beschwörer und einen Arzt senden...»

Doch nicht nur den Beamten – auch den Tänzern und Sängern, den Tänzerinnen und Sängerinnen bei Hofe galt das besondere Interesse der Herrschenden. Als eine Ausgräberexpedition der amerikanischen Pennsylvania-Universität gegen Ende des 19. Jahrhunderts hundert Kilometer südöstlich von Babylon in den Trümmern der alten sumerischen Stadt Nippur eine große Tontafelbibliothek entdeckte, fanden sich unter den Tafeln wiederum einige mit medizinischem Inhalt. Es waren ärztliche Rapporte, ähnlich jenen am Hofe des Asarhaddon – aber aus früherer Zeit (um 2000 v. Chr.). Die Rapporte handelten vom Gesundheitszustand der weiblichen Mitglieder einer Schule für Sängerinnen und Tänzerinnen. So berichtete der Arzt Mukallim: «Den Sängerinnen in dem Hause meines Herrn geht es gut. Die Fiebererscheinungen der Tochter des Mustalu sind besser – während sie früher hustete, hustet sie jetzt nicht mehr...»

Nichts könnte deutlicher die Zeitlosigkeit menschlichen Leidens illustrieren als die unten abgebildete Szene aus dem 9. Jahrhundert v. Chr. Sie fand sich an dem Doppelportal eines Palastes, den die Assyrer-Könige Salmanassar III. und Assurnasirpal II. in Imgur-Bel, zwischen Ninive und Kalach, errichteten. Es zeigt den schwerkranken König des kleinen syrischen Landes Hama, der sich den eindringenden assyrischen Truppen des siegreichen Salmanassar hilflos auf seiner Lagerstatt ergibt.

Andere Herrscher jener Zeiten aus der Umgebung des Zweistromlandes suchten solcher Hilflosigkeit zu entrinnen, indem sie aus Ägypten, vor allem aber aus Babylon oder Assur, Ärzte für ihre Höfe erbaten und in günstigen Augenblicken geradezu als Tauschobjekte für politische oder militärische Hilfsdienste forderten. Archäologen, die fern von den mesopotamischen Reichen in den Trümmern hethitischer, elamitischer und anderer Städte gruben, fanden hier Zeugnisse vom Wirken der Ärzte aus dem Zweistromland.

Weit über tausend Kilometer von den Zentren Mesopotamiens entfernt, im gebirgigen, rauhen Anatolien, erhoben sich im 2. Jahrtausend v. Chr. die Burganlagen Hattusas, der Hauptstadt des Hethitervolkes. Die Archäologen gruben zu Beginn des 20. Jahrhunderts und nach dem zweiten Weltkrieg die Reste der einstigen Hauptstadt aus, die so ausgesehen haben mag, wie dieser Rekonstruktionsversuch zeigt.
Sie fanden dabei auch ein Tontafelarchiv, geschrieben in einer alten Form der Keilschrift, welche die Hethiter bei ihrer Berührung mit den Kulturen des Zweistromlandes für ihre Staatskorrespondenz übernommen hatten.
Es erzählt nicht nur von der Geschichte der Hethiter, die zwischen 1650 und 1530 v. Chr. und von 1480 bis 1200 v. Chr. ihre «Hoch-Zeiten» erlebten. Es berichtet auch über Krankheit, Seuchen und Leiden ihrer Könige, gegen die es im Hethiter-Land selbst keine Hilfe gab.

Der hethitische König Muwatallis (1306–1282 v. Chr.), der hier auf einem ägyptischem Relief als breitschultriger Riese auf einem Streitwagen erscheint, war der Sohn des Königs Mursilis (1334–1306 v. Chr.). Mursilis hatte zeit seines Lebens an schweren, vielleicht nervösen Sprach-störungen gelitten, die ihn bis in seine Träume quälten. Sein Vater wieder-um, König Suppiluliuma, war ebenso wie sein älterer Bruder Arnuwandas an einer aus Syrien eingeschleppten Seuche – einer Art Pest wohl – ge-storben.

Die Pest-Gebete, die der kranke König in seiner Hilflosigkeit auf Ton-tafeln niederschrieb, gehören zu den ergreifendsten Stellen früherer Literatur: «Siehe, so will ich für das Land wegen der Pest Euch, den Göttern, meinen Herrn, Sühnegaben geben – aus dem Herzen die Pein verjaget mir, aus der Seele aber die Angst nehmet mir...» Vielleicht war es die Erfahrung der eigenen Hilflosigkeit, die König Muwatallis dazu bewog, sich um ärzt-liche Hilfe aus dem Zweistromland zu bemühen. Um das Jahr 1300 v. Chr. hielt sich zwar ein ägyptischer Arzt namens Pareamakhu in Hattusa auf, vielleicht als Tauschobjekt, Gefangener oder Versöhnungsgabe in den hin und her flutenden Auseinandersetzungen jener Jahre. Aber erfolgreicher war offensichtlich der mesopotamische Arzt Rabashamarduk. Nazimarut-asch von Babylon (1313–1288 v. Chr.) sandte ihn im Zuge seiner Be-mühungen, die Hethiter als Helfer in den damaligen Kämpfen Babyloniens mit Assyrien zu gewinnen, samt einem Beschwörer an den Hof Muwatallis. Der Arzt verblieb in Hattusa und errang großes Ansehen.

König Hattusil III., der jüngste Bruder Muwatallis', war als Kind kränk-
lich. Man gab ihm nur eine ganz niedrige militärische Funktion (Esels-
halter), da er «nicht lange leben würde». In Wahrheit überlebte er aber den
König, schaltete seine älteren Brüder mit intrigantem Geschick aus und
regierte als König von 1275–1250 v. Chr. Vielleicht verdankte er seine Ge-
nesung dem Arzt Rabashamarduk. Jedenfalls forderte er von Kadaschman-
Enlil II., der inzwischen die Herrschaft über Babylonien angetreten hatte, die
Entsendung eines neuen Arztes.

Das Tontafel-Archiv von Hattusa enthält eine Anzahl hethitischer Abschriften aus mesopotamischen medizinischen Lehrbüchern. Vielleicht hatten Rabashamarduk und sein Nachfolger diese «Lehrbücher auf Ton» in
ihrem Reisegepäck mit nach Hattusa geführt, um jederzeit nachschlagen zu
können, was die medizinischen Erfahrungen der Heimat ihnen rieten.

Überblickt man die Quellenfunde, welche die Existenz von Ärzten an
Euphrat und Tigris bezeugen, so wirken sie oft lebendiger als die gleichen
Quellen in Ägypten. Sie verdanken diese Wirkung den Ärztebriefen
(den frühesten aus der Geschichte der Medizin) und den menschlichen
Zügen, die diesen Briefen innewohnen.

Dafür stießen die Medizinhistoriker, die zu ergründen suchten, welche
Krankheiten die Bevölkerung Mesopotamiens heimgesucht hatten, hier auf
weit größere Schwierigkeiten als im Nillande.

Die Gräber Mesopotamiens bargen ja keine Mumien von Körpern, die
Jahrtausende später noch der Nachwelt von der Geschichte ihres Leidens
und Sterbens Zeugnis geben konnten. Der Boden des Zweistromlandes,
weniger trocken als der des Niltals, hatte auch weder die natürliche Mumifizierung Verstorbener noch die Erhaltung ihrer Skelette gefördert.

Keiner unter jenen Männern, die in den fast hundert Jahren seit Layard
mehr oder weniger lange Abschnitte ihres Lebens auf den archäologischen
Grabungsstätten Mesopotamiens verbrachten, zweifelte daran, daß das
alte Zweistromland, stärker als Ägypten, ein ständiges Brut- und Durch-
gangsgebiet von Seuchen und Infektionskrankheiten aller Art war. Alle
diese Gelehrten hatten am eigenen Leibe das entnervende Klima dieses
Gebiets kennengelernt. Sie hatten trotz ihrer neuzeitlichen Abwehrmöglich-
keiten unter Armeen von Flöhen, Fliegen und Moskitos gelitten und nicht
minder unter den oftmals bösartigen Krankheiten, die von diesen Insekten
übertragen werden.

George Smith, der begabte Engländer, der in den siebziger Jahren des
19. Jahrhunderts unter den Tontafeln von Ninive das Gilgamesch-Epos,
diese bedeutendste Dichtung des Zweistromlandes, entdeckte, starb 36jährig
an der Pest. Kaum einen Forscher gab es, der im Irak nicht mit Pest, Lepra,
Malaria, Pocken, Cholera, Dysenterie, Ruhr, infektiöser Hepatitis oder

schweren Augenerkrankungen in Berührung gekommen wäre. Viele blieben krank für den Rest ihres Lebens.

Niemand wußte besser als sie, daß bei allen Rückschlüssen von der Neuzeit auf eine ferne Vergangenheit Vorsicht geboten war. Aber selbst bei
Anwendung dieser Vorsicht drängte sich der Schluß auf, daß alle Krankheitsbilder der Neuzeit nur einen schwachen Eindruck der viel ernsteren
und mörderischeren Heimsuchungen von einst vermitteln.

Zu keiner Zeit hatten sich die mesopotamischen Reiche einer ähnlichen
Abgeschlossenheit nach außen erfreut, wie sie für Ägypten wenigstens
während längerer Epochen seiner Geschichte selbstverständlich gewesen
war. Des Zweistromlands ganze Geschichte bestand, wie wir bereits sahen,
aus einer Folge von Einbrüchen barbarischer Völker semitischer oder indo-
europäischer Sprache aus dem Osten, Norden oder Süden – einer wechselvollen Folge von Feldzügen, Eroberungen, Raubzügen...

*«Die Zerstörung und Plünderung der Stadt Hamanu und die Austreibung
der überlebenden Bevölkerung durch die Assyrer», wie sie die Abbildung unten zeigt,*
bildete nur eine der vielen Darstellungen der Kämpfe, die das Zweistromland und seine Umgebung erfüllten. Die immer wieder niedergebrann-
ten, wiederaufgebauten, entvölkerten und wiederbevölkerten Städte, die
Leichenfelder der Schlachten und der Morde an den Gefangenen blieben
Brutstätten der Seuchen. Die Deportationen ließen Epidemien niemals völlig
zur Ruhe kommen.

Aber Paragraph 278 der Gesetze Hammurabis bestimmte, daß der Verkauf eines Sklaven oder einer Sklavin ungültig sei, wenn sich bei den Verkauften innerhalb eines Monats die Symptome einer Krankheit einstellten, welche den Namen «bennu» trug. In assyrischen Verkaufsverträgen über Sklaven aus späterer Zeit wurde diese Annullierungsfrist auf hundert Tage ausgedehnt. Auch wurde noch eine zweite Krankheit genannt, die «sibtu» hieß. Der bedeutende deutsche Medizinhistoriker Karl Sudhoff fand nach sorgsamen philologischen Studien für «sibtu» die Übersetzung «Epilepsie» und gelangte zu dem Ergebnis, daß die sogenannte «bennu-Krankheit» nichts anderes gewesen sei als die Lepra.

Der Boden Mesopotamiens hatte, wie gesagt, keine Mumien hergegeben, in deren Lungen ein Mann wie Sir Armand Ruffer nach Tausenden von Jahren noch Pestbazillen hätte feststellen können. Aber Tontafeln aus der Zeit der Könige Salmanassar IV., Assurdan III. und Assurnirari V. (zwischen 782–746 v. Chr.) berichteten, daß alle drei Könige die Zügel in ihrem Reich schleifen ließen, weil «Pestepidemien» das Land lähmten und ganze Provinzen in den Zustand der Anarchie und des Aufruhrs versetzten.

In der Neuzeit ist man dem Worte «Pest» in alten Quellen immer mit Skepsis begegnet. Man wollte das Wort «Pest» nicht als Bezeichnung für die echte Pest, die Beulen- und Lungenpest, gelten lassen, deren Auftreten erst um 542 n. Chr. in Konstantinopel gesichert schien.

Konnte Pest in der Frühzeit nicht einfach eine allgemeine Bezeichnung für mörderische Seuchen gewesen sein, deren Unterscheidung der alten Welt nicht möglich war?

So erhob sich also die Frage, ob die auf den assyrischen Tontafeln erwähnte Pest («Mutanu») die echte Pest gewesen sei. Die mesopotamischen Quellen selbst gaben darauf keine eindeutige Antwort. Eher schon tat dies das Alte Testament der Juden, das auch schon so manche Rückschlüsse auf die hygienischen Zustände im alten Ägypten ermöglicht hatte. Das Volk Israel hatte seit seinem Auszug eine neue Heimat in Palästina gefunden und diese Heimat in ständigen inneren und äußeren Kämpfen lange Zeit behauptet.

Das erste Buch Samuel des Alten Testaments berichtet von den langen und heftigen Auseinandersetzungen, die im 11. Jahrhundert v. Chr. mit dem Volk der Philister entbrannten. Dieses Volk hatte sich, vom Nord‚ westen her kommend, nach vergeblichen Versuchen, nach Ägypten einzu‚ brechen, an der Küste Südpalästinas festgesetzt. Um 1030 v. Chr. drangen die Philister in das jüdische Hochland ein, schlugen die Juden bei Eben‚ Ezer und eroberten deren tragbares Heiligtum, die Bundeslade. Im Triumph überführten sie die Lade in die Philisterstadt Asdod.

Die Pest von Asdod nannte der französische Maler Poussin dieses Gemälde, auf dem er darzustellen versuchte, was sich in der Folgezeit auf Grund des biblischen Berichtes in der Philisterstadt ereignete. Die Bewohner der Stadt wurden mit einer Beulenseuche geschlagen, die sich besonders an von Kleidern bedeckten, verborgenen Stellen zeigte. Sie raffte die Menschen reihenweise dahin. Oft führte sie zum Tode, noch bevor

die Beulen sichtbar geworden waren. Eilig überführten die Philister die Bundeslade in ihre Stadt Gath. Aber auch hier kam «ein sehr großer Schrecken», und der Herr schlug die Leute «beide, klein und groß». Die Lade wanderte nach Ekron, der dritten Hauptstadt der Philister, und «die Hand Gottes machte einen sehr großen Schrecken mit Würgen in der ganzen Stadt». Die Priester und Wahrsager rieten, die Lade zurückzusenden und ihr als Versöhnungsgabe für den jüdischen Gott Jahwe fünf «Beulen aus Gold» und fünf «Nagetiere (Ratten oder Mäuse) aus Gold» mitzugeben.

In Beth-Schemesch stellten die Philister die Lade auf einen großen Stein, damit die Israeliten sie wieder an sich nehmen konnten. Sie verbrannten den Transportwagen und die Zugtiere. Aber selbst in Beth-Schemesch starben noch «50070 Mann».

Nirgendwo gibt es eine deutlichere Darstellung der Beulenpest. Typisch war das Auftreten der Beulen in den Leistenbeugen und Achselhöhlen, typisch war der schnelle Tod an der sogenannten Lungenpest dann, wenn sich solche Beulen nicht bildeten. Nirgendwo gibt es auch einen deutlicheren Hinweis für das Auftreten der echten Pest während der Zeit der mesopotamischen Reiche in Gebieten, zu denen die Völker Mesopotamiens Beziehungen unterhielten.

Das faszinierendste und zugleich beklemmendste daran war die Übersendung von fünf goldenen Nagetieren, wahrscheinlich Ratten.

Noch kannte sicherlich niemand die erst Jahrtausende später erforschte Rolle der Ratte als Verbreiterin der Pest. Noch kannte niemand die Pestbazillen, die durch infizierte Flöhe übertragen wurden oder durch Exkremente, mit denen der nackte, oftmals wunde Fuß der Menschen von damals in Berührung kam. Aber das Rattensterben, das dem Auftreten der Seuche vorausging, war der Aufmerksamkeit der Alten nicht entgangen.

Im Jahre 701 v. Chr. errichteten die assyrischen Truppen König Sanheribs ihre Lagerzelte vor Jerusalem, der Hauptstadt des Königreiches Juda.
Das obige Relief aus Ninive ist in historischen Darstellungen öfter als «Lazarettzelt mit dem Feldbett eines verwundeten Kriegers» gedeutet worden. Andere Auslegungen sahen darin ein Offizierszelt, in dem eine Ordonnanz das Bett ihres Herrn bereitet. Gleich, wer hier recht haben mag – in jedem Fall vermittelt das Bild einen Eindruck vom assyrischen Aufgebot vor einer belagerten Stadt, so wie es Jerusalem in jenem Jahre 701 v. Chr. war. In einem raschen Kriegszug hatten die Assyrer das unruhige Phönikien befriedet und einen jüdischen Ort nach dem anderen, einschließlich dem dicht bei der Hauptstadt gelegenen Lachis, erobert. Sanherib sandte seinen Erzmundschenk zu dem hochgelegenen Jerusalem hinauf, um den jüdischen König Hiskia zur Übergabe aufzufordern. Doch die Juden wußten, was sie erwartete, wenn sie sich selbst aufgaben. Erst wenige Jahrzehnte waren vergangen, seit Israel, das sich um 930 v. Chr. von Juda abgespalten hatte, durch die Assyrer ausgelöscht worden war. So wiesen die Juden den Unterhändler ab und erwarteten den Sturmangriff. Dieser aber blieb aus.

«Und in derselben Nacht», so erklärt das Alte Testament diesen Vorgang, «fuhr aus der Engel des Herrn und schlug im Lager von Assyrien 185000 Mann. Und als sie sich des Morgens früh aufmachten, siehe, da lags. Alles eitel tote Leichname. Also brach Sanherib, der König von Assyrien, auf und zog weg und kehrte um und blieb zu Ninive.»

Diese Darstellung von Sanheribs unerwartetem Abzug fand ihre indirekte Bestätigung in dem Tontafelbericht des Assyrerkönigs. Dieses Dokument schilderte den Marsch auf Jerusalem und brach dann plötzlich unter Ausflüchten ab.

Rund 2000 Jahre später, im Jahre 1938, fand der Archäologe Starkey am Nordwestabhang von Lachis in einer grabartigen Höhle die Knochen von wenigstens 1500 menschlichen Skeletten, die hier die Zeit überdauert hatten und einstmals in großer Hast wahllos hineingeworfen worden waren. Es waren durchweg die Skelette junger Männer aus der Zeit des 8. oder frühen 7. Jahrhunderts, die aber keinem gewöhnlichen Begräbnisplatz entstammten. Viele waren zerbrochen oder angesengt. Das Ganze erweckte den Eindruck, als seien hier nach Sanheribs Abzug bei Aufräumungsarbeiten Leichen gesammelt und in die Grube geworfen worden. Es war nicht uninteressant, daß sich in der Grube außerdem zahlreiche Schweineknochen befanden. Die Juden aßen kein Schweinefleisch; handelte es sich also um Assyrer, die hier ruhten?

Sei dem, wie ihm sei. – Welche Erklärung gab es für das Massensterben vor Jerusalem? Welche Seuche hatte diese Männer wohl einst überfallen? Welche Krankheit hatte sie in Wahrheit dezimiert und die Überlebenden zum Abzug gezwungen?

Der Moskito, die Fiebermücke, diese Überträgerin der Malaria, gab einem britischen Beobachter im Jahre 1917 eine Erklärung für die Dinge, die sich in biblischer Zeit vor Jerusalem zugetragen hatten. Damals eroberten englische Truppen im Kampf mit den Türken Jerusalem und versuchten, den Jordan zu überschreiten. Es gelang ihnen nicht. Sie verschanzten sich in dem gleichen 375 Meter unter dem Meeresspiegel gelegenen, von brütender Hitze erfüllten Gebiet, in dem auch Sanheribs Soldaten gelagert hatten, bevor sie zum Angriff auf das 790 Meter über dem Meere gelegene Jerusalem aufgestiegen waren.

Die britischen Soldaten im Jordantal fühlten sich müde und schlaff, ohne doch eigentlich krank zu sein. Um ihnen Erholung zu gewähren, sandte

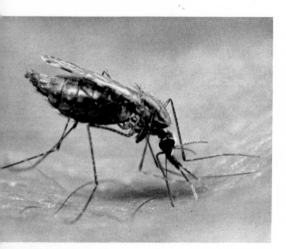

man einige Hundert Mann in ein Lager auf die Höhe von Jerusalem. Am nächsten Morgen fand man die Hälfte der Soldaten tot in den Zelten. In ihrem Blut entdeckte man eindeutige Anzeichen für eine Infektion mit tropischer Malaria. Die Toten waren schon lange infiziert gewesen, aber erst der plötzliche Wechsel von der Hitze des Jordantales in die kühlen Winde auf der Höhe von Jerusalem hatten den Malariaerregern den tödlichen Durchbruch in den Organismus der Kranken erlaubt. Nach diesem Vorkommnis gab es wenig Zweifel daran, daß die Malaria, die schon lange unter den Soldaten Sanheribs verbreitet gewesen war, auch seine Truppen so furchtbar dezimiert hatte, als sie 701 v. Chr. nach Jerusalem hinaufmarschierten.

Nur wenige Ausdrücke erscheinen derart oft in den mesopotamischen Tontafeln, die sich mit Medizin beschäftigen, wie das Wort «Feuer» für Fieber oder Formulierungen wie «wenn der Körper des Kranken brennt...», «wenn Feuer in seinem Kopfe glüht...», und das Wort «Surubu», das nichts anderes bedeutet als Schüttelfrost.

Kein Geringerer als der Welteroberer Alexander der Große, dessen Kopf (links) uns aus dem berühmten Mosaik «Alexanderschlacht» in Neapel entgegentritt, wurde ein Opfer der im Zweistromland herrschenden Malaria.

Er, der nach seinem ungeheuren Siegeszuge bis nach Indien dem so oft zerstörten Babylon durch seine Anwesenheit einen letzten Glanz verlieh, lag im Juni des Jahres 323 v. Chr. unter Fieberschauern in dieser Stadt. Auf dem Gipfel seiner Macht, nach der Eroberung eines ganzen Weltreiches bereits wieder voll neuer Pläne, starb er am Abend des 13. Juni – kaum 33 Jahre alt. Die Berichte über seine Krankheit aber zeigten Kennern der tropischen Malaria die untrüglichen Merkmale dieses Leidens. Bezeichnend waren die Schmerzen im Oberbauch, an denen Alexander als Folge der typischen Milzschwellung litt. Als bezeichnende Begleiterscheinung deutete man auch die geistige Verwirrtheit, während deren er sich in den Euphrat stürzen wollte oder nach seinem Dolch begehrte, um sich selbst zu töten. Das Schicksal des Eroberers bewies die zerstörerische Macht, welche die Malaria an Euphrat und Tigris besaß.

Der große Fliegenwedel, mit dem der Sklave auf der linken Seite dieses in Mari gefundenen Rollsiegelbildes sich bemüht, die Insekten vom Mahle seines Herrn fernzuhalten, war im frühen Mesopotamien geradezu eine hygienische Notwendigkeit. Das ist jedem klar, der jemals mit den Wolken von Fliegen gekämpft hat, die das Zweistromland besonders während der sommerlichen Sonnenglut heimsuchen.

Diese Fliegen kriechen in Augen, Ohren und Nase, sie werden eingeatmet; sie bedecken Geschirr und Lebensmittel und übertragen schwere Verdauungskrankheiten, Gelbsucht, Bronchitis und bösartige Augeninfektionen. Der Stich der Sandfliege, gegen die kein neuzeitliches Moskitonetz schützt, verursacht blutrote, beißende Flecken. Er erzeugt Fieberanfälle mit Schweißausbrüchen und Gelenkentzündungen und verursacht wahrscheinlich die Bagdad- oder «Jahresbeulen», furunkelartige Anschwellungen besonders an Kopf und Händen, die ein Jahr zur Ausheilung benötigen. All diesen Krankheiten war der Mensch vor drei Jahrtausenden noch weit stärker preisgegeben als heute.

Von Babylon und Assur bis an die Mittelmeerküste Phönikiens und des Philisterlands verbreitete sich schon damals das Bewußtsein, daß der Fliege eine bösartige, krankmachende Gewalt innewohne. Nergal, der mesopotamische Gott der Seuchen, trat in Insektengestalt auf, und der Fliegengott der Philister und Phönikier, Baal-Sehub, war wohl nichts anderes als eine Übernahme Nergals in die eigenen Götter- und Dämonenvorstellungen. Vielleicht ahnte man, daß Fliegen Seuchen übertrugen. Nichts spricht in dieser Beziehung so deutlich wie der Rapport eines assyrischen Arztes an seinen Herrn: «Was diese Krankheit der Haut anbelangt, mein König, so dauert diese Krankheit *ein Jahr*. Diejenigen, die daran erkranken, werden genesen...»

Es handelte sich hier zweifellos um die gleiche Jahresbeule, die rund zwei Jahrtausende später den Ausgräber von Babylon, den Deutschen Robert Koldewey, peinigte.

Der Franzose R.Labat (rechts) veröffentlichte im Jahre 1951 in seinem Buch «Traité akkadien de diagnostics et prognostics medicaux» die jüngsten Arbeiten über medizinische Keilschrifttexte, welche die Neuzeit kennt. Sie waren ein vorläufiger Schlußpunkt unter all jene Veröffentlichungen, die seit den ersten Versuchen des Engländers Sayce erschienen waren.

Sooft man all diese mit Beschwörungen und Äußerungen des Dämonenglaubens überladenen Übersetzungen auf Diagnosen bestimmter Krankheitsbilder hin untersuchte, so oft stieß man, mehr noch als in Ägypten, auf verworrene, für den neuzeitlichen Arzt scheinbar unverständliche Anhäufungen von Symptomen. Aber im Laufe der Entwicklung hatte man gelernt, Lücken zu schließen und genauer zu interpretieren. So entdeckte Labat unter dem scheinbar Unverständlichen schließlich Krankheitsbeschreibungen, die auch den Vorstellungen des 19. oder 20. Jahrhunderts entsprachen:

Die Tuberkulose

«Der Kranke hustet ständig, der Auswurf ist dick und enthält manchmal Blut. Sein Atem ist wie eine Flöte. Seine Hand ist kalt, aber seine Füße sind heiß. Er schwitzt leicht, und sein Herz ist gestört. Wenn die Krankheit heftig ist, leidet er an ständigen Durchfällen» (Darmtuberkulose).

Die Rippenfellentzündung oder Lungenentzündung

«Wenn ein Mann, der ins Wasser gefallen war und hervorgezogen wurde, Schmerzen bekommt, die in seine Seite oder... ausstrahlen – je nachdem der Atem geht.»

Die Bronchitis

«Wenn der Kranke unter Husten leidet, wenn seine Luftröhre während des Atmens voller Geräusche ist, wenn er Hustenanfälle erleidet...»

Die Gelbsucht

«1. Wenn der Körper eines Mannes gelb ist und auch sein Gesicht gelb ist, und er an Fleischverlust (Abmagerung) leidet, so ist der Name der Krankheit Gelbsucht.

2. Wenn ein Mann unter Gelbfärbung der Augen leidet und seine Krankheit bis ins Innere des Auges dringt, so daß das Innere des Auges gelb wie Kupfer aussieht..., wenn sein Inneres Essen und Getränke wieder ausspeit..., wenn sogar... das Antlitz, der ganze Körper... gelb wird..., so trocknet die Krankheit den ganzen Leib des Kranken aus, so daß er stirbt.»

Die Gastritis

«1. Wenn ein Mann ißt und trinkt, bis er satt ist, und danach Schmerzen im Magen verspürt, als ob die Haut innen wie Feuer brennt.
2. Wenn der Magen eines Mannes voller Säure ist...»

Die Darmverschlingung

«Wenn der Leib eines Mannes plötzlich erkrankt, die Luft sich im Darm staut, Essen und Getränk wieder erbrochen werden, sein Darmausgang verschlossen ist und er vor Schmerz schreit.»

Gallenleiden

«Wenn ein Mann... von seiner Oberbauchgegend zermalmt wird und bei seinem Aufstoßen Galle entleert.»

Hämorrhoiden

«Der Kranke schüttet aus seinem Anus Blut aus... Er ist wie ein Weib mit der Waffe geschlagen.»

Der Schlaganfall

«Wenn ein Mann eine Schlagberührung erlitten hat und das Antlitz oder die Wangen, der Hals, die Leibesmitte, die Arme oder die Füße gelähmt sind.»

Die Mittelohrentzündung

«Feuer dringt in das Innere seines Ohres, es lähmt sein Gehör. Eiter bricht mit Gewalt hervor, und sein Zustand ist sehr schmerzhaft.»

Die Gonorrhoe

«Wenn dem Mann der Penis sticht, während er uriniert, er seinen Samen verliert, seine Manneskraft gefesselt ist, er zu schwach ist, zu seiner Frau zu gehen, und Eiter in seinem Penis hin und her geht.»

Nieren- und Blasenleiden

«Wenn ein Mann Blut aus seinem Penis verliert wie eine Frau, ob es sich um harte oder weiche Steine oder Strangurie handelt..., oder ob der Urin nur tropfenweise abgeht.»

«Wertet man alles in allem die Quellen, die uns über den Gesundheitszustand der Bevölkerung des alten Mesopotamien überliefert sind», so äußerte zu Anfang des 20. Jahrhunderts einer der britischen Pioniere auf dem Gebiet der Entzifferung medizinischer Keilschrifttexte, «dann lehren sie, daß das Zweistromland in wahrscheinlich sehr viel höherem Maße noch als Ägypten von Krankheiten in der verschiedensten Form heimgesucht wurde. Neben dem anderen Klima und der größeren Ruhelosigkeit des historischen Ablaufs spielte dabei sicherlich auch der niedrigere Grad der allgemeinen Hygiene eine Rolle.»

Diese Überreste eines Badezimmers aus dem Palast des Fürsten Zimrilim von Mari erweckten mit Recht Erstaunen und Bewunderung, als sie unter den Trümmern der im 17. oder 16. Jahrhundert v. Chr. zerstörten Stadt Mari entdeckt wurden.

Der Franzose André Parrot, der die Ausgrabungsarbeiten vor dem zweiten Weltkrieg leitete, schildert dieses Bad genau. Die Badewannen bestanden aus Ton. Die große Wanne hatte für kaltes, die kleine für heißes Wasser gedient. Das benutzte Wasser konnte aus den Wannen durch tönerne Rohre in ein Kanalisierungssystem mit Sinkgruben ablaufen. Links von den Wannen fanden sich die Überreste einer einfachen Hocktoilette à la turque, die aber ebenfalls mit Hilfe von Wasser unmittelbar in den Kanal entleert werden konnte. Die Rohre waren weit genug, daß hindurchkriechende junge Sklaven sie reinigen konnten. Aber wie in Echet-Aton, dessen Einrichtungen im übrigen fortschrittlicher waren, handelte es sich hier um einen Sonderfall. Zur Zeit Zimrilims war der Palast von Mari als «Wunder» derart bekannt gewesen, daß z. B. der König von Ugarit sich darum bemühte, ihn besichtigen zu dürfen.

Vielleicht gab es noch den einen oder anderen Palast, in dem ähnliche Anlagen vorhanden waren, vielleicht auch das eine oder andere Haus der Oberschicht. Doch die meisten Paläste waren ohne hygienische Anlagen gewesen, selbst ohne Toiletten, so daß auch die Könige sich ins Freie vor dem Palast begeben mußten, um ihre Notdurft zu verrichten. Keilschrifttexte beweisen zudem, daß Körperwaschungen in Mesopotamien in der Tat viel weniger gebräuchlich waren als in Ägypten. Zwar übergoß man die Hände vor und nach den Mahlzeiten allgemein mit Wasser, Körper und Gesicht aber wurden nur bei festlichen Gelegenheiten gewaschen.

Das so oft zerstörte Babylon,
das der Chaldäerkönig Nebukadnezar II. im 6. Jahrhundert v. Chr. neu erbauen ließ,
galt für seine Zeitgenossen und noch lange nachher als größte Stadt der Welt.
Sicherlich mußten die vielen weißleuchtenden Terrassen und die mächtige
Mauer mit ihren rund hundert Türmen jede Karawane, die sich der Stadt
näherte, tief beeindruckt haben. Das im Schmuck seiner blauglasierten
Ziegel glänzende Ischtar-Tor mit farbigen Reliefs wirkte tief auf jeden Be-
sucher. Und ein Weltwunder war in der Tat die Zikkurat, der Turm von
Babel, der hinter einer vierhundert Meter langen Mauer mit vielen Portalen
neunzig Meter hoch zum Himmel emporragte. Auf seiner Spitze leuchtete
der zweistöckige Tempel Marduks weit über das Land. Mehrere Mauer-
ringe, viele Kilometer lang, umschlossen die auf beiden Seiten des Euphrat
gelegene und durch eine Brücke verbundene Stadt.

144

400 000 Menschen lebten in Babylon – sicherlich die größte Menschen-
ansammlung jener Zeit. Die Pracht der Paläste und Tempelbezirke aber
überdeckte nur das wahre Gesicht dieser Massenstadt, die sich wie ein
flacher, gelbbrauner Kuchen in die Weite dehnte. In allen Quartieren
außerhalb der Paläste, der Tempel und einiger vornehmer Häuser, in den
Quartieren der einfachen Leute, der Armen und Sklaven, drängten sich
die Lehmziegelhäuser, fensterlos, um die engen, staubigen Straßen, die
gleichzeitig als Abladeplatz für allen Schmutz und allen Unrat der Bewohner dienten.

Gab es aber nicht Quellen – Tontafeln oder Inschriften –, die Auskunft
darüber erteilen konnten, ob die Völker Mesopotamiens nicht doch in der
einen oder anderen Phase ihrer Geschichte Gesetze, Vorschriften oder Einrichtungen erlassen oder geschaffen hatten, die eine Besserung der Zustände
erstrebten? Gab es nicht doch hygienische Einrichtungen, die nicht nur der
jeweiligen Oberschicht zugute kamen, sondern auch den Volksmassen, und
sei es wie in Ägypten nur, um ihre Arbeits- oder Kampfkraft zu erhalten?

Unter den Tontafeln, die sich mit magisch-medizinischen Dingen beschäftigten, fanden sich einige, die den Titel «Die Mundwaschung» trugen.
Sie erweckten durchaus den Eindruck, als sei den Babyloniern und Assyrern
die Vorstellung von der Ansteckung und von der Möglichkeit, sie vorsorg-
lich zu verhindern, nicht fremd gewesen. Es heißt: «Als er auf Straße und
Weg ging, trat er in weggeschüttetes Waschwasser..., sah er Wasser unreiner
Hände, kam er in Berührung mit einer Frau, deren Hände nicht sauber
waren..., berührte er mit der Hand einen Mann, dessen Körper nicht richtig
war.» Viel mehr allerdings ergaben die Keilschrifttexte nicht.

*Die Hände gefaltet und mit einem Ausdruck von Inbrunst oder von Furcht im Gesicht,
so blicken diese zwölf Beter-Statuen zum Himmel empor.*
Amerikanische Archäologen fanden sie in einem Heiligtum in Tell-Asmar,
das aus der 1. Hälfte des 3. Jahrtausends v. Chr. stammt. Die Statuen vermitteln der Nachwelt einen tiefen Eindruck von der Enge des Verhältnisses
zwischen den Sumerern und ihren Göttern, zwischen den Menschen des
Zweistromlandes und den dämonischen Mächten, zu denen sie beteten.

Beinahe anderthalb Jahrtausende später trat selbst ein so mächtiger und grausamer König wie Sargon II. (721–705 v. Chr.) voll innerer Furcht und Angst um sein Leben vor das Standbild eines seiner Götter (unten). Der König versprach den Priestern von Assur und Babylon ungeheure Vorteile, um ihrer Hilfe und Vermittlung bei den Göttern sicher zu sein. So bedarf es keiner weiteren Erklärung dafür, daß in den meisten der medi-

zinischen Keilschrifttexte aus Mesopotamien jede Krankheit als Strafe der Götter für bewußte oder unbewußte Sünden und Vergehen des Betroffenen und seiner Familie ausgelegt wurde. Die Götter zürnten; sie nahmen von dem Opfer ihre schützende Hand und erlaubten, daß Dämonen in seinen Körper eindrangen und ihn krank machten. Sie sandten diese Dämonen, um Menschen durch Krankheit zu strafen. Daher mußte man versuchen, sie durch Gebete und Opfergaben zu versöhnen.

Pazuzu, der «Packer», mit Klauen an Händen und Füßen, Adlerflügeln und einem abschreckenden, entstellten Gesicht, war einer jener Dämonen, die rund drei Jahrtausende lang durch die Vorstellungswelt der Menschen des Zweistromlands geisterten und ständig deren Leben und Gesundheit bedrohten. Die meisten der Dämonen hatte es schon in sumerischer Zeit gegeben. Aber die semitischen Erben der Sumerer hatten neue, oft noch schrecklichere Unholde hinzugefügt – Schöpfungen der Priester, durch die sich die Schrecknisse der Welt und der Krankheit erklären ließen und mit deren Hilfe die von Furcht erfüllten Menschen an die Tempel gebunden blieben. Ständig lauerten Dämonen, welche den Geistern Verstorbener entsprangen, die nicht richtig bestattet worden waren oder denen man nicht genug Opfer dargebracht hatte. Stukku oder Alu oder Ekimmu waren ihre Namen. Bedrohlicher noch waren andere Dämonen, Labartu, Nergal oder Namtaru, von denen ein jeder eine bestimmte Krankheit verkörperte.

Unübersehbar, verwirrend und für den Forscher der Neuzeit ermüdend waren die Tontafeln, in denen immer wieder dieses Wirken der Dämonen geschildert wurde.

«Ashakku, das Fieber, hat sich dem Kopf des Mannes genähert.
Namtaru, der Krankmacher, hat sich ihm genähert.
Utukku, der böse Geist hat seinen Nacken erfaßt.
Alu, der Teuflische, hat sich seiner Brust genähert.»

In der Tat – die Darstellungen von Krankheitsdämonen in Mesopotamien übertrafen alles, was die ägyptischen Papyri in dieser Art je überliefert hatten. Dämonen lauerten bei Tage und bei Nacht, im Gebirge, in den Ebenen und an den Flüssen, in den Straßen und auf den Dächern der Häuser. Sie zwangen zu dem ständigen Bemühen, sich die Gunst und Hilfe der Götter durch Gebet und Opfer zu erhalten. So sehr die Priester dies lehrten und so sehr man daran glaubte, daß Sünden und Vergehen die Ungnade der Götter und den Sieg der Dämonen herbeiführen würden, so oft auch suchten die Leidenden vergebens nach Sünden, die sie begangen hatten. Sie forschten schließlich unter ihren Verwandten und Vorfahren nach und riefen verzweifelt aus: «Was habe ich getan, was hat meine Familie getan, daß mich die Götter so strafen und verlassen.»

«*Weshalb haben Krankheit, schlechtes Befinden, Elend und Unglück mich befallen?*»
So klagte selbst König Assurbanipal (Bild unten), als ihn seine stürmische Kraft, die er früher auf Löwenjagden bewiesen hatte, verließ und quälende Leiden über ihn kamen.

«Ich habe Gutes gegeben Göttern und Menschen, Toten und Lebenden. Ich führte die Opfer für die Toten und die Trankopfer für die Geister meiner Vorfahren, die nicht mehr durchgeführt worden waren, wieder ein... Elend des Geistes und des Fleisches drücken mich nieder. Mit Schreien und Klagen bringe ich meine Tage zu Ende...»

Im Laufe der Jahrhunderte, im Laufe der geistigen Entwicklung erwachte der Wunsch, die Entschlüsse der Götter im voraus zu kennen, um drohende Gefahren, besonders aber die Krankheiten, mit Opfergebet und Beschwörung rechtzeitig zu bannen, noch ehe die Dämonen ihr zerstörendes Werk begännen. Es erwachte auch der Wunsch zu wissen, ob Opfer und Beschwörung noch einen Sinn hatten gegen einen vielleicht schon von höheren Mächten beschlossenen Tod.

Die Priesterschaft hatte Wege gefunden, um auch diesem Wunsch zu entsprechen, besonders wenn er von Herrschenden und Wohlhabenden geäußert wurde. Es entstand eine eigene Institution – die Institution der Baru, der Wahrsagepriester.

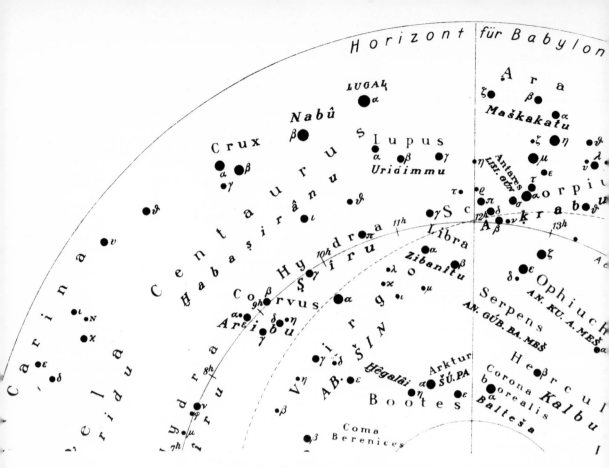

*«Gott Enlil führt das Regiment über die 33 Sterne des nördlichen Himmels,
Gott Anu über die 23 Sterne zu seiten des Äquators,
und Gott Ea beherrscht die Sterne des südlichen Himmels.»*

So hieß es in einem babylonischen Keilschrifttext aus dem 8. Jahrhundert
v. Chr. Es ist nicht daran zu zweifeln, daß der Priesterstand des Zweistromlandes unter der Notwendigkeit, Schicksalsvoraussagen für die Herrschenden abzugeben, Astronomie und Astrologie entwickelte. Der meist klare,
wolkenlose Himmel über Mesopotamien veranlaßte schon im 3. Jahrtausend
v. Chr. zur Beobachtung dieser Wohnstätte der Götter. Zwar läßt sich die
Existenz regelrechter Sternwarten in Uruk, Nippur, Babylon, Akkad,
Assur und Ninive erst für die allerletzte Zeit der mesopotamischen Reiche
nachweisen. Aber es gibt Texte genug, die zu der Annahme zwingen, daß
schon die Zikkurats – Zeugnisse des Strebens, dem Himmel nahe zu sein –
den Priestern der Frühzeit dazu gedient hatten, mit bloßem Auge die Gestirne zu beobachten und in ihnen Antwort auf die Frage nach den Ent-
schlüssen der Götter zu suchen. Ihre Beobachtungen wurden später auf
dem Wege über die Perser, Griechen und Araber zu Grundlagen für
die wissenschaftliche Astronomie des gesamten Erdballs.

Grenzsteine aus dem 12. und 13. Jahrhundert v. Chr. (der oben abgebildete Stein stammt
aus dem 12. Jahrhundert v. Chr. und bildet nur ein Beispiel für viele andere) übermitteln
bereits Zeichen für die Sternbilder, die am Weg des Mondes lagen: Skorpion, Schütze,
Löwe, Krebs, Fuhrmann, Orion, Ähre, Perseus, die Zwillinge...

Die Einteilung der Ekliptik in zwölf gleiche Tierkreiszeichen, in Widder,
Stier, Zwillinge, Krebs, Löwe, Jungfrau, Waage, Skorpion, Schütze,
Steinbock, Wassermann, Fische, fand erst später statt. Sie sollte die kommenden Jahrtausende überdauern. Aus richtiger astronomischer Beobachtung aber und aus dem Wunsch, den Gestirnen die Absichten der Götter
zu entlocken, entstand auf den Zikkurats die Astrologie. Die Gleichmäßig-
keit in der Bewegung der Gestirne verführte die Priester zu dem Glauben,
daß dieser Gesetzmäßigkeit auch eine Gesetzmäßigkeit des Geschehens auf
der Erde entsprechen müsse. Irgendwann in der Frühzeit beobachteten sie,
daß zum Zeitpunkt einer glücklichen Schlacht, der Eroberung oder Zerstörung einer Stadt, der Geburt oder des Todes eines Kronprinzen die Gestirne eine bestimmte Stellung einnahmen. Daraus schlossen sie, daß bei der
nächsten gleichen Konstellation der Gestirne auf Erden das gleiche Ereignis
eintreten oder zumindest «drohen» müsse.

Die tausendfache Aufzeichnung derartiger Parallelen zwischen Gestirnkonstellationen und irdischen Ereignissen, wie Krankheiten, Genesungen, Rückfällen, schweren Geburten und der Erkrankung bestimmter Organe und Teile des menschlichen Körpers, wurde in der Hand der Baru-Priester zur Basis einer uferlosen Wahrsagungslehre, die aus den Sternen Schicksal und Gesundheitszustand festzustellen vorgab.

Für den Baru bestand bereits damals eine direkte Beziehung zwischen dem *Ziegenfisch (Bild links)*, der in späteren Zeiten zum Steinbock wurde, und dem menschlichen Urogenitalsystem.

Die Priester des Zweistromlandes wurden so die Urheber einer Lehre, welche die Vorstellungswelt auch der offiziellen Medizin durch die Frühzeit aller Völker und durch das ganze Mittelalter hindurch bis an die Grenzen der Neuzeit aufs tiefste beeinflussen und selbst an diesen Grenzen nicht immer haltmachen sollte.

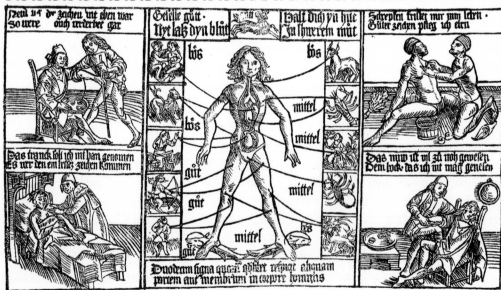

Die schicksalhafte Bindung jedes Teils des menschlichen Körpers an ein Tierkreiszeichen, das lehrte noch diese Aderlaßtafel im Jahre 1480 n. Chr. Nur zu bestimmten Zeiten war der Aderlaß an ebenfalls ganz bestimmten Körperstellen erlaubt.

Dieses babylonische Tonmodell einer Schafsleber aus dem 19. bis 18. Jahrhundert v. Chr.
lenkte den Blick der Nachwelt auf eine andere, noch verbreitetere Art der
mesopotamischen Krankheitswahrsage: die Leberschau. An vielen Stellen
des Zweistromlandes fanden die Archäologen solche Lebern. Sie waren in
Felder eingeteilt. Jedes Feld enthielt Namen und besondere Kennzeichnun/
gen. Nicht weniger als 30 Modelle dieser Art wurden in Mari ausgegraben –
dazu Keilschrifttafeln mit Texten wie: «Wenn sich ein fleischiger Tumor
am Boden des Na (nicht identifizierter Teil der Leber) befindet, wird es dem
Kranken schlechter gehen, und er wird sterben... Wenn der Lebergang nach
rechts fällt, wird der Kranke leben... Wenn die Gallenblase lang ist, wird der
König lange leben... Wenn der Processus Pyramidalis normal geformt ist,
wird derjenige, der das (Schafs/)Opfer bringt, in guter Gesundheit sein und
lange leben...»
Andere Texte teilen uns mit, daß jedermann, der eine Leberschau wünschte,
ein Opfertier zum Tempel brachte oder bringen ließ, sofern er an einer
Krankheit darniederlag. Die Fragen, die ihn quälten, wurden auf Ton
geschrieben und zu Füßen der Statue des Gottes, an den er sich wandte,
niedergelegt. Dann schlachtete ein Gehilfe des Baru das Tier. Der Baru
entnahm ihm die Leber, betrachtete die Höhle, aus der sie kam (Palast der
Leber genannt), legte sie vor sich hin und inspizierte Stück für Stück: die
Oberfläche, die Lappen, die Gänge, die Gallenblase, die Arterien, die
oberflächlichen Venen. Die Vorstellung, aus der sich sein Tun erklärt, war
folgende: Ein Gott, der die Opferung eines Tieres annahm, identifizierte
sich selbst mit der (wenn man so sagen darf) Seele des Tieres, so daß man
seine Gedanken und Absichten aus dem Organ ablesen konnte, das wegen
seiner Blutfülle als Zentrum des Lebens und der Seele erschien.

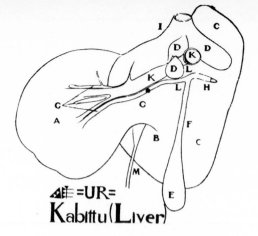

△片 =UR=
Kabittu (Liver)

◁◁◁=BA= Pântû (Liver surface)

(A) *lobus sinster* ▸▮▮ ▴ ▴▮ ▾ ▮▮◖
     kappu kabitti ša šumêli
(B) *lobus quadratus*
(C) *lobus dexter* ▸▮▮ ▴ ▴▮ ▾ ◁▮
     kappu kabitti ša imitti
(D) *lobus caudatus* ▴▮▮ ▮◗◖ ▸ UR-MURUB
     kabuttu/kabitu
(D) *processus papillaris* ▸◖▴ MAŠ *nirum*
(D) *processus pyramidalis* ▮◖ ◖▮·šu·si *ubânu*

(E) *vesica fellea* ▮◖▮·sı *martu*
(F) *ductus cysticus* ▸◁▮·ıaA
(G) *ductus hepaticus* ▸▸▮▮ + GIR·npu
(H) *ductus choledochus* ▮◗·▮▮ ME·NI
(I) *vena cava caudalis*
(K) *vena portae* ▮▮▮·KALAG· *dannu*
     porta hepatis ▾▮◗ ·GAR·TAB· *naṣraptu*
(L) *lympho glandulae* ◁▮▮·DI·*šulmu*
(M) *fossa venae umbilicalis*

MARKINGS
▮◖▮▮ *qušku·zıbu·old·* ◁▮◖ ·BURU·*dibu·hole·* ◁▮·GIR·*padnu·road·*
▮▮◖ ▮▮◗◖ ▮▮▮◖ ·KAR·ZAG·GA·*haskasu·liver fluke (liverpel)·*

Die Lebermodelle mit ihren Inschriften (hier sind die Bezeichnungen für Teile der Leber in Babylonisch und in Latein wiedergegeben) dienten dem Unterricht für den werdenden «Baru», so wie anatomische Modelle einige Jahrtausende später die Medizinstudenten der Neuzeit in die Anfangsgründe der Anatomie, der Physiologie oder der Frauenheilkunde einführen.

Wie lebenskräftig der durch die Priester geweckte Glaube an die Leber schau war, ging daraus hervor, daß Lebermodelle aus Ton oder gar aus Bronze in späterer Zeit nicht nur in Hattusa und Palästina, sondern auch bei den Etruskern, den Vorläufern der Römer, auf der Apenninen Halb insel gefunden wurden.

Die mesopotamische Priesterschaft war im übrigen klug genug, für die Gier der mittellosen breiten Massen nach Wahrsagung andere Ventile zu schaffen, welche nicht die Opferung wertvoller Tiere erforderte. Auch hierüber berich ten uns Keilschrifttexte aus verschiedenen Epochen des Zweistromlandes. «Wenn ich», so hieß es, «Öl auf Wasser tropfen lasse, das Öl sinkt und kommt wieder nach oben – so bedeutet es Unglück für einen kranken Men schen. Wenn sich um das Öl ein Ring in östlicher Richtung bildet, bedeutet es für einen kranken Mann, daß er wieder gesund wird.»

Es bedurfte nicht unbedingt der Leber eines Opfertieres – es bedurfte nur des Wissens und der Erfahrung des Baru, und dank solch reicher Erfah rungen und eines scharfen Blicks dürfte mancher Baru vielen Patienten zu treffende Voraussagen über den Verlauf einer Krankheit gegeben haben.

*Zwei Schlangen ringeln sich an diesem Kultbecher empor,
den Gudea, der Fürst von Lagasch, um das Jahr
2000 v. Chr. dem Heilgott Ningischzidu widmete.*

Die französischen Ausgräber, die dieses Steatit-
gefäß in den Louvre nach Paris sandten, erkannten bald, daß sie die erste historische Darstellung
der Schlange als Heilsymbol, als das sie in der
Neuzeit den Äskulapstab ziert, entdeckt hatten.
Doch erst die Entzifferung des mesopotamischen
Gilgamesch-Epos lieferte eine Erklärung dafür,
weshalb die Schlange in der Frühzeit Mesopotamiens jene Bedeutung erlangt hatte, die sich
dann auf die Nachwelt übertrug.

Die Geschichte Gilgameschs, eines legendären,
frühen Herrschers von Uruk, versinnbildlichte
freilich nichts anderes als die Furcht der Mesopotamier vor Krankheit und Tod, die sie an die
Lehren der Baru-Priester glauben ließ. Gilgamesch verkörperte ihre verzweifelte Suche nach
Erlösung aus dieser Furcht und aus dem steten
Zwang zu Opfern und Gebeten.

Als ein Freund Gilgameschs, Enkidu, auf Befehl
der Götter sterben mußte, begab Gilgamesch sich
auf die Suche nach einem Lebenskraut, das die
Menschen endlich von Krankheit und Tod erlösen und ihnen ewiges Leben schenken sollte.
Mit Steinen beschwert tauchte er auf den Grund
des «Urmeeres» hinab. Dort fand und pflückte er
in der Tat das Wunderkraut und eilte nach Uruk
zurück. Aber unterwegs sandten die Götter große
Hitze und verführten ihn dazu, ein Bad in einem
kühlen Wasser zu nehmen. Gilgamesch legte das
Lebenskraut ans Ufer, während er badete – und
dort fraß es eine Schlange.

Das Kraut wirkte sofort. Die Schlange streifte ihre
Haut ab und glitt verjüngt davon. Sie blieb hin-
fort mit der Fähigkeit begabt, ihre Haut abzu-
legen und sich immer wieder zu verjüngen. Gilgamesch aber hatte das Lebenskraut verloren, das
sein Volk vor der ewigen Furcht vor dem Tod
hätte erlösen können. All seine Selbstanklagen

fruchteten nichts. Es blieb verloren. Die Götter hatten verhindert, daß die Menschen sich selbst von Krankheit und Tod erlösten. Übrig blieb am Ende nur der Glaube, daß die sich häutende Schlange das Lebenskraut besaß, und dieser Glaube hat die Schlange zum Symbol einiger Heilgötter gemacht. Die Menschen blieben dazu verurteilt, diese Götter um Gnade zu bitten, ihren drohenden Beschlüssen durch Opfer und Gebet zuvorzukommen oder aber, wenn es dazu zu spät war, die in den Körper des Kranken eingedrungenen Dämonen selbst zu bekämpfen.

Wieder waren es die Priester, welche Hilfe gegen die Dämonen, die Erzeugnisse ihrer eigenen Phantasie, anzubieten hatten. Schon in der Frühzeit entstand der Aschipu, der Beschwörungspriester, der die Formeln und Mittel besaß, um die krankmachenden Geister zu verjagen.

«Der Gott Ea hat mich gesandt», so verkündete der Beschwörungspriester, wenn er, meist in ein rotes Gewand gehüllt, das Haus eines Kranken betrat. «Seine Zauberbeschwörung hat er in meinem Munde bereitet.»

Nirgendwo wurde der Nachwelt deutlicher das System einer von Götterglauben und Dämonenfurcht beeinflußten Krankenbehandlung dargestellt als auf dem links wiedergegebenen Bronzeamulett der Sammlung Clercq in Paris. Es wurde im Jahre 1879 zum ersten Male von Clement Canneau veröffentlicht und beschrieben. Der Kranke (vielleicht auch ein krankes Kind) liegt in der Mitte des Bildes auf seinem Lager. Zu seinen Häupten und Füßen stehen je ein Aschipu-Priester; beide Priester tragen Fischgewänder, die sie als Abgesandte des Wassergottes Ea charakterisieren. Auf der linken Seite, hinter dem Beschwörungspriester, steht ein Gefäß. Wahrscheinlich war es mit Wasser gefüllt, das nach den alten Beschwörungsformeln als «reinigend» galt. So kämpfen die beiden Aschipu, Wasser aussprühend und Beschwörungsformeln sprechend, gegen die Dämonen, welche die Leiden des Kranken verursacht haben. Sieben dieser Dämonen stehen drohend mit grausamen Gesichtern oberhalb des Krankenlagers. Sie trennen die Kranken und die Priester von den Göttern, deren Symbole am obersten Ende der Tafel wiedergegeben sind – dort sehen wir unter anderem das Widderkopfzepter des Gottes Ea. Die Beschwörung ist wohl erfolgreich, denn drei weitere Dämonen rechts neben dem Krankenlager schicken sich an zu weichen, und im unteren Teil des Bildes besteigt auch die scheußliche Labartu mit ihrem Esel ein Boot und fährt davon.

Beinahe unübersehbar groß scheint die Zahl der Beschwörungstexte auf den medizinischen Tontafeln. Zahlreich waren auch die Anweisungen für besondere Riten, die mit einer Beschwörung verbunden waren: «Ein Ferkel (nimm und leg es an) den Kopf des Kranken. Reiß sein Herz heraus und (leg es an die Herzgrube des Kranken) mit dem Ferkelblute (bestreich) die Seiten des (Kranken)bettes. Das Ferkel zerlege in seine Glieder und breite sie über den Kranken hin... Gib das Ferkel als seinen (des Kranken) Ersatz. Fleisch (des Ferkels) anstatt seines (des Kranken) Fleisches... Sie (die Dämonen) mögen es nehmen...»

Dieser Text verrät den Grundgedanken des Ritus. Die Dämonen, die Besitz von dem Kranken ergriffen haben, sollen statt seiner das Ferkel nehmen. Ein anderer Ritus bestand darin, daß man ein Abbild des Dämons aus Ton verfertigte, diesem jeden Tag die schönsten Speisen vorsetzte und ihm die prächtigsten Kleider anzog, um damit den bösen Geist aus dem Körper des Kranken in die Tonfigur hineinzulocken, diese dann schnell aus dem Haus zu bringen und mit dem Dämon darin zu vernichten.

Die meisten Tontafelberichte über die Krankheitsbehandlung in Mesopotamien, die man bis in die vierziger und fünfziger Jahre des zwanzigsten Jahrhunderts übersetzte, schienen auf diese Weise von Wahrsagungen und Magie geradezu überwuchert. Angesichts der im vorangegangenen Kapitel zitierten Ärztebriefe erhob sich die Frage: Hatte es im Zweistromland eine ähnliche Entwicklung wie in Ägypten gegeben? Hatte sich in Mesopotamien eine rationale Medizin durch diese Welt von Dämonen und Beschwörern hindurchgekämpft? Wenn man daraufhin die Texte studierte, stieß man tatsächlich vielfach auf die Bezeichnungen von Drogen sowie von mineralischen und animalischen Medikamenten. Die Riten der Beschwörung verbanden sich hier und da offensichtlich mit Massage, mit Packungen, Verbänden, Umschlägen oder Waschungen. So hieß es: «Von dem weiten Himmel her hat ein Wind geweht und hat im Auge des Menschen eine Krankheit veranlaßt... selbiges Menschen Krankheit sah die Göttin Namu. Nimm zerkleinerte Cassia, sag die Beschwörung... her und verbinde das Auge des Menschen.»

Hatten also Priester, wie in der ägyptischen Frühzeit, die Wirkung gewisser Stoffe erkannt und ihnen eine unterstützende Rolle in ihren Beschwörungsriten zugedacht? Oder gab es auch in der mesopotamischen Medizin eine zielbewußte, von aller Magie abgelöste Krankheitsbehandlung, wie sie doch in einigen der zitierten Ärztebriefe sichtbar geworden war? Mußte man etwa nur angestrengter nach ihr fahnden als in Ägypten?

Es lag nahe, daß die Suche nach rationalen medizinischen Methoden an jene Paragraphen der Gesetze Hammurabis anknüpfte, die sich schon im 18. Jahrhundert vor Christi eingehend mit der Chirurgie beschäftigt hatten. Die Chirurgie besaß ja von Natur aus die geringste Beziehung zur Magie.

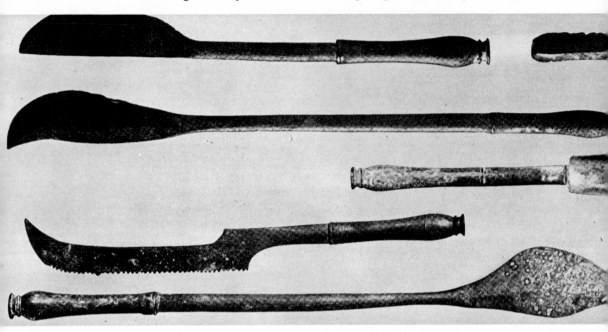

Die Suche in dieser Richtung wurde angeregt, als der Boden Ninives eine Anzahl chirurgischer Instrumente freigab. Ein zweischneidiges Skalpell, eine Säge, zwei Bronzemesser, ein kleines Obsidianmesser und schließlich ein Trepan zur Eröffnung der Schädeldecke wurden gefunden.

Die weitere Suche verlief allerdings enttäuschend. Kein weiteres Instrument wurde entdeckt. Es bestand nach wie vor kein Zweifel daran, daß in Mesopotamien chirurgische Operationen durchgeführt worden waren, größere Operationen vielleicht als die Eröffnung einer Wunde oder die Schienung eines Bruches, unter Umständen sogar der Blaseneinschnitt. Vom Blasenstein war ja in den Diagnosen die Rede gewesen.

Was bedeutete der gefundene Trepan? Hatte man die operative Öffnung der Schädeldecke zur Erleichterung des Gehirndrucks bei unstillbaren Kopfschmerzen oder zur Entfernung von Knochen nach Schädelverletzungen gekannt?

Es gab keine Antwort auf diese Fragen, denn nirgendwo im ganzen alten Mesopotamien fand man die untrüglichen Zeugnisse für diese Operation, nämlich Schädel mit hineingebohrten Öffnungen, so wie sie uns bei der Schilderung der frühen Chirurgie in Südamerika noch eingehend beschäftigen werden.

Unter jenen Skeletten,
die der Archäologe Starkey bei seinen lang jährigen Ausgrabungen in den Ruinen der alten
jüdischen Stadt Lachis gefunden hatte, befanden sich mehrere, sehr gut erhaltene Schädel,
die das genannte untrügliche Zeichen der Trepanation aufwiesen.

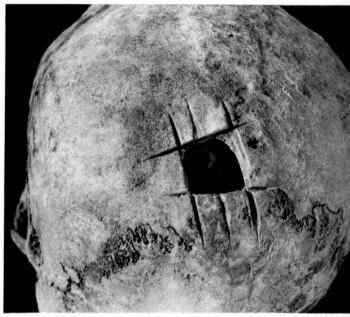

Sie zeigten deutlich die Spuren des Eingriffs, der indes nicht mit einem runden Trepan, sondern mit sägeartigen Instrumenten durchgeführt worden
war. Man hatte quadratische Knochenstücke aus dem Schädel herausgesägt.
Besonders interessant war, daß ein Operierter (siehe das rechte Bild) den Eingriff offenbar längere Zeit überlebte, denn an den Rändern der ursprünglich
eingesägten Öffnung hatte sich Knochenmasse gebildet – ein Vorgang, der
sich nur zu Lebzeiten vollzogen haben konnte.

Wie aber, so fragten sich Ausgräber und Mediziner, war diese Operationsmethode nach Juda gelangt, das der Nachwelt kein Zeugnis für eine eigen-
ständige medizinische Entwicklung hinterließ, sondern in erster Linie Erfahrungen aus dem Zweistromland nutzte und umformte? Oder gehörten
die Schädel assyrischen Soldaten aus jenen Jahren der Kämpfe um Juda und
Jerusalem? Hatten assyrische Chirurgen und Feldscher nach den mörderischen Schlachten des Königs Sanherib schädelverletzte assyrische Soldaten
operiert?

Es gibt bis heute keine Antwort auf diese Fragen. Wenn es überhaupt eine
geben sollte, dann ruht sie in den Trümmern der zahlreichen mesopotamischen Städte, die auch in der zweiten Hälfte des 20. Jahrhunderts noch
auf ihre Ausgräber warten.

Dafür bot der Bericht des assyrischen Priesters namens Ischtar-Schum-Eresch an seinen Herrscher einen besonders deutlichen Hinweis auf die Existenz rational arbeitender Ärzte: «Die Schreiber, die Wahrsager, die Beschwörer, *die Ärzte, ...die in der Stadt leben, legten am 16. des Monats Nisan ihren Amtseid ab. Dementsprechend könnten sie morgen (dem König) Treue schwören...»

An keiner anderen Stelle der mesopotamischen Tontafelliteratur wurde so eindeutig unterschieden zwischen dem Wahrsager, dem Beschwörer und einem (gesondert von ihnen wirkenden) Arzt. Asu – «der, welcher das Wasser kennt» –, so lautete die Bezeichnung für diesen Arzt, dem eine medikamentöse und chirurgische Behandlung oblag. Er entstammte allerdings ebenso wie Baru und Aschipu der Priesterschaft und den Tempelschulen.

Bänke aus Lehm fanden sich in diesem Schulraum aus dem 2. Jahrtausend vor Christi Geburt, dessen Reste die Franzosen in Mari freilegten. Vielleicht handelt es sich um den Lehrsaal einer Hochschule, eines «Tafelhauses» dieser Zeit. Jedenfalls nimmt man an, daß auch Ärzte auf solchen Bänken saßen, die Kunst des Schreibens lernten und Tontafeln mit Behandlungsanweisungen studierten, bis sie ihren Amtseid ablegten, dem König Treue schwörten und wie Arad-Nana, der Arzt Asarhaddons, ihre Kunst ausüben durften.

In zwei Fällen lichtete sich schließlich auch ein wenig der Schleier, der über der Chirurgie der Frühzeit Mesopotamiens lag.

Die älteste bildliche Darstellung der Staroperation oder des (Starstichs), welche die Welt bis heute kennt, stammt aus dem 2. oder 3. Jahrhundert n. Chr. (Bild rechts).
Sie befindet sich auf einem römisch-gallischen Leichenstein und wurde im Jahre 1829 in Montiers sur Saulx (Meuse) gefunden. Auch hier hinterließen Sumerer, Babylonier oder Assyrer keine entsprechende Darstellung. Aber ein genaues Studium der Paragraphen 215 und 218 der Gesetze Hammurabis, das zu Beginn des 20. Jahrhunderts durchgeführt wurde, ließ kaum einen Zweifel daran, daß die Mesopotamier spätestens im 18. Jahrhundert v. Chr. die Operation des grauen Stars, d. h. der Trübung der Augenlinse, gekannt und ausgeübt hatten.

Das unten abgebildete assyrische Relief zeigt Sargon II. (721–705 v. Chr.), wie er Gefangenen, die an Nasenringen gehalten werden, die Augen blendet.
Die brutale Grausamkeit dieses Vorgangs steht in derart krassem Gegensatz zu der Feinheit, die bei der Operation des Starstichs nötig ist, daß häufig Zweifel an der tatsächlichen Ausübung der Staroperation in Mesopotamien

geäußert wurden. Aber Grausamkeit gegenüber anderen und die Zerstörung von Leben oder Augenlicht Unterworfener hat noch niemals Herrscher davon abgehalten, im Falle der Gefährdung des eigenen Lebens und des eigenen Augenlichts alles aufzubieten, um Leben und Sehfähigkeit zu erhalten.

Die Untersuchungen von Philologen und Ärzten über die Deutung des Hammurabi-Satzes: «Wenn ein Arzt... das Fleckchen im Auge eines Mannes mit dem bronzenen Instrument geöffnet und das Auge des Mannes geheilt hat...» waren recht eingehend. Es zeigte sich dabei, daß das Wort für Instrument auch Nadel bedeuten konnte. Ferner ergab sich, daß das Wort «Na-gab-ti», das mit Fleckchen übersetzt wurde, nur ein Symptom wiedergab; «es bedeutet», so schrieb der Schweizer Musy im Jahre 1916, «ein Symptom, das jeder äußerlich sehen kann: eine Trübung der Hornhaut oder der tieferen Medien des Auges... Jeder Ophthalmologe hört... tagein, tagaus von einem Fleckchen wie auch von einem Häutchen, was auf dem Auge sitzt, von seinen Starpatienten...»

Musy gelangte zu der Schlußfolgerung: «Zirka 2000 Jahre v. Chr. war der graue Star bei den Babyloniern schon bekannt. In dieser uralten Zeit wurde die Operation des grauen Stars ausgeübt und bestand in der Reklination der Linse mit einer Bronzenadel...»

Reklination bedeutete das Herunterdrücken und Umkippen der Linse, die das Sichtfeld behinderte, in den unteren Teil des Augenkörpers, also aus dem Blickfeld heraus, das damit für ein grobes Sehen wieder frei wurde. Die Reklination geschah mit einer ins Auge eingestochenen Nadel.

Angesichts der Bedeutung, die später der Brille zur Wiederherstellung der Sehstärke nach Augenoperationen erlangte, war es nicht ohne Interesse, daß schon während der Ausgrabungen Layards in Ninive ein sonderbarer Glaskörper gefunden wurde. Dieser hatte wegen seines rohen Schnitts schwerlich als Schmuckgegenstand gedient.

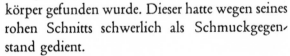

Vielmehr bestand das Fundstück von Ninive, von dem wir links eine Abbildung sehen, aus geschliffenem Bergkristall mit einer konvexen und einer ebenen Seite. Es war also eine Linse. Hatte ein augenkranker König dieses Vergrößerungsglas als Sehhilfe gebraucht? Leider geben auch in diesem Fall die Tontafeln keine Antwort.

Der zweite Fall, in dem wir etwas mehr über die Chirurgie der Mesopotamier erfahren, betrifft ein ganz anderes Gebiet.

«Du, du schädlicher Berg, der du alle Welt verderbest...» So nannte der Prophet Jeremias Babylon, und als Babylon den Persern in die Hände fiel, jubilierten die Engel in der Offenbarung Johannes: «Heil und Preis, Ehre und Kraft sei Gott, unserm Herrn. Denn wahrhaftig und gerecht sind seine Gerichte, daß er die große Hure verurteilt hat.»

Diese und andere Stellen des Alten Testaments machten Babylon in den Augen des vom Christentum beherrschten Abendlandes zu einer Ausgeburt sexueller Ausschweifung. Sicherlich waren die vom Haß der 587 v. Chr. nach Babylon verschleppten Juden mitbestimmten Äußerungen einseitig. Nichtsdestoweniger lehren die Keilschrifttexte, daß nicht nur im späten Babylon Nebukadnezars, sondern auch während der ganzen Dauer der mesopotamischen Reiche das Sexualleben eine außergewöhnliche Rolle spielte.

Die sogenannten babylonischen Ischtarpriesterinnen und Tempeldirnen genossen noch im Altertum einen Ruhm, der weit über die Grenzen Babyloniens hinausdrang. Im «Gagu», einer Art Kloster neben dem Tempel, wohnend, dienten die «Entu», vor allem aber die Hierodulen, die «Ischtar-Geweihten», den Göttern. In Wahrheit galt dieser Dienst den Priestern, vor allem aber den Gläubigen und Pilgern, die bereit waren, Opfer für die Dienste der Tempeldirnen zu bringen, deren intimer Umgang als sakrale Akte der Verjüngung verbrämt wurden. Ischtar, die göttliche Herrin, hatte schon in der Urzeit im Schlafraum der Höhlentempel jedes Neujahr das Fest in den Armen der Stadtgötter gefeiert. In der Legende und im Gilgamesch-Epos hatte sie sich nicht gescheut, ihre leidenschaftliche, verjüngende Liebe sogar einem Löwen, einem Pferd, einem Hirten, einem Gärtner und schließlich Gilgamesch selbst anzutragen. Sie hatte der körperlichen Liebe in aller und jeder Form ihre Weihe gegeben. So entstammten die Priesterinnen oftmals königlichen Familien, und ihre Tätigkeit galt nicht als Hinderungsgrund für eine spätere Vermählung. Voraussetzung für einen ständigen Tempeldienst war, daß er nicht durch Schwangerschaften und Geburten gestört wurde. Dies ließ die Sterilisation erstrebenswert erscheinen, über deren (wahrscheinlich auch chirurgische) Methode jedoch nichts überliefert ist. Die sterilisierten Priesterinnen hießen «Mustarrestu», das heißt «weibliche Eunuchen». Auf der anderen Seite wurden die Tempel selbst zur Quelle aller möglichen sexuellen Abartigkeiten, vor allem des Coitus per anum, den die Tempeldirnen mit Vorliebe betrieben, um eine Empfängnis zu vermeiden.

Im Zusammenhang mit den Tempeln stand – so berichtet uns Herodot – ein spätbabylonischer Brauch: «Jede Frau dieses Landes muß einmal in ihrem Leben im Heiligtum der Aphrodite (Ischtar) sitzen und sich einem fremden Manne hingeben... sie sitzen im heiligen Tempelbezirk... schmale

Durchgänge nach allen Richtungen sind zwischen den in Reihen sitzenden Frauen, so daß die Fremden hindurchgehen und sich eine Frau aussuchen können. Und wenn eine Frau einmal dort sitzt, dann darf sie nicht früher nach Hause gehen, als bis ihr ein fremder Mann Geld in den Schoß geworfen hat und sie sich ihm außerhalb des Tempels hingegeben hat.» Der Grund für diese Sitte blieb unbekannt. Vielleicht stellte sie ein von der Priesterschaft zum eigenen Genuß ausgedachtes besonderes Opfer an die Götter oder eine Verschwisterung mit der Liebesgöttin dar. Vielleicht hatte es einmal ein verschleiertes Erstrecht der frühen Priesterkönige auf die Jungfrauen ihrer Stadt gegeben. In jedem Falle aber mußte auch diese Sitte eine recht weitherzige Moral unterstützen.

Die Zahl der öffentlichen Bordelle in und neben den «Rauschtrankhäusern», in denen vor allem eine Art Bier und Palmwein ausgeschenkt wurde, war in Mesopotamien groß. Tontafeln berichten, daß die Dirnen den Verkehr mit ihren Kunden «auf der Straße», «auf den Plätzen», «auf dem Felde» und «im Garten» vollzogen. Außer ihnen existierten auch Kulus, «Buhlknaben», die ihre Dienste Frauen wie Männern zur Verfügung stellten. Eunuchen, aber auch unverschnittene Sklaven dienten der Homosexualität.

Mehr noch als im frühen Ägypten, schienen indes die Ehegesetze zu verschiedenen Zeiten der mesopotamischen Geschichte erstaunlich streng. Dies galt zumindest für die Frau, der nicht die gesetzliche Möglichkeit des Mannes zu Gebote stand, die Zahl seiner Frauen nach seinen wirtschaftlichen Mitteln einzurichten. Er konnte einen Harem unterhalten; in den bürgerlichen Schichten standen ihm außerdem Mägde und Sklavinnen zur Verfügung, die es, wie eine Tontafel berichtet, oft als «Kränkung» empfanden, wenn der Herr «ihr Hemd nicht wegzog». In einem Omentext wird jedoch davon gesprochen, daß auch «die Gemahlin des Königs sich von einem anderen beschlafen ließ».

Die hier links abgebildete nackte Frauengestalt – vielleicht eine Priesterin – aus Eschnunna (Anfang des 2. Jahrtausends v. Chr.) läßt etwas von den Liebesfesten ahnen, die sich mit dem Ischtar-Kult verbanden.
In der Masse der Armen suchte die Sexualität unterdessen ihr Ventil in der eigenen, eng beieinanderlebenden Familie. Der Sohn «ruht nach dem Tode des Vaters im Schoße seiner Mutter oder Stiefmutter». Der Vater «unterhielt sich mit Töchtern und Schwiegertöchtern», und die Explosion der Sexualität erreichte einen Grad von Gewalttätigkeit, der es allein erklärlich machte, daß ein Paragraph mittelassyrischer Gesetze aus der Zeit gegen Ende des 2. Jahrtausends v. Chr. sich ausschließlich mit der Verletzung der Geschlechtsorgane des Mannes durch die Frau befaßte.

«Wenn eine Frau den Hoden eines Mannes in einem ‹Handgemenge› gequetscht hat, soll einer ihrer Finger abgeschlagen werden. Wenn der zweite Hoden, obwohl ihn ein Arzt aufgebunden (auch hier wieder ein Hinweis auf eine durchaus rationale ärztliche Maßnahme) hat, ergriffen wird und sich entzündet, oder wenn die Frau auch den zweiten Hoden gequetscht hat, sollen ihr beide Brustwarzen abgeschnitten werden.»

Angesichts dieser Verhältnisse wird es uns ohne weiteres verständlich, daß mehr noch als in Ägypten Geschlechtskrankheiten außerordentlich verbreitet waren.

Zwar hat sich in Mesopotamien noch kein Hinweis auf die Syphilis gefunden. Um so mehr Tontafeln sprechen allerdings über andere Leiden, vom einfachen Samenfluß und den verschiedensten Arten der Entzündung bis zur Gonorrhöe.

«Wenn ein Mann in seinem Schlaf, oder während er geht, seinen Samen verliert... und sein Penis und seine Kleider sind voller Samen», so beginnt es, und dann heißt es weiter... «wenn aus dem Penis eines Mannes Blut und Eiter dringen...»

Den Höhepunkt aber bildete folgende Beschreibung der Gonorrhöe: «Wenn der Urin eines Mannes aussieht wie derjenige eines Esels, dann leidet der Mann an Gonorrhöe. Wenn der Urin eines Mannes aussieht wie Bierhefe, dann leidet der Mann an Gonorrhöe...» usw.

Diese Krankheit aber war es, die offenbar durch die Häufigkeit ihres Auftretens, durch ihre Schmerzhaftigkeit und durch ihre Komplikationen – vor allem Vernarbungen und Abflußhindernisse in der Harnröhre – die Ärzte zur Erfindung und Konstruktion eines chirurgischen Spezialinstruments zwang.

Zum erstenmal in der Geschichte der Medizin tauchte im Zusammenhang mit der Gonorrhöe in aller Deutlichkeit ein Instrument in Mesopotamien auf, das von da an bis in die Gegenwart niemals mehr seine oft lebensrettende Bedeutung verlieren sollte.

Dieses Instrument war der Katheter, wie er auf dem nebenstehenden Bild in einer Form der römischen Kaiserzeit als zweites Instrument von rechts abgebildet ist.

«Durch ein Rohr aus Bronze», so hieß es in einer Keilschriftanweisung, «sollst du ein Medikament in den Penis bringen.» Upu nannten die mesopotamischen Ärzte diese Röhre; das Wort bedeutete «Schlüssel». Dieser Name charakterisierte gut die umwälzende Bedeutung des Instruments, das zum ersten Male gestattete, Medikamente tief in Harnröhre und Blase einzuführen, um lebensbedrohende Hindernisse, die den Harnabfluß infolge von Entzündungen und Vernarbungen verhinderten, wenigstens zeitweilig zu überwinden.

Der Engländer R. Campbell Thompson, Assistent am Britischen Museum in London, widmete zwanzig Jahre seines Lebens dem Studium der in Ninive gefundenen medizinischen Keilschrifttafeln. Der erste Weltkrieg, der ihn als britischen Soldaten nach Mesopotamien verschlug, unterbrach seine Tätigkeit. Aber 1923 ließ er die Frucht zwanzigjähriger Arbeit, das an früherer Stelle schon erwähnte Werk «Assyrian medical texts from the originals in the British Museum», in London erscheinen. Es umfaßt die Übersetzungen von 660 Tontafeln.

Ein Jahr darauf, 1924, legte er ein neues wichtiges Werk vor: «The Assyrian Herbal», das sich ausschließlich mit den mesopotamischen Drogen und Heilpflanzen beschäftigte. Es gelang ihm darin, nicht weniger als 250 Namen von Pflanzen und anderen Stoffen, welche in Mesopotamien zu medizinischen Zwecken verwendet worden waren, zu entziffern.

Alle diejenigen, die sich mit der Frage nach einem rationalen Kern in der mesopotamischen Medizin beschäftigten, horchten auf.

Schon dieses Relief eines assyrischen Beschwörungspriesters aus der Zeit König Sargons II. war in Zusammenhang mit Heilpflanzen gebracht worden. In seiner linken Hand hält der Priester nämlich nach weit verbreiteter Deutung eine Schlafmohnpflanze, also die Quelle des Opiums, das bereits in ägyptischen Rezepten erwähnt wird.

Thompson und seine Nachfolger identifizierten nun außer dem Mohn viele andere Drogen, die ebenfalls in Ägypten verwendet worden waren. Darunter befanden sich Mandragora und Bilsenkraut, Tamariske, Lotus, Weide, Maulbeerbaum, Lorbeer, Schilf, Myrrhe, Weihrauch, Zyperngras, Narde, Safran, Thymian, Kümmel, Wacholder, Koloquinte, Knoblauch und Zwiebeln. Ähnliches galt für Mittel mineralischer und tierischer Herkunft.

Da erschienen Alaun, Schwefel, Kupfer, Grünspan, Salz, Magneteisen-
stein, Erdpech, Ton, Flußschlamm und nicht zuletzt Kot der Gazelle,
Harn einer Eselin, Kot vom Menschen, Hoden eines Hundes...
Die mühsam entzifferten Listen der Medikamente enthielten dagegen auch
Stoffe, die für Ägypten nicht feststellbar gewesen waren: Platane, Buchs-
baum, Johannisbrotbaum, Euphratpappel, Myrobalsam und viele andere.
Am bedeutungsvollsten jedoch war das Erscheinen der Tollkirsche, der
Atropa belladonna.

Die «Belladonna»

trat damit zum ersten Male in der Geschichte der Medizin greifbar hervor,
und sie trat in den folgenden Jahrtausenden einen niemals unterbrochenen
Siegeszug über die ganze Welt an. Ihre verschiedenen offiziellen Namen,
Solanum furiale (Raserei verursachend), Solanum mortiferum (Tod bringend) oder Solanum sumniferum (Schlaf bringend), verrieten, in welchem
Maße sich in dieser Pflanze Heil und Verderben paarten. Doch ihr wichtigster Bestandteil, der später als das Alkaloid Atropin erkannt wurde, war
dazu bestimmt, das vielleicht wirksamste krampflösende Medikament zu
werden, das die Medizin kennt. In großen Dosen erzeugt die Belladonna
Raserei und schließlich Bewußtlosigkeit; in kleineren Dosen aber wirkt
Atropin lösend und lindernd. Bei Gallen- und Nierenkoliken, Blasen- und
Darmspasmen sowie sämtlichen sonstigen Krampfzuständen wird es an-
gewendet und dient ferner zur Herabsetzung der Flüssigkeitssekretion und
zur Erweiterung der Pupillen im Auge.
Es gehörte zu den interessantesten Entdeckungen Thompsons und seiner
Nachfolger, daß die Belladonna in Mesopotamien offenbar mit rationaler
Überlegung verwendet wurde, nämlich gegen Krämpfe der Blase, gegen Hu-
stenreiz, bei Asthma sowie zur Behandlung von übermäßigem Speichelfluß.

Im Falle Ägyptens hatte man nur vermuten können, daß Priester und Ärzte ihre Drogen- und Giftkenntnis durch Versuche an Leibeigenen und Kriegsgefangenen erworben hatten. Die Tontafel-archive Mesopotamiens lieferten jedoch den Beweis dafür,

daß Sklaven und Unterworfene (Bild rechts) als Versuchsobjekte zur Erprobung von Drogen dienten. Man brauchte nur einen Blick in die bereits erwähnte Korrespondenz zwischen König Asar-haddon und seinen Ärzten zu werfen. Dort schrieb ein Arzt namens Abad-Schum-Usur, der eine Zeitlang den Kronprinzen behandelt hatte, über ein Heilmittel: «Wir werden es, wie mein Herr und König angeordnet hat, jenen Sklaven zu trinken geben. Später mag der Kronprinz selbst es nehmen...»

So erklärt sich wohl die Kenntnis der Wirkung derart schwerer Gifte wie Opium, Mandragora, Bilsenkraut und Belladonna im Zweistromland und vielleicht auch die Kenntnis von der berauschenden und betäubenden Wirkung indischen Hanfs.

So wie man kaum noch daran zweifelt, daß es zwischen Ägypten und dem frühen Indien, zwischen dem ägyptischen und dem indischen Arzneischatz eine Verbindung über Land und Meer gab, so ist ziemlich sicher, daß schon im dritten Jahrtausend vor Christus auch Beziehungen zwischen Indien und dem Zweistromland bestanden. Karawanen zogen über Straßen, die parallel dem Elbursgebirge im nördlichen Iran und von dort aus südwärts durch Belutschistan verliefen. Wahrscheinlich aber fuhren auch Schiffe zwischen Indus und Tigris hin und her.

Wer möchte daran noch zweifeln angesichts dieses reichverzierten Steingefäßes aus der Zeit um 2500 v. Chr., das ebenso wie andere Keramiken von indischer Eigenart in Mesopotamien ausgegraben wurde? Der Stuhl und der abgebildete Wasserbüffel weisen deutlich auf indische Herkunft hin. So bedarf

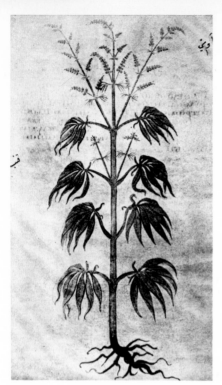

es keiner besonderen Erklärung für die Tatsache, daß R. Campbell Thompsons «Assyrian Herbal» und seine späteren Ergänzungen fast all jene Drogen aufführen, die aus Indien nach Ägypten gelangt waren. Sie hatten auch ihren Weg nach Mesopotamien gefunden: Zimt und Zimtrinde, Ingwer, Granatapfel, Kalmus, Sandelholz und Asa foetida. Der Name einer weiteren Droge aber taucht in mesopotamischen Texten in der Tat zum ersten Male unter den Heilkräutern auf: der schon erwähnte indische Hanf.

«Quunabu» – *so lautete der assyrische Name für den indischen Hanf.* Das entsprach genau der in späterer Zeit üblichen Bezeichnung Cannabis (Cannabis indica). In Indien und China längst im Gebrauch, wurde der Hanf auch in Mesopotamien zum häufig verwendeten Mittel gegen Schmerzen bei Bronchitis, Blasenleiden, Rheumatismus sowie gegen Schlaflosigkeit.

Vielleicht aber diente er auch schon bei Wahrsagungen und Beschwörungen zur Erzeugung jenes Rauschzustandes, welcher den indischen Hanf später auf dem Wege über Arabien zu einer der begehrtesten Rausch- und Suchtdrogen in der ganzen Welt machen sollte: dem Haschisch.

So eindrucksvoll indessen die Menge der Drogen und sonstigen Heilstoffe Mesopotamiens wirkte, entscheidend blieb schließlich die Frage nach dem Ausmaß, in dem diese Mittel zu rationalen Zwecken angewendet worden waren. Thompson und sein Nachfolger studierten mit einer Sorgfalt ohnegleichen alle zutage geförderten Texte, die Rezepte und Behandlungsrichtlinien enthielten.

Wieder warteten ihrer viele Enttäuschungen. Wenn man alle Einschübe mit Beschwörungsformeln beiseite ließ, dann blieben die Texte meist monströse Aufzählungen von Heilstoffen. Zum Beispiel hieß es in einem Rezept gegen Husten: «Sonnenkraut in Feinbier, Honig und geläutertem Öl zerstoßen und den Kranken, ohne daß er es kostet, seine Zunge erfassen lassen und das Wasser davon schlucken, dann ihm Bier und Honig kalt zu trinken geben, darauf mit einem Flügel (Feder) ihn zum Erbrechen bringen. Nun soll der Patient Gebäck mit Rahm und Honig essen und süßen Wein trinken.» Aber dann gelang es doch, wenn auch unendlich viel mühevoller als in Ägypten, aus einem Wust von Unverständlichkeiten einen rationalen Kern herauszuschälen.

Nur wenn man eine der vielen Übersetzungen Thompsons, den das Bild rechts zeigt,
im Original kennt,
vermag man die Schwierigkeiten seiner Arbeit zu ahnen. Wir geben unten
im Faksimile Thompsons Übersetzung und Kommentierung mesopotamischer Rezepte gegen Nierensteine wieder. Schon früher war festgestellt worden, daß man in Mesopotamien nicht nur den Harnstein gekannt, sondern
auch zwischen «harten» und «weichen» Steinen unterschieden hatte. Jetzt
stellte sich heraus, daß auch der Versuch gemacht worden war, «die weichen Steine» aufzulösen bzw. abzutreiben, und zwar mit Mitteln, die den

Transliterations and Translations.

Stone in the Kidney.

No. 186. AMT. 39, 6 (Rm II, 375).

[2] ...] en ki ......[... [3] ...] ri(?)-ḫa-am-ma ..[...

[4] ...] ^{u}lid-maš-ḫa-nu ^{u}[... [5] ... ^{u}MI].TAK ^{u}bu-ka-nu ^{u}[...

[6] ...] enuma NA kalit-su [...

[7] [enuma NA ...-šu is-sa]-ki-ik NA BI abna šá-ḫi-iḫ-ta [máriṣ ... [8] ...i]na BI SAG
tanadi^{di} išatti-ma [ibaluṭ]

[9] [enuma NA ditto] ^{aban}AN.NE.GÍG LA pilt GA.ŠIR.ḪU ^{šim}buráši ešte(n)-niš [taták]
[10] [ina] GEŠTIN.ŠUR.RA išatti-ma [ibaluṭ]

[2] ...].........[... [3] ...].........[...

[4] ...] ^{u}lid-maš-ḫa-nu(3), the plant [... [5] .....] stone(?), the plant bukanu(4), the
plant [...

[6] [Recipe for]: When a man's kidney [...

[7] [When a man's urethra is sto]pped up(5), that man [is suffering from] soluble(6) stone

3) Uncertain; it must be a plant, but one rarely used in the medical texts.
4) In a tablet copied by Herr Pick, which by the courtesy of Herr Ehelolf, through Professor
Langdon, I am permitted to quote, two plants, ^{u}bukanu and ^{u}gumanu are given as equivalents to
^{u}si-iḫ-pu. What the ^{u}bukanu is, is unknown to me, but it is certainly rare in the medical texts.
5) In RA. XXVI, 1929, p. 54 I suggested [it-te-ni]-ki-ik for this, with a cognate in the Syr.
ḫ`kak (PRSM. 1924, p. 2, n. 5), which gives ḫekk'thá "scabies" (itch), with an Assyrian equivalent
ikkitu. The verb ekéku occurs several times. I think now, however, that the probability is that intense
pain is the outstanding symptom of the disease, rather than itching (although the bladder may be
irritable, DM. II., p. 1337), and therefore the reference here is less likely to the sensation than to the
fact of stoppage for which the root sakáku (which is applied to the stopping of ears and the damming
of canals) is more satisfactory than ekéku "to itch". S`káké "stoppings" is the actual word for obstruc-
tions in the kidneys in Syriac (SM. I, p. 437), and we may thus well restore .....-ki-ik with some form
from sakáku.
6) abna šá-ḫi-iḫ-ta ... see Introductory Note.

Medikamenten entsprachen, welche Thompson in neuzeitlichen britischen Lehrbüchern fand. Er zog unter anderem das «Dictionary of Medicine» zu Rate. Darin wurden die harten Oxalatsteine der chirurgischen Behandlung überlassen, dem Steinschnitt, der in Mesopotamien nicht nachweisbar ist. Die anderen Steine dagegen, vor allem die Harnsäuresteine, wurden durch alkalische und harntreibende Mittel «verkleinert, aufgelöst bzw. ausgetrieben». Zu den verkleinernden Mitteln gehörte vor allen Dingen Kalziumkarbonat. Nun empfahlen die mesopotamischen Rezepte zur Behandlung «weicher» Steine nicht nur Salpeter und Terpentinöl als harntreibende Mittel, sondern auch *«gepulverte Eierschalen, vor allem vom Ei des Straußes»,*

[... ⁸...] thou shalt put ... [i]nto *kurunnu*-beer, he shall drink and [recover].

⁹[When a man· *ditto*], black saltpetre, shell of ostrich-egg, pine-turpentine together [thou shalt bray], ¹⁰[in] squeezed grape-juice he shall drink and [recover].

No. 187. AMT 39, 9 (S 2058).

²... ᵘ]*zi-im-kaspi* ᵘ*šá*-[... ³... ᵃᵇᵃⁿP]EŠ₄⁽⁷⁾.ANŠU LA *pili* GA.ŠIR.ḪU *ka*-[... ⁴...]. *lu ina* BI.ŠAG *lu ina* GEŠTIN *išatti*-[*ma ibaluṭ*]

---

⁵...] *enuma* NA *kalit-su* [...

---

⁶[*enuma* NA *abnu(?)* ...].. UŠ-*šú ib-bu* ˢⁱᵐ*murra* [*išatti(?)*-*ma ibaluṭ*]

²...] anemone, ...-plant [... ³..."sexual part of a sh]e-ass"-[stone] (belemnite?). shell of ostrich-egg, ...[... ⁴...]. either in *kurunnu*-beer or in wine he shall drink [and recover].

---

⁵[Recipe for]: When a man's kidney [...

---

⁶[When a man has had stone ? and] his penis is clear⁽⁸⁾, myrrh [he shall drink(?) and recover].

---

die nach Thompsons Feststellungen bis zu 97% Kalziumkarbonat liefern. Zu ähnlich interessanten Ergebnissen kam Thompson bei der Untersuchung einer mesopotamischen Behandlungsanweisung gegen Lungenentzündung. Sie bestand in heißen Auflagen von Leinsamen, verbunden mit Einwicklung in Tücher, die wiederholt in heißes Wasser oder heißen Fenchelabsud getaucht worden waren. Das «Dictionary of Medicine» (aus der Zeit vor der Entdeckung der Antibiotika) gab keine besseren Empfehlungen.

Morris Jastrow, ein anderer Erforscher der Medizin Mesopotamiens, gelangte zu ähnlichen Ergebnissen. Er untersuchte z.B. die Behandlungsvorschriften im Falle eines Mannes, «der an einer schweren, allgemeinen Erkältung litt, die auch den Magen ergriffen hatte». Sie lautete: «1. Man gebe ihm Süßholzwurzel in Wasser ohne Essen, und er wird genesen. 2. Wenn er Magenschmerz leidet, so lasse ihn niederknien und gieße heiße Ab⁄ kochung von Cassia über ihn, und er wird genesen. 3. Lasse ihn niederknien und lasse kaltes Wasser über ihn (seinen Kopf) fließen, und er wird genesen. 4. Lasse ihn Amanu⁄Salz ohne Essen nehmen, und er wird genesen. 5. Lege man seinen Kopf nach unten und seine Füße nach oben... reibe ihn heftig, sage zu seinem Magen: sei gut!...»

Natürlich muß man sich davor hüten, Vergleiche zwischen der Süßholz⁄ behandlung des Magens im Zweistromland und der in der Neuzeit wieder aufgekommenen Behandlung der Gastritis und der Magengeschwüre mit «Lakritzen» zu ziehen. Trotzdem ist nicht zu bestreiten, daß Fasten, Süß⁄ holz⁄ und Salzbehandlung, heiße und kalte Güsse und vielleicht auch Massagen wirksame Mittel waren. Ähnliches galt für Behandlungsanwei⁄ sungen bei Augenkrankheiten aus dem 7. Jahrhundert v. Chr. Hier war die Rede davon, die entzündeten Augen mit Alkalilösung zu bähen, bis der Tränenfluß aufhörte. Danach wurde ein Verband aus Cassiasaft und zwei unbekannten Drogen auf die Augen gelegt und der Kranke in einem geschlossenen, dunklen Raum gelagert.

Es gab auch noch andere interessante Entdeckungen. Bruchstücke von Tontafeln wurden gefunden, die in drei Spalten Listen enthielten, in denen nebeneinander eine Krankheit, die anzuwendende Droge und die Art ihrer Anwendung verzeichnet waren. Man entdeckte auch Diätanweisungen, so die Vermeidung von Zwiebeln, das Fasten und eine Ernährung mit «Sedi⁄ ment der Milch» (vielleicht Quark) bei Verdauungsstörungen. Auch die Anordnung von «Ruhe» und «Lagern» war gebräuchlich gewesen. Man hatte übrigens das Stuhlzäpfchen genauso gekannt wie den Einlauf, der mit Hilfe eines röhrenartigen Instruments, das «Flöte» hieß, gemacht wurde.

Alles in allem lösten sich diese rationalen Verordnungen jedoch so gut wie niemals völlig von der Vermischung mit Magie, Beschwörung und mysteriösen Riten. Jastrows Magenrezept Nr. 5 endete mit einer unver⁄ ständlichen rituellen Vorschrift: «Berühre mit dem linken Daumen vier⁄ zehnmal das Gesäß (des Kranken), vierzehnmal seinen Kopf...» Und die von Jastrow gefundene Tafel mit dem so vernünftig anmutenden Augen⁄ rezept enthielt auch den Satz: «Wenn der Kopf eines Mannes gefallen ist, und der Dämon in seinem Körper schreit laut und geht trotz der Behand⁄ lung mit Verband und Besprechung nicht heraus, dann schlachte einen gefangenen Kurkuvogel..., presse sein Blut heraus... und sprich folgende Beschwörung...»

Am Ende ihrer Arbeit kamen Thompson und seine Kollegen zu folgendem Ergebnis: Sie sahen zwei Möglichkeiten: 1. Die Ärzte des Zweistromlandes hatten sehr wohl rationale Behandlungsmethoden entwickelt, aber viel später als in Ägypten. Erst im 1. Jahrtausend v. Chr. hatten sie versucht, sich von der Magie zu lösen. Es war ihnen jedoch nicht gelungen, diese Lösung wirklich zu vollziehen. 2. Die vielen noch nicht ausgegrabenen, ja nicht einmal angetasteten Hügel im Zweistromland bargen noch Überraschungen, die das bislang gewonnene Bild möglicherweise verändern konnten. Es erwies sich als richtig, daß die Wissenschaftler diese zweite Möglichkeit offenließen.

Der zu Anfang schon erwähnte amerikanische Keilschriftforscher Samuel Noah Kramer,

Professor an der Universität von Pennsylvania, erfuhr im Jahre 1940, daß sich unter den Tontafeln, welche Archäologen fünfzig Jahre vorher aus Nippur mitgebracht hatten, ein Keilschriftdokument medizinischen Inhalts befand. Es handelte sich um die Tontafel, mit der wir unsere Geschichte der mesopotamischen Medizin einleiteten.

Einer von Kramers Kollegen, Dr. Leon Legrain, hatte vergeblich versucht, den schwierigen Text zu übersetzen. Von 1940 an übte die Tafel auf Kramer eine merkwürdige Anziehungskraft aus. Immer wieder begab er sich in das Museum, nahm die Tafel von ihrem Platz und unternahm neue Übersetzungsversuche. Auf Grund seiner Schriftkenntnis war ihm klar, daß die Tafel aus dem 3. Jahrtausend v. Chr. stammen mußte und wahrscheinlich während der späten Akkad-Zeit oder während der sumerischen Renaissance geschrieben worden war. Klar war ihm allerdings auch, daß er ohne die Hilfe eines Chemikers und Pharmakologen nicht zum Ziel kommen würde. So vergingen 13 Jahre, bis sich an einem Frühlingsmorgen des Jahres 1953 ein junger Mann bei ihm meldete. Sein Name war Martin Levey. Er hatte als Pharmakologe gerade den Doktortitel auf dem Gebiete der Geschichte der Wissenschaften erworben und erkundigte sich, ob Kramer nicht Keilschrifttexte besäße, zu deren Entzifferung er mit seinem Fachwissen beitragen könne. Kramer griff ohne Zögern zu. Wenige Wochen später war den beiden die Übersetzung der geheimnisvollen Tontafel gelungen.

«Das älteste Lehrbuch der Medizin»,
so wurde diese Tafel genannt. Aber ihre Herkunft aus dem 3. Jahrtausend v. Chr. war nicht allein entscheidend. Nicht weniger bedeutungsvoll war ihr Inhalt. Diese Rezeptsammlung, die ein unbekannter sumerischer Arzt um das Jahr 2200 oder 2100 v. Chr. aufgeschrieben hatte, unterschied sich von den späteren Sammlungen in einem wesentlichen Punkt. Sie erwähnte keine Götter, keine Dämonen und keine Magie.

Sie besaß zweifellos Mängel. So fehlten Angaben über die Krankheiten, zu deren Behandlung die aufgeführten Medizinen gedient hatten. Es fehlten auch, wie in fast sämtlichen späteren Rezepten Mesopotamiens, Gewichts-angaben für die einzelnen Drogen. Es hieß einfach: «Die Samen der Car-penter-Pflanze, das Gummiharz der Markazi-Pflanze und Thymian zu Pulver zerreiben, in Bier auflösen und dem Manne zu trinken geben.» Trotz-dem brachten die Rezepte eine Überraschung. Sie lehrten, in welchem Maße schon die Sumerer Drogen und chemische Substanzen bei der Kran-kenbehandlung verwertet hatten: Cassia, Myrrhe, Asa foetida, Thymian, Teile der Weide, Fichte, Dattelpalme (Wurzeln, Rinde, Blätter, Samen), nicht zuletzt aber Salz, Salpeter, Alkali in verschiedener Form. Die Pflan-zenextrakte waren zum Teil durch Filtrieren gewonnen worden. Man hatte die Rohstoffe in Wasser unter Zusatz von Salz und Alkali gekocht und die entstandene Lösung gefiltert. Besonders aus der Verwendung verschiedener Alkalien und zumal von Salpeter schloß Kramer auf die Kenntnis recht komplizierter chemischer Vorgänge. Wahrscheinlich hatte der sumerische Arzt sein Salpeter durch eine Methode der Kristallisation aus Abfallpro-dukten in Kanälen gewonnen. Die Kombination von Alkalien mit fett-haltigen Substanzen ließ an Seife denken. Das entscheidende Charakte-ristikum der Tontafel blieb jedoch die Tatsache, daß sich darin nicht eine einzige Erwähnung von Göttern und Dämonen und nicht die geringste Spur von Magie und Beschwörung befand. Im 3. Jahrtausend v. Chr. hatte es also im Zweistromland bereits Rezeptsammlungen gegeben, die von jeder Magie vollständig losgelöst nach rationalen Gesichtspunkten zusammen-gestellt waren.

Diese Entdeckung bestätigte in überraschender Weise jene zweite Möglich-keit, die Thompson und seine Kollegen hatten offenlassen müssen, die Mög-lichkeit, daß die Erde Mesopotamiens noch Quellen birgt, welche dem Bilde der babylonischen Medizin eines Tages neue, unerwartete Züge ver-leihen können. Gemeint sind Züge, die ihr nicht nur den Ruf ließen, auf dem Wege über die Griechen, die antike und abendländische Medizin durch ihre astrologischen Vorstellungen, durch die Entdeckung oder Weitergabe von Operationsmethoden wie dem Starstich sowie durch die Vermittlung und Weitergabe der Wirksamkeit von Drogen wie der Belladonna beeinflußt zu haben. Vielleicht war sie auch im Besitze jenes Grades früher rationeller Erfahrung und auch tastenden medizinischen Denkens, der die ägyptischen Ärzte auszeichnete und ihr Erbe an die Nachwelt so bedeutsam machte.

III

Waidja

oder die Wissenden des alten Indien

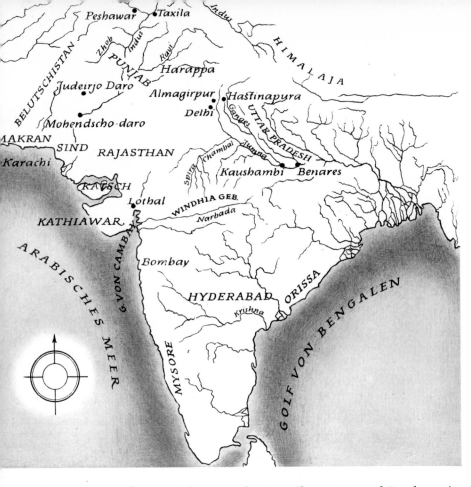

KAPITEL I

«Es wird», so äußerte im Jahre 1958 der Amerikaner Howard Bentley, «eine
Zeit kommen, in der die Geschichte der Medizin Altindiens genauso neu geschrieben werden wird wie die Geschichte des indischen Subkontinents.
Seit in der ersten Hälfte dieses Jahrhunderts im Industal die Ruinen der
Städte Mohendscho-daro und Harappa ausgegraben wurden, ist jene Geschichtsschreibung überholt, für die Indien meist Objekt, aber nicht Sub-
jekt der Geschichte war. Allen Vorurteilen zum Trotz haben die Ausgrabungen erwiesen, daß es schon im 3. Jahrtausend v. Chr. eine überaus
eindrucksvolle indische Kultur gab, die ihre eigenen Beziehungen zur vor-
antiken Welt besaß und gegenüber deren Kulturen durchaus selbständigen
Charakter zeigt. Was aber für die indische Kultur im allgemeinen gilt, das
gilt auch für die Medizin des alten Indien während der letzten Jahrtausende
vor Christi Geburt. Noch sind viele Quellen nicht erschlossen. Doch selbst
das, was bis heute – oft durch Zufall – zutage getreten ist, genügt, um bei
gutem Willen zu begreifen, daß hier eine eigene Ärztewelt lebte, die auch
den Griechen befruchtende Ideen vermitteln konnte, noch bevor Alexander
der Große indischen Boden betrat.»

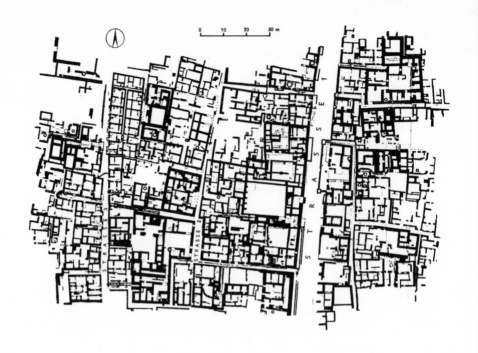

*Die ausgedehnten Ruinen von Mohendscho-daro
(siehe den Stadtplan oben)* wurden wie die Ruinen der fast 650 km nord-
östlich gelegenen Stadt Harappa seit dem Ende des zweiten Weltkrieges in
der Tat zum Ausgangspunkt für eine Neubewertung der indischen Frühgeschichte. Selbst unorthodoxe Historiker waren früher niemals so weit gegangen, eine bedeutende kulturelle Entwicklung Indiens vor dem Jahre
1500 v. Chr. anzunehmen. Was jedoch im Industal unter der Leitung der
britischen Archäologen John Marshall und R. E. M. Wheeler ausgegraben
wurde, ließ keinen Zweifel mehr: Hier hatten große Städte existiert, die den
alten Städten Ägyptens und Sumers gleichwertig und in ihrer Planung oft
sogar überlegen waren.

Sowenig man zu erklären vermochte, von woher das Volk der Sumerer im
4. Jahrtausend vor Chr. in das untere Flußgebiet von Euphrat und Tigris
gelangt war, so wenig ließ sich der Ursprung der Schöpfer der Induskultur
ergründen. Sicher war nur, daß hier abermals die Gegebenheiten eines großen Flußgebietes ein mit Intelligenz und Schöpferkraft begabtes Volk dazu
angeregt hatten, Städte als Zentren eines großen Wirtschafts- und Kultur-
reichs zu schaffen.

Die Menschen kannten damals bereits die Baumwolle und den Weizen,
Gerste und Sesam. Sie züchteten Buckelrinder, Wasserbüffel, Schweine,
Pferde und Esel und zähmten Elefanten.

Diese gewaltigen Fundamente eines Getreidespeichers in
Mohendscho-daro,
aus gebrannten Ziegeln errichtet und mit Ent-
lüftungskanälen versehen, geben einen Begriff von
den Bauten dieser Zeit. Mächtige Zitadellen bildeten die hochgelegenen, durch Mauern und
Türme geschützten Herrensitze der Könige oder
Priester-Könige. Unterhalb der Zitadellen erstreckten sich schachbrettartig die Städte selbst,
mit von breiten Straßen durchzogenen Häuser-
blocks, 183 mal 166 Meter im Geviert.

Die Herren des Indus-Reiches
haben ihr Abbild hinterlassen. Vielleicht verewigt diese
Büste eines braunhäutigen, bärtigen Mannes, die in Mohendscho-daro gefunden wurde, einen der frühen Könige.
Vielleicht stellt sie aber auch einen Priester dar,
dessen auf die Nasenspitze konzentrierter Blick
schon etwas von jener inneren Versenkung zu verraten scheint, die später eine so wichtige Rolle in
der indischen Religionsentwicklung spielen sollte.

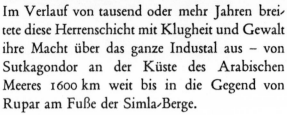

Im Verlauf von tausend oder mehr Jahren breitete diese Herrenschicht mit Klugheit und Gewalt ihre Macht über das ganze Industal aus – von Sutkagondor an der Küste des Arabischen Meeres 1600 km weit bis in die Gegend von Rupar am Fuße der Simla-Berge.

Siegel, Bronzeplättchen und Tonscherben beweisen der Nachwelt, daß die Indusleute ihre eigene Schrift besaßen. Es war eine Bilderschrift – wie die frühesten Schriften am Nil und im Zweistromland auch. Aber sie unterschied sich von diesen beiden Schriften in dem Maße, wie beide untereinander verschieden gewesen waren. Zweifellos hatte es einmal viele Schriftstücke gegeben, und was in Ägypten die Papyri und in Mesopotamien die Tontafeln gewesen waren, das war hier ein Material aus Baumwolle, vielleicht auch aus Baumrinde. Niemand weiß es genau, denn das tropische Klima hat alles zerstört, was wahrscheinlich einmal an Bibliotheken und Archiven vorhanden gewesen war. Infolge dieser Vernichtung aller schriftlichen Dokumente, stützt sich das heutige Wissen um die Induskultur auf die archäologischen Funde. Aber was diese den Wissenschaftlern erzählten, war recht bedeutsam.
Sie erzählten, was schon an Keramikfunden in Mesopotamien deutlich geworden war: es hatte frühe, über Land und See führende Handelsbeziehungen zwischen Indien auf der einen, Mesopotamien, Saba und Ägypten auf der anderen Seite gegeben.

Von den beiden nahezu gleichen Siegeln (links) stammt das obere aus Mohendscho-daro, während das untere auf Bahrein im Persischen Golf gefunden wurde. Dort befand sich anscheinend um 2000 v. Chr. ein großer Stapel- und Umschlagplatz für fremdländische, darunter besonders indische Waren: Dilmun, der auch in sumerischen, babylonischen und assyrischen Keilschrifttexten erwähnt wird.

Vielleicht sahen so die indischen Schiffe aus,
die zwischen der Küste Indiens und Bahrein verkehrten,
zum Teil aber auch den in unserem Ägypten-
kapitel erwähnten Drogenhandel mit den Sabäern bewältigten. Jedenfalls vermitteln Tonscherben aus Mohendscho-daro solche Bilder von
indischen Seefahrzeugen aus dem 2. und 3. Jahrtausend v. Chr. Das Indus-Reich erlebte zu Beginn des 2. Jahrtausend v. Chr. seine größte Blüte.
Wahrscheinlich besaß es, wie auch spätere indische
Königreiche, zwei Hauptstädte – Mohendscho-
daro und Harappa – viele Kleinstädte, wie Lo-
thal, und wenigstens hundert kleine Siedlungen.
Dann begann (in den archäologischen Schichten
deutlich sichtbar) ein Abstieg, der gerade für
reiche, üppige Kulturen nach einer bestimmten
Zeitspanne bezeichnend ist. Dekadenz der Oberschicht, Durchsäuerung des Bodens, Raubbau an
den Wäldern – was immer die Ursache war: das
wirtschaftliche und kulturelle Leben sank von
seiner einstigen Höhe herab. Wahrscheinlich
wurde auch die Schrift schon vernachlässigt,
noch ehe der endgültige Zusammenbruch kam,
so daß die Eroberer und Nachfolger das Erbe dieser Kultur nicht antreten konnten.

In einem Sturm von Mord und Vernichtung
vollzog sich um die Mitte des 2. Jahrtausends v. Chr.
dieser endgültige Zusammenbruch einer frühen Kultur –
nicht überall gleichzeitig, nicht überall auf die
gleiche Weise. In den Trümmern Mohendscho-
daros lagen die Toten noch da, wo die Eroberer
sie hatten liegen lassen, auf Straßen und Gassen,
mehrfach mit tiefen Schwertwunden im Schädel.
Die Eroberer aber waren aus dem Nordwesten
gekommen, groß, hellhäutig und meistens blond.
Sie nannten sich «Arier» – die «Edlen» – und nahmen später den Namen «Sindhu» oder «Hindu»
an.

Indra, der «Festungszerstörer» (links),
war einer der Hauptgötter der Arier. Letztere
sprachen eine Sprache, die späteren Sprachfor-
schern die Vermutung eingab, daß sie der gleichen Volksgruppe «irgendwo in Zentralasien»
entstammten, aus der auch die Griechen und
Germanen hervorgegangen waren.

Ihre Einwanderung nach Nordwestindien blieb
lange Zeit für die Forschung der erste halbwegs
greifbare Akt in der indischen Geschichte. Seit
der Entdeckung des Indus-Reiches wurde indessen klar, daß die arischen Hindus zwar den
größten Teil Indiens eroberten, daß das Indien
der kommenden anderthalb Jahrtausende aber
aus einer Vereinigung der «arischen Welt» mit
den vorgefundenen Kulturen entstand.

Für die in Zelten lebenden arischen Halbnomaden und ihre Könige oder «Radschas» bedeutete
das Wort Krieg das gleiche wie «Wunsch nach
mehr Kühen». Ihre Götter waren Verkörperun-
gen der großen Naturerscheinungen. Der Gott
der Sonne war Mithra oder Wischnu. Sie kannten auch noch nicht den Glauben an Seelenwanderung oder Wiedergeburt.

Die Arier besetzten das Pandschab, lernten die Benutzung des Pflugs,
Baumwolle, Häuser und Städte kennen. Sie versuchten, ihre Rasse zu erhalten, indem sie Gesetze gegen die Vermischung mit den Unterworfenen,
den «kleinen, schwarzen Flachnasen», schufen – Anfänge dessen, was
später als Kastenwesen die gesamte indische Geschichte durchziehen sollte.
Aber diese Gesetze kamen zu spät, denn Eroberer und Unterworfene ver-
mischten sich trotzdem.

Die arischen Krieger kannten keine Schrift – nur mündlich rezitierte Verse,
in denen die Priester religiöse Gedanken und Götterhymnen zum Ausdruck
brachten. Diese Vers-Gesänge berichteten auch über das Leben der Einwan-
derer. Da die Verse zu Beginn des 1. Jahrtausends v. Chr. in einer neuen
Schrift aufgezeichnet wurden, die Hindukaufleute aus Westasien mitgebracht zu haben scheinen (sie erinnert an die phönikische Schrift), lieferten
sie der Nachwelt einen Einblick in die Entwicklung der arischen Hindus
während des 2. Jahrtausends v. Chr. Die Vers-Sammlungen nannten sich
«Weden» = Wissen. Die wichtigste hieß Rig-Weda (das Wissen von den Lo-
beshymnen); ihr folgten Sama-Weda, Jadschur-Weda und Atharwa-Weda.

Als die Sammlungen der Weden ihre überlieferte Gestalt annahmen, war die arische Besiedlung bis nach Ambata gediehen. Es gab jetzt eine ganze Anzahl von Königreichen. Ihre Bevölkerung unterteilte sich in fünf Hauptkasten: Die Kaste der Kschatrijas oder Krieger, der auch die Könige angehörten, die Kaste der Priester oder Brahmanen, die ihren Namen von einem neuen Gott, Brahma, ableiteten, die Kaste der Kaufleute und Freien, die Waischjas, die niedrigste Kaste der Arbeiter, die Schudras, und zu allerletzt die Kaste der Parias, der Ausgeschlossenen, die erst in späterer Zeit in den Bereich der Eroberung und Besiedlung geraten waren.

Im Gangesdelta kam die Jahrhunderte dauernde Einwanderung der Hindus endlich ins Stocken. Sie wurden Städtebauer. An Stelle der Weden geben nun große Epen Einblick in diese Zeit, so das «große Epos vom Krieg der Nachkommen» mit hunderttausend Versen. Die Epen verraten, wie viele rivalisierende Königreiche es damals gab. Sie berichten von Städten mit Mauern, Kanälen und Straßen, die sogar von Lampen beleuchtet waren. Es gab Flüsse, die als heilig galten, weil sie das unentbehrliche Wasser brachten. Die Brahmanen-Kaste war eine privilegierte Kaste der Weisen geworden. Sie pflegten das Sanskrit, eine gehobene Sprache, und legten die Kasten durch soziale Gesetze und ein gewaltiges religiöses System fest.

Die sichtbaren Götter einschließlich Brahmas, der rechts unten abgebildet ist, waren wie Mensch und Tier nur Gestaltwerdungen eines unfaßbaren, aber überall vorhandenen und wirksamen «Es», eines Weltgeistes oder Weltodems, der den Namen Brahman erhielt.

Brahman war in der ganzen Schöpfung lebendig. Die materielle Welt einschließlich aller Kreaturen war ein ständiges Kommen und Gehen, in dem Gestorbene in gleicher oder anderer Gestalt wiedergeboren wurden. Es hing beim Menschen von der Lebensführung ab, in welcher Gestalt seine Seele nach dem Tode wiederkehren würde, ob als Krieger oder als Paria oder gar als Tier. Diejenigen, die in eine untere Kaste hineingeboren wurden, hatten in ihrem vorangegangenen Leben gefehlt – es war das «Karma», das ihr Schicksal in der Zukunft bestimmte. Daraus ergab sich für sie auf Erden kein Ausweg. Sie konnten nur hoffen, in einem zukünftigen Leben ein besseres Schicksal zu erfahren, wenn sie durch Opfer und Gebete die Anwartschaft auf eine bessere Wiedergeburt erwarben.

KAPISHA
KAMBODSCHA
ACHÄMENIDISCHES
REICH
GEDROSIEN
ARACHOSIEN
KURU
MATSYA
SHURASENA PANCHALA
MALLAS
KOSALA •Kapilavastu
VIDEHA
CHEDI VATSA KASHI ANGA
AVANTI MAGADHA
BHOJAS VIDHARBHA
MULAKA
ANDHRA KALINGA

Magadha, Kosala, Awanti waren Namen der ersten früh,
indischen Königreiche, die sich geschichtlich belegen lassen.
König Bimbisera von Magadha schuf sich die
erste stehende Armee und bereitete damit den
Boden, auf dem seine Nachfolger ein mächtiges
Reich, das Maurja-Reich, errichteten.

Dies geschah in den gleichen Jahrhunderten, in
denen weit im Westen die Macht der Perser em,
porstieg, Ninive unterging und Babylon (im
Jahre 538 v. Chr.) König Kyros von Persien seine
Tore öffnete. Wenig später erschien Kyros an der
Nordwestküste Indiens und eroberte das Pan,
dschab. Er ritzte nur den Leib des vielgesichtigen
indischen Riesen. Doch er schlug eine erste, durch
schriftliche Dokumente belegte Brücke zwischen
Indien und Griechenland. Inder dienten im persi,
schen Heer, das später gegen Griechenland kämpfte.

Indische Kaufleute und Reisende gelangten über Persien ins Mittelmeer und
erweckten bei den Griechen die Neugier nach der unbekannten indischen
Welt, eine Neugier, die Alexander den Großen im Jahre 326 v. Chr. zu
seinem ehrgeizigen Feldzug anspornte. War es von ungefähr, daß in dem
berühmten Werk des Griechen Platon (428–347 v. Chr.) Hinweise auf das
«Karma» und die «Wiedergeburt» erschienen? War es ein Zufall, daß
Platons Idealstaat mit den drei Klassen der Krieger, der Weisen und der
Arbeiter an die Hauptkasten des frühen Indien erinnerte?

Tief im Inneren des indischen Riesen aber vollzogen sich zur gleichen Zeit
geistige und religiöse Revolutionen. Sie entstanden aus der Unzufriedenheit
mit der pessimistischen Weltordnung der Brahmanen, aus der es, wenn
überhaupt, nur durch die Vermittlung der Brahmanen und ihrer Götter
einen Ausweg geben konnte. Sie äußerte sich in antireligiösen Philosophien,
vor allem aber in dem Auftreten zweier Männer, die einen Weg aus dem
Elend der Welt suchten.

Wardhamana-Mahawira (540–468 v. Chr.), ein Angehöriger der Ksch a,
trija-Kaste, verkündete die Erlösung vom Elend der Welt und der Wieder,
geburten: nicht durch die Hilfe der Priester, sondern durch eine eigene
Lebenshaltung, vor allem durch den völligen Verzicht von Gewaltanwen,
dung gegenüber jedwedem Lebewesen.

Mahawira, der als Dschaina in die Geschichte Indiens einging, gewann
viele Anhänger, doch seine Lehre endete im Sektierertum. Sie war so ex,
trem, daß sie sogar das Bebauen des Landes untersagte, weil der Pflug des
Bauern Insekten und Würmer unter der Erde töte.

Gautama, genannt Buddha, das heißt «der Erwachte» (um 560 bis um 480 v. Chr.),
den das obige Höhlenbildnis bei einer Predigt an seine Jünger zeigt,
war selbst der Sohn eines Königs in Kapilawastu. Tief vom Elend der
Umwelt und des Volkes ergriffen, verließ er mit 29 Jahren seine Familie.
Er ließ allen Glanz der Hofwelt hinter sich, um einen Weg der Erlösung
zu finden. Nach jahrelangen Wanderungen fand er die Ursache für alle
Ungerechtigkeit und alles Leid in der Lebensgier und den selbstsüchtigen
Wünschen der Menschen. Er verharrte bei dem brahmanischen Gedanken
der Wiedergeburt. Aber als Weg zur Erlösung von der Kette der Wieder-
geburt in ein anderes leidvolles Leben verkündete er den «edlen achtfältigen
Pfad», ein Leben der Selbstbeherrschung und der guten Werke.
Buddhas Heilsweg, der keine Kastenunterschiede kannte und nicht in der
unverständlichen Sprache der Brahmanen verkündet wurde, sondern mit
Worten, die jedermann verstand, fand schnell eine wachsende Zahl von
Anhängern.

Als Alexander der Große im Jahre 326 v. Chr. nach siegreichen Kämpfen gegen
«indische Elefanten»

in das Industal eindrang, war das mehrhundertjährige Ringen zwischen der
brahmanischen Priesterreligion und dem Buddhismus in vollem Gange.
Indien war zerrissen und nach außen machtloser als je zuvor.

Nur die Weigerung der eigenen Armee, weiter zu marschieren, hinderte
Alexander daran, auch das Königreich Magadha zu erobern. 325 v. Chr.
verließ er Indien, entschlossen, das Indusgebiet zur Ostgrenze des gewal‚
tigen mittelmeerisch‚westasiatischen Reiches zu machen, von dem er
träumte. Drei Jahre später tötete ihn die Malaria in Babylon. Als sein
General Seleukos I., der den Ostteil des Riesenreiches erbte, nach Indien
zurückeilte, um das Pandschab wieder zu besetzen, kam er zu spät.

König Tschandragupta Maurja von Magadha hatte die Herrschaft an sich
gerissen. Beraten durch den Brahmanen Kautilja schuf er das gewaltige
Maurja‚Reich, das den größten Teil Indiens für 150 Jahre einigte.

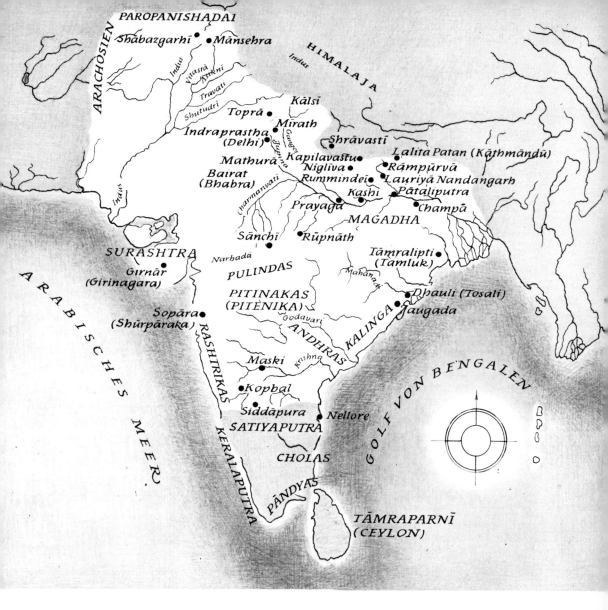

PAROPANISHADAI

Shâbazgarhî • • Mânsehra

ARACHOSIEN

HIMALAJA

Indus

Indus

Vitastâ
Askni

Travati

Shutudri

Kâlsî

Toprâ •

Mirath

Indraprastha
(Delhi)

Ganges

Jjemnâ

Shrâvastî

Mathurâ

Kapilavastu
Niglîva

Lalita Patan (Kâthmândû)

Bairat
(Bhabra)

Charmanvati

Rummindei

Râmpûrvâ
Lauriyâ Nandangarh

Kashî

Pâtaliputra

Prayâga

Champâ

MAGADHA

SURASHTRA

Narbadâ

Sânchî • Rûpnâth

Girnâr
(Girinagara)

PULINDAS

Mahanadi

Tâmralipti
(Tamluk)

ARABISCHES

PITINAKAS
(PITENIKA)

Godavari

KALINGA

Dhauli (Tosali)

Jaugada

Sopâra
(Shûrpâraka)

RASHTRIKAS

ANDHRAS

Maski

Krishna

GOLF VON BENGALEN

MEER.

Kopbal

KERALAPUTRA

Siddâpura • Nellore

SATIYAPUTRA

CHOLAS

PÂNDYAS

TÂMRAPARNÎ
(CEYLON)

So gewaltig war das Maurja-Reich mit seiner Hauptstadt Pataliputra,
so mächtig war es, daß Seleukos I. einen Gesandten am Hofe Tschandraguptas unterhielt, den Griechen Megasthenes. Dieser verfaßte die frühesten
schriftlichen Berichte über Indien, von denen die Nachwelt wenigstens in
Teilen Kenntnis erhielt. Es waren bewundernde Berichte. Pataliputra
wurde als gewaltige Stadt geschildert, von Gräben, Palisaden, Türmen und
Zugbrücken umgeben, mit breiten Straßen, vielstöckigen Holzhäusern,
Geschäften, Theatern, Spielplätzen, Sportbahnen, Versammlungsräumen
und einem mit Gold und Silber verzierten Königspalast inmitten eines
Parks voller künstlicher Seen und exotischer Tiere.

189

Die königliche Armee und eine zentrale Verwaltung für Geld, Steuern, Bergbau, Landwirtschaft, Handel und Schiffahrt sicherten den Bestand des Reiches. Handelsstraßen nach Norden, Westen und Süden wurden gebaut. Massenhaft wurden Schudras zwangsweise in unbevölkerten Landesteilen angesiedelt. Unter Tschandraguptas Nachfolger Bindusara kamen Gesandte aus Antiochia und Alexandria, um das Land zu sehen.

Unter König Aschoka (273–232 v. Chr.) erreichte das Maurja-Reich seine höchste Machtentfaltung. Dieser Herrscher eroberte das letzte unabhängige Königreich am Golf von Bengalen. Der Reichtum der Herrenschicht wurde so groß, daß (wie es in einem wahrscheinlich übertreibenden und doch bezeichnenden Bericht hieß) 100 000 Tiere für die Küche des königlichen Palastes getötet wurden. Die Kaste der Krieger und der Waischjas führte ein Leben in Luxus und Müßiggang. Hier in dieser Welt entstand als Vorschrift für gute Lebensart jenes Werk «Kamasutra», das später einmal dem Abendlande ein Beispiel indischer Unbefangenheit in Liebesdingen geben sollte.

Auf dem Höhepunkt seiner Macht, vielleicht von seinem Gewissen geplagt, bekehrte Aschoka sich zum Buddhismus und entsandte buddhistische Missionen nach Südindien und Ceylon und förderte Wissenschaften und Künste. Er trug entscheidend zur Blüte des Buddhismus in Indien bei, ohne aber die Macht der Brahmanen wirklich zu zerbrechen. Mit ihm allerdings überschritt das Maurja-Reich auch seinen Höhepunkt. Im Jahre 183 v. Chr. starb sein letzter König, von den eigenen Soldaten ermordet.

Indien fiel zurück in eine Welt sich bekämpfender Königreiche. Der Süden stand auf und eroberte Magadha. Könige der Kuschan, eines Nomadenstammes, der vor den Hunnen nach Nordwestindien auswich, einigten diesen Westen noch einmal unter ihrer starken Hand. Kanischka, ihr größter König (78–101 n. Chr., nach anderen Quellen 120–162 n. Chr.) versuchte sogar Buddhismus und Hinduismus zu einigen. Doch auch dieser letzte Kuschan-König erlag im dritten Jahrhundert n. Chr. einem Mordanschlag. Zum letztenmal einigten die Gupta-Könige Tschandragupta I. (um 320 n. Chr.) und Tschandragupta II. (380–415 n. Chr.) wenigstens das nördliche Indien. Als strenggläubige Hindus förderten sie den Sturz des Buddhismus, der fast vollständig aus Indien verschwand und das Brahmanentum als Sieger zurückließ. Skandagupta (455–480 n. Chr.) mußte Nordindien bereits gegen die weißen Hunnen verteidigen, mit deren Erscheinen sich der endgültige Untergang des alten Indien ankündigte.

Der langsame Niedergang dauerte zwar noch einige Jahrhunderte. Aber im Jahre 977 n. Chr. war die Fremdherrschaft unabwendbar geworden: Von Afghanistan aus brachen die Heerscharen des Islam mit unwiderstehlicher Gewalt über das Land herein.

v. Chr.

3. Jts.	Altindische Reiche im Indusgebiet und hinab bis um 509 um Cambay. Schwerpunkte Mohendscho-daro und Harappa
um 1500	wahrscheinlich Untergang der Indus-Städte
558–530	Kyros der Große, König von Persien
um 560– um 480	Gautama Buddha
um 540	Bimbisara von Magadha
um 540–468	Mahavira
um 490	Ajatashatru von Magadha
um 413	Nanda von Magadha
326–325	Einfall Alexanders des Großen
322	Tschandragupta Maurja
um 305	Seleukos I. Nikator dringt zum Indus vor
um 302	Megasthenes in Pataliputra
298	Tod oder Abdankung Tschandraguptas
273–232	Aschoka
183	Der letzte Maurja von seinem Oberbefehlshaber Puschjamitra, dem Gründer der Schunga-Dynastie, ermordet
um 180–160	Menander, König des Pandschab
171	Kharawela fällt in Magadha ein

n. Chr.

48	Kadphises I. Kuschan erobert Gandhara
um 120–162	Kanischka Kuschan
um 150	früheste überlieferte Sanskrit-Inschrift des Schaka-Königs Rudradaman I. in Junagarh
320–330	Tschandragupta I.
330–380	Samudragupta
380–415	Tschandragupta II.
405–411	Fa-hsien bereist das Gupta-Reich
530	Mihiragula wird von Jaschodharman besiegt
606–647	Harscha
608–642	Pulakesin II. Tschaulukja
630–645	Hsüan-tsang bereist Indien
710–712	Araberherrschaft in Sind
750	Gopala, erster König von Bengalen
760–973	Raschtrakuta-Dynastie
840–910	Mihira Bhoja und Mahendrapala I. in Kanauj
977	Beginn der Eroberung Indiens durch die Moslems

«Die hygienischen Anlagen, die man in den Ruinen Mohendscho-daros, Harappas oder Lothals fand, stellen alles in den Schatten, was auf diesem Gebiet in Ägypten oder Mesopotamien ausgegraben wurde.» So meinte im Jahre 1958 der Amerikaner Howard Bentley in seinem schon erwähnten Traktat über die Neubewertung der indischen Medizin.

Es gab schwerlich einen medizinisch interessierten Archäologen, der ihm nicht beigepflichtet hätte.

Am Nil und im Zweistromland waren in der Tat hygienische Einrichtungen das Privileg einzelner Paläste oder wohlhabender Häuser gewesen. In den wiederentdeckten Städten Altindiens dagegen bildeten sie den Gegenstand großer Planungen, welche die ganze Stadt umfaßten.

Aus Ziegeln gemauerte Abflußkanäle (links oben) durchzogen die Straßen Mohendscho-daros – nicht nur die Hauptstraßen, sondern auch die schmalen Gassen.

In Mohendscho-daro (links unten) fanden sich absolut neuzeitliche, aus Ton hergestellte Abwässer- und Wasserrohre, die unterirdisch verlegt worden waren.

Dieses Abwassersystem mündete in Hauptabflußkanäle mit falschen Gewölben aus Kragsteinen (unten).

Einen unbestreitbaren Glanzpunkt
bildete die große Badeanlage von Mohendscho-daro,
wie sie hier nach ihrer Ausgrabung (oben) und (rechts)
in einer Rekonstruktionszeichnung wiedergegeben ist.
Sir John Marshall äußerte darüber: «Diese mas-
sive Konstruktion kann schwer übertroffen werden. Das Schwimmbecken war wasserdicht.
Nach fünftausend Jahren ist es immer noch fast
intakt. Ein Abflußkanal und unterirdische Zu-
leitungen sorgten für Austausch des Wassers.
Dampfbäder und Kanäle, Brunnen, Umkleide-
räume und Ruhestätten, alles, was eine moderne
Badeanstalt hat, gab es hier in Mohendscho-daro
lange vor Beginn unserer Weltgeschichte...»
Kein Wunder, daß Howard Bentley angesichts
dieser Zeugnisse fortfuhr: «In den alten Kulturen

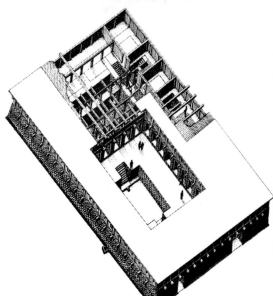

des Nil- und Zweistromlandes waren die hygienischen Anlagen und Verordnungen zeitlich mit der Entwicklung der Medizin verbunden. Welchen
für uns heute überraschenden Stand hatte die ägyptische Medizin erreicht,
obwohl die ägyptische Hygiene derjenigen des frühen Indien unterlegen
war. Muß sich nicht in Mohendscho-daro oder Harappa die Überzeugung
aufdrängen, daß auch in den Mauern dieser Städte Ärzte lebten, die den
ägyptischen oder mesopotamischen zumindest ebenbürtig waren? Aber die
Ruinenfelder, die sonst so viel erzählen, schweigen. Sie erzählen nichts über
die Medizin, die sich auch hier einmal entwickelt haben muß. Alle Zeugnisse scheinen vergangen, und trotzdem bleibt die Überzeugung, daß hier
Heilkundige – Priester oder nicht – arbeiteten, lange bevor die arischen
Hindus nach Indien einbrachen.»

Der «Atharwa-Weda» vermittelte der Nachwelt die ersten geschriebenen Hinweise auf medizinische Vorstellungen und medizinisches Handeln in Indien nach dem Einbruch der Arier oder «Hindus».

In religiöser Verbrämung steigen auch hier aus dem Dunkel indischer Vorzeit Krankheitsbilder empor, die erkennen lassen, woran die Arier und die von ihnen überwundenen Völker gelitten haben. «Oh, Gott des Feurigen, fühle mit uns und verschone uns, Takman. Ich huldige dem kalten Takman und dem verstandverwirrenden heißen, glühenden – gehuldigt sei dem Takman, der morgen wiederkehrt, der an zwei aufeinanderfolgenden Tagen und am dritten Tage kommt...» Es war nicht schwer, in dieser Huldigung an Takman, den Gott des Fiebers, die Beschreibung des Wechselfiebers zu erkennen. Wie am Nil, wie in Mesopotamien, hatte in der Tropenfeuchte der indischen Flußtäler die Malaria geherrscht, die noch Jahrtausende später ihre reiche Todesernte (1939 allein 1 400 000 Tote in Britisch-Indien) einbrachte.

Wie hier die Malaria, so konnte man aus anderen Texten die typischen Bilder der tropischen Dysenterie, des Typhus, der Cholera, der Pest, der Lepra und der Pocken herauslesen.

Diese Krankheiten waren die «großen Mörder», unter denen die Cholera noch Jahrtausende später, im Jahre 1939, allein in der britisch-indischen Provinz Madras 117 000, die Dysenterie in ganz Britisch-Indien 260 000 und die Pest von 1903–1921 10 Millionen Menschen tötete.

Damit nicht genug, übermittelte der Atharwa-Weda Beschreibungen, die eindringlich genug waren, um darin den Rheumatismus, die Gicht, epileptische Krämpfe, den Irrsinn, die Skrophulose, Eiterabszesse, Geschwülste, Augenentzündungen, Blindheit, Gelbsucht, Bronchitis, Neuralgien, Elephantiasis, Hautleiden, Kopfschmerzen und Harnverhaltungen zu erkennen.

Mit den drei Wörtern «Wasser im Bauch» wurde die Wassersucht beschrieben. Und man stellte nicht ohne Verwunderung fest, daß der Beobachtungsgabe der wedischen Priester oder Ärzte die Beziehung zwischen Wassersucht und Herzbeschwerden nicht entgangen war. Zugleich mit Brustschmerzen wurde nämlich auch von Gelenkschwellungen gesprochen.

Agni, der Gott des Feuers, gehörte zu den Götter-gestalten, welche in dem Atharwa-Weda bei Fieber-erkrankungen angerufen wurden.

So groß später bei einer Übertragung des west-lichen Sündenbegriffs auf die komplexen reli-giösen Vorstellungen Indiens die Gefahr von Trugschlüssen war, in den Weden der Arier trat der Gedanke der Sünde als Ursache der Krank-heit noch eindeutig hervor. Die Götter straften für Sünden durch Krankheit oder ließen, wie in Mesopotamien, Krankheitsdämonen freie Hand. Agni sandte das Fieber, der Sturmgott Rudra strafte durch schwere Schmerzen, die er mit Pfei-len in das Fleisch seiner Opfer schoß.

Als Hilfe für die Leidenden verordneten die Prie-ster der wedischen Zeit Hilfsgebete an die Götter, Opfer, Beschwörungen gegen die Krankheits-dämonen und Zaubersprüche.

Einer dieser medizinischen Zaubersprüche illu-striert möglicherweise die gemeinsame Abstam-mung der indischen Arier und der Germanen.

»So Beinrenkung, so Blutrenkung, so Gliedrenkung, Bein zu Bein, Blut zu Blut, Glied zu Gliedern, als ob sie geleimt seien...«

heißt es in dem Text der «Merseburger Hand-schrift» (unten). Mit diesem Spruch hatte in ger-manischer Vorzeit der Gott Wotan den verrenkten Fuß von Baldurs Fohlen besprochen und geheilt.

Unter den Beschwörungstexten der wedischen Priester aber befand sich folgender Zauberspruch: «Zusammen sei mit Mark dein Mark, zusammen sei mit Glied dein Glied. Zusammenwachse dein altes Fleisch, und auch der Knochen wachse dazu... so wachse dein Blut und auch das Bein, das Fleisch verwachse mit dem Fleisch...» Vergleiche lagen auf der Hand. Gleich indessen, ob solche Vergleiche zu Recht gezogen wurden oder zu Unrecht – groß ist die Zahl der um Heilung bittenden Götteranrufe, der Dämonenbeschwörungen und abergläubischen Riten, die in dem Atharwa-Weda gesammelt waren.

Das alles lag auf der Ebene der Magie, der wir auch in Ägypten und Mesopotamien begegnen. Und hier wie dort erhebt sich die Frage, ob hinter diesem magischen Gewirr nicht Spuren rationalen ärztlichen Handelns verborgen waren. «Du bist in den Bergen geboren als die heilkräftigste Pflanze, komm herab, oh Kuschta, zerstöre Takman, treibe Takman von hier weg... Schmerzen im Kopf, Entzündung des Auges, Schmerzen des Leibes, all das heilt die Kuschtapflanze.»

So hieß es in dem Atharwa-Weda, und an anderer Stelle war von einer Pflanze die Rede, die so stark und hilfreich wirkte, daß sie den Namen eines Gottes, des Gottes Soma, erhielt. Soma beseitigte Schmerzen, berauschte und steigerte die Lebenskräfte.

Hier gaben also die Weden in der Tat Hinweise auf die Ursprünge eines indischen Drogenschatzes, dessen reiche und weite Ausstrahlung schon in Ägypten sichtbar geworden war.

Aber sowenig die Pflanzen oder Blumenornamente auf dem (links) abgebildeten Gefäß und dem Tonscherben (darüber) aus Harappa durch die Nachwelt identifiziert werden konnten, so wenig gelang es Pharmakologen der Neuzeit, die Kuschta- und Somapflanze zu identifizieren. Es bleibt nur der Tatbestand, daß die Heilkundigen der wedischen Zeit praktische Drogenkenntnisse besaßen. Und bald lieferte eine genauere Untersuchung des Rig-Weda auch den ersten Beweis für die Existenz von Heilkundigen und für eine rationale ärztliche Arbeit.

Dieses Gemälde auf einer italo-griechischen Vase aus dem 2. Jahrhundert v. Chr. gilt als die erste bildliche Darstellung einer Beinprothese.

Es ist aber keineswegs die früheste historische Quelle für die Anwendung dieses später so unentbehrlichen Hilfsmittels.

Die früheste Quelle fand sich vielmehr im Rig-Weda. Dort war die Rede von «Weisen», welche die wandernden arischen Stämme mit «einer Tasche voller Heilkräuter» begleiteten. Sie versorgten die Verwundeten, zogen Pfeile und Speere aus ihren Körpern, entfernten verletzte Augen.

Sie verfertigten «künstliche Augen», heilten die Stümpfe verwundeter Glieder, verwandten dabei die Somapflanze zur Stillung der Schmerzen und verfertigten – so unglaublich es klingt – «künstliche Glieder», Prothesen.

Niemand kennt den Ursprung dieser ärztlichen Kunst. Sicherlich entwickelte sie sich aus den Notwendigkeiten eines wandernden und kämpfenden Volkes. Sie kannte die Bedeutung des Ausbrennens von Wunden und Schlangenbissen «mit der Fackel». Sie benutzte ein nicht näher beschriebenes Instrument, um bei Blasenleiden und Harnverhaltungen «den Urinfluß wieder zu öffnen, wie einen Damm vor einem See».

Anscheinend hatten sich die Heilkünstler den rauhen Sitten ihrer Stämme angepaßt und Selbstbewußtsein und Gewinnstreben entwickelt. «Der Zimmermann begehrt Holz», so hieß es, «der Priester Opfer und der Arzt Krankheiten...» An anderer Stelle war von einem Arzt die Rede, der als Bezahlung viele Rinder forderte.

Angesichts der Unklarheit über die medizinische Entwicklung, welche die arischen Eroberer am Indus vorfanden, läßt sich nicht ermessen, was sie hier im Zuge ihrer Seßhaftwerdung an vorhandenem ärztlichem Wissen übernahmen. Solange sich dies nicht klären läßt, darf man sie in jedem Fall als die Väter jener erstaunlichen chirurgischen Entwicklung ansehen, der wir später auf indischem Boden begegnen werden.

Im äußersten Nordwesten Indiens lag in der ersten Hälfte des 1. Jahrtausends v. Chr. die Stadt Taxila. Das Bild links zeigt Ausgrabungen der Stadt. Hier bemühen sich indische Archäologen um die Erschließung der verschiedenen Stadtgründungen, die im Verlauf von fast einem Jahrtausend an diesem Ort stattgefunden haben.

Die abendländischen Historiker kannten Taxila lange Zeit nur aus den Berichten des griechischen Geographen Strabo (64 v. Chr. bis 19. n. Chr.) und des griechischen Schriftstellers Flavius Arrianos (um 130 n. Chr.). Beide stützten sich auf Quellen, die nach dem Alexanderzug entstanden waren, aber leider verlorengegangen sind. Arrianos kam zu dem Ergebnis: «Eine große und blühende Stadt.» In der indischen Überlieferung aber war Taxila schon lange vorher mehr gewesen als eine blühende Stadt – ein großes geistiges Zentrum, eine frühe «Universität», zu der die Lernbegierigen von weither strömten. Im Mittelpunkt der Lehrtätigkeit hatte die «Weisheit vom Leben», die Medizin, gestanden. Und der größte Weise und bedeutendste Lehrer der Medizin hieß Atraja und lebte und wirkte im 8. oder 7. Jahrhundert v. Chr. in Taxila. Er wurde zu einem der Urväter der indischen Lehrbücher der Medizin.

Tscharaka-Samhita (Tscharaka-Sammlung) nannte sich dieses erste, schriftlich niedergelegte medizinische Werk Indiens, das der Nachwelt überliefert worden ist. Die Abbildung unten zeigt einen Teil aus einer Abschrift.

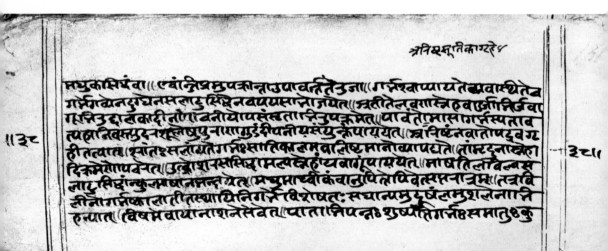

Die Bezeichnung leitete sich von dem Namen eines altindischen Arztes Tscharaka her, der die lange Zeit mündlich weitergegebenen Texte niederschrieb oder niederschreiben ließ.

Nach ihrer Entdeckung stritten die Sprachforscher und Medizinhistoriker jahrzehntelang darüber, zu welcher Zeit die Tscharaka-Samhita entstanden sei. Ihre Datierungen reichten von 1000 v. Chr. bis zum Jahr 1000 nach Beginn unserer Zeitrechnung. Die vom Gedanken an die Wiedergeburt indischer staatlicher Selbständigkeit beflügelten indischen Historiker neigten zu einer besonders weit zurückliegenden Datierung, um die frühe Eigenständigkeit der indischen Medizingeschichte zu unterstreichen. Bei den älteren Medizinhistorikern Europas aber war die Vorstellung von der griechischen «Urschöpfung allen medizinischen Denkens» so fest verankert, daß sie der Datierung eines indischen medizinischen Werkes vor die Blütezeit der griechischen Medizin, also vor das 4. Jahrhundert v. Chr., widersprechen mußten.

Der Sanskritforscher Sylvain Levi identifizierte Tscharaka schließlich mit einem Hofarzt des Königs Kanischka (78–101 n. Chr., auch 120–162 n. Chr.). Wenn Kanischkas Hofarzt wirklich der früheste bekannte Aufzeichner der Sammlung war, dann besagte das jedoch noch nichts über deren tatsächliches Alter.

Die ganze Art ihrer Abfassung verriet, wie sehr sie aus der schriftlosen Zeit des frühen Indien stammte und zum Auswendiglernen, das heißt zur mündlichen Weitergabe, geschaffen worden war. Tscharaka selbst berichtet eine lange Vorgeschichte. Sie beginnt, ähnlich wie die Vorgeschichte ägyptischer Papyri, mit Hinweisen auf den göttlichen Ursprung der Schrift. Brahma, Weltgeist oder Verkörperung des Weltgeistes, hatte die medizinischen Weisheiten der Sammlung in frühester Zeit einem mystischen Weisen namens Atri vermittelt. Dieser gab sie weiter. Sie überdauerte Generation um Generation, und im Laufe von Jahrhunderten gelangte sie zu Atraja von Taxila.

Atraja – so fuhr Tscharaka fort – war der erste Arzt. Er hinterließ seinen Schülern Agniwesa Bhela, Dschaturkarna, Parasarar, Harati, Uscharapani ein umfangreiches Erbe: die Atharwa-Samhita, die vor allem durch Agniwesa ergänzt worden war. Die Werke anderer Schüler und Nachfolger sind verlorengegangen, und was Tscharaka gesammelt hatte, bildete eine Mischung aus den Lehren Atrajas und der Hinterlassenschaft Agniwesas, in der Atraja immer wieder als Lehrer auftritt und Diskussionen zwischen ihm und anderen Ärzten protokolliert werden: Alles in allem eine ungeheure Aneinanderreihung einzelner Lektionen, die jeweils mit einer Zusammenfassung in Versen (als Hilfsmittel für das ursprüngliche Auswendiglernen) enden.

Benares am Ganges,

die heilige Stadt der Brahmanen, die im Gegensatz zu Taxila nicht im wechselvollen Strom der indischen Frühgeschichte unterging, sondern bis in die Neuzeit weiterlebte, erscheint in der altindischen Überlieferung als zweites Zentrum der Wissenschaft. Auch Benares besaß eine medizinische Schule. Und was für Taxila Atraja bedeutete, das war für Benares ein anderer, für die Geschichte der frühen indischen Medizin wahrscheinlich noch bedeutsamerer Name: Susruta.

Der genannten Überlieferung zufolge lebte Susruta in Benares zur gleichen Zeit, in der Atraja seine Schüler im fernen Nordwesten um sich versammelte.

Susruta erwähnte Atraja in seinen Lehren. Er berief sich aber auch auf ein medizinisches Werk, Ajur-Weda, das schon in der wedischen Zeit existiert haben muß und für die Nachwelt verlorengegangen ist. Viele seiner Lehren führte er auf diese alte Sammlung zurück. Er selbst aber hinterließ eine große Sammlung medizinischer Lehren von – wie sich bald zeigen sollte – revolutionärem Charakter.

Susruta-Samhita

(Susruta-Sammlung), so wurde das zweite große Lehrbuch der altindischen Medizin, das in Gestalt vieler Abschriften und Bearbeitungen erhalten blieb, nach dem Meister von Benares genannt. Auch hier entbrannte unter den Sprachgelehrten und Medizinhistorikern eine lange Auseinandersetzung um die Entstehungszeit dieses Werkes.

Dieser Meinungsstreit mußte um so heftiger sein, als sich die Susruta-Samhita trotz aller mythologisch-magischen Überlagerung, trotz wirrer Rezepte, endloser Wiederholungen, Weitschweifigkeiten und Fehler als ein ungewöhnlicher Spiegel rationaler ärztlicher Erfahrung und insbesondere chirurgischer Schöpfungskraft erwies.

Gerade letztere war für die Frage, ob die indische Medizin nicht z. B. einfach ein Ableger der griechischen sei, von besonderer Bedeutung. Die griechische Medizin, einschließlich der hippokratischen, hatte auf chirurgischem Gebiet nichts hervorgebracht, das auch nur im geringsten mit den frappierenden Ideen und Leistungen hätte verglichen werden können, die in der Susruta-Samhita ans Licht traten.

Im Falle der Tscharaka-Samhita konnte man vorbringen, die Ursprünge dieser Sammlung seien zwar sehr alt, aber das schließe nicht aus, daß die für die Neuzeit oft frappierenden Stellen erst durch spätere Bearbeiter eingefügt worden seien, nachdem diese durch den Alexanderzug Bekanntschaft mit der griechischen Medizin gemacht hätten. Dem war von indischer Seite entgegengehalten worden, daß Alexander der Große sich nach der Berührung mit Indien indischer Ärzte bedient habe, was nicht dafür spreche, daß die griechischen Ärzte den Indern viel zu sagen gehabt hätten. Trotzdem ließ sich die Möglichkeit späterer. Einfügungen nicht einfach leugnen.

Was aber die chirurgischen Lehren der Susruta-Samhita anbetrifft, so gab es in der griechischen Medizin nichts, was an deren Stelle hätte gesetzt werden können – ja, in vielen Fällen gab es bis ins europäische Mittelalter hinein nichts, was diesen Taten und Ideen entsprach.

201

Eine Datierung der schriftlichen Anfänge dieses Werkes schon in die erste Hälfte des ersten Jahrtausends v. Chr. und der mündlich festgehaltenen ins zweite Jahrtausend v. Chr. mußte das traditionelle Bild vom «Erstrecht» der griechischen Medizin noch viel stärker gefährden als die Tscharaka-Samhita. Man darf sich also nicht darüber wundern, daß abendländische Forscher behaupteten, die Susruta-Sammlung sei erst zur Zeit des späten europäischen Mittelalters, etwa um 1400 n. Chr., entstanden. Solche Ansichten freilich wurden widerlegt, als im Jahre 1890 der britische Oberleutnant Bower ein in Turkistan gefundenes buddhistisches Manuskript medizinischen Inhalts erwarb, das spätestens aus der Zeit um 400 n. Chr. stammte. In diesem Manuskript wurde Susruta erwähnt. Sein Wirken mußte also in jedem Fall vor diesem Zeitpunkt gelegen haben.

Die Widerstände gegen eine zeitliche Festsetzung Susrutas vor der Blütezeit der griechischen Medizin führten zu grotesken Erscheinungen. Der deutsche Medizinhistoriker Johann Hermann Baas schreckte nicht vor der Erklärung zurück, Susruta sei niemand anderer als der Grieche Hippokrates, dessen Name in den indischen Texten mit Sokrates verwechselt und als Susruta wiedergegeben worden sei. Wenn als Susrutas Geburtsort Kasi (Bezeichnung für Benares) genannt werde, so bedeute das eine entstellte Wiedergabe des Namens der griechischen Insel Kos, auf der Hippokrates geboren wurde. Die Auseinandersetzungen führten zu einem Kompromiß: die Susruta-Sammlung sei zwischen 800 v. Chr. und 400 n. Chr. aufgezeichnet worden. Die indischen Interpreten hatten von vornherein die erste Hälfte des 1. Jahrtausends v. Chr. als Entstehungszeit der Niederschrift angenommen, die Entstehung der Anfänge und ihre mündliche Überlieferung aber sehr viel früher in der wedischen oder vorwedischen Zeit angesetzt. Ihr Standpunkt gewann angesichts der vielen Fälle von zu später Datierung frühgeschichtlicher Entwicklungen (nicht zuletzt bei den frühen Kulturen Mittel- und Südamerikas) und unter dem Eindruck der Entdeckung der frühen Induskultur mehr und mehr an Überzeugungskraft.

Die Tscharaka-Samhita wäre kein Werk der Frühzeit gewesen, hätte sie nicht auch die Fülle des Götter- und Dämonenglaubens, welche die Weden auszeichnete, in sich aufgenommen und dazu viele religiöse und philosophische Elemente des Brahmanentums.

Die Erforscher der Sammlung sahen sich einer schwer verständlichen Wirrnis von Glaubensthesen und Gedanken gegenüber. Aber bald trat auch aus dieser Wirrnis eine Fülle medizinischer Diagnosen, Rezepte, Instrumentenbeschreibungen und Behandlungsanweisungen hervor.

In der «Susruta-Samhita» fand sich eine Vorlesung über anatomische Studien an menschlichen Leichen.

«Für diese Zwecke», hieß es hier, «muß man einen vollständig erhaltenen

Körper verwenden. Es sollte der Körper eines Menschen sein, der nicht sehr alt ist und nicht durch Gift oder schwere Krankheit starb. Nachdem man die Eingeweide gesäubert hat, muß der Körper in Bast, Gras oder Hanf eingewickelt und in einen Käfig gelegt werden (zum Schutz gegen Tiere). Nachdem man diesen an einer sorgfältig versteckten Stelle in einen Fluß mit nicht zu starker Strömung versenkt hat, soll man die Leiche erweichen lassen. Nach sieben Tagen wird der Körper wieder aus dem Wasser genommen und mit einer Bürste aus Graswurzeln, Haar und Bambus schichtweise abgebürstet. Dabei kann das Auge jeden großen oder kleinen, äußeren oder inneren Teil des Körpers, beginnend mit der Haut, beobachten, während er durch Abbürsten freigelegt wird.»

Sicherlich war das die älteste Anleitung zur anatomischen Sektion am Menschen, welche die Geschichte kennt. War sie das Ergebnis frühen Wissensdranges einzelner Persönlichkeiten? War sie ein Ausbruch ärztlichen Wissenwollens, der weder den Ekel noch die religiösen Verbote der Brahmanen fürchtete? Waren solche Untersuchungen nur insgeheim durchgeführt worden, an «versteckter Stelle», so wie zwei Jahrtausende später die Anatomen des Mittelalters und der frühen Renaissance in sorgfältiger Verborgenheit ihre ersten anatomischen Studien an Leichen durchführten. War diese merkwürdige Art der Leichenöffnung auf der anderen Seite doch durch die Scheu bestimmt, ein Messer zu verwenden? Hatten vielleicht wissensdurstige Herrscher Pate gestanden? Auf alle diese Fragen wird es niemals eine Antwort geben.

Das Ergebnis solcher anatomischer Studien mußte natürlich unvollkommen bleiben. So beließen es die anatomischen Texte der Tscharaka-Samhita bei der oberflächlichen Aufzählung von 300 Knochen, 500 Muskeln, 210 Gelenken, 70 Kanälen (Blutadern), die der Mensch besitzen sollte. Die Vorstellungen über die Physiologie des Menschen, die daran anknüpften, konnten nichts anderes als irrig sein.

Entscheidend aber blieb schließlich, daß versucht wurde, das Problem nicht mit Glauben und Aberglauben, sondern durch den forschenden Verstand zu lösen.

Die Männer, die im Laufe vieler Jahrhunderte die Tscharaka-Samhita zusammentrugen und weitergaben, nahmen an, daß sich im Menschen ein System von Kanälen befinde. Es begann am Nabel, durchdrang alle Teile des Körpers und transportierte Säfte verschiedener Art. Man nannte diese Säfte Rasos. Unter ihnen befand sich auch das Blut. Das Herz war ein Kraftzentrum, das besonders feurige Säfte, Ojas, hinzufügte und durch den Körper trieb. Entscheidend war jedoch das Wirken von Elementen, die «Winde» genannt und durch den Atem aufgenommen wurden. Es gab fünf Winde. Der erste trieb die Speisen hinab in den Leib. Der zweite erzeugte die Sprache. Der dritte entfachte ein Feuer und kochte darauf die Speisen. Der vierte trieb Kot und Harn, aber auch den Samen und bei den Frauen die Kinder aus dem Körper. Der fünfte bewirkte die Bewegung der Glieder. Durch das Kochen der Speisen entstanden die Grundstoffe, aus denen der Körper bestand: Säfte, Fleisch, Fett, Knochen, Mark, Blut und Samen. Versagte der Mechanismus der Winde, dann gewannen bestimmte Säfte, Dosas genannt, die Oberhand: Galle, Schleim und eine zerstörende Abart von Wind. Sie machten den Menschen krank.

Wahrscheinlich war der «Wind», der die Funktionen des menschlichen Körpers antrieb, nichts anderes als jener Weltgeist Brahma, der nach der Vorstellung der brahmanischen Priester die materielle Welt im ewigen Wechsel von Geburt, Tod und Wiedergeburt am Leben erhielt. Hier zeigt sich wieder der Einfluß der religiösen Weltvorstellung der Brahmanen auch auf die Versuche unabhängigen ärztlichen Denkens. Aber dicht daneben steht rationale Beobachtung, die z. B. das Eindringen des «Weltodems», des Windes, in den Menschen prüft.

Die Tscharaka-Samhita berichtete, der Mensch mache 22 636 Atemzüge am Tage, 16 Atemzüge pro Minute, eine Beobachtung, die sich nicht weit von den Ergebnissen neuzeitlicher Untersuchungen entfernt.

Jeder, der die frühe Datierung der indischen medizinischen Sammlungen anerkannte, sah sich der Tatsache gegenüber, daß in der griechischen Medizin zu ihrer Blütezeit um das 4. Jahrhundert v. Chr. die Ideen vom Wert der Luft (Pneuma) für Gesundheit und Krankheit eine große Rolle spielten, obwohl wir in Griechenland nirgends einen Hinweis auf anatomische Bemühungen finden. Was für die Lehre von der Luft galt, galt noch stärker für die Lehre von den Säften.

Es gab griechische Parallelen zu der Krankenbehandlung, die sich für die altindischen Ärzte aus ihrer spekulativen Krankheitsvorstellung ergeben hatte. Bekannt war die Anwendung von kühlenden Mitteln gegen ein Überwiegen der als «hitzig» geltenden Galle oder von erwärmenden Mitteln gegen den kühlenden, krankmachenden Wind.

Wie die ägyptischen Papyri, so zeigten auch Tscharaka-Samhita und Susruta-Samhita, daß die altindischen Ärzte im Laufe einer langen Entwicklung praktische Beobachtungen und Diagnosen über eine allzu schematische Krankheitslehre stellten. Die Tscharaka-Samhita berichtet über mindestens 14 verschiedene Bauchgeschwülste, 12 Arten von Wurmkrankheiten, 8 Arten von Gelbsucht, 20 Arten von Ohrenleiden, 65 Arten von Mundinfektionen, 31 verschiedene Nasenerkrankungen. Darin prägt sich mehr und mehr ein förmlicher Rausch des Beobachtenwollens mit allen zu Gebote stehenden Mitteln aus, um durch möglichst vielgestaltige Diagnosen Ruhm zu ernten.

Es hieß: «Man fühle den Puls.» Man sprach von einem «schwachen Puls», einem «kriechenden Puls». Der Satz «Mit dem Ohr kann man die Geräusche des Windes in den Kanälen hören...» ließ darauf schließen, daß man den Körper abhorchte. Die Beobachtung der Zunge, der Haut und der Ausscheidungen führte zu Beschreibungen zahlloser Symptome. Die Tscharaka-Samhita enthielt die Beschreibung der Symptome der Zuckerkrankheit. Sie sprach von einem Gefühl der Süße im Mund, von Brennen an Händen und Füßen und von einer Urinausscheidung, die so süß war, daß sie die Ameisen anlockte. Und sie stellte (für ihre Zeit zu Recht) fest, daß dieses Leiden unheilbar sei.

Mit der anwachsenden Zahl der Beobachtungen und Krankheitsbeschreibungen, die das zu einfache Bild der Krankheitslehre sprengten, wuchs auch die Menge der aus der Erfahrung entstandenen Heilmittel und Rezepte.

Rauwolfia serpentina (rechts),
so nennt die Heilmittelkunde eine indische Pflanze, deren verschiedene Alkaloide sich seit der Mitte des 20. Jahrhunderts als souveräne blutdrucksenkende und beruhigende Mittel den pharmazeutischen Weltmarkt eroberten. Doch kaum jemand weiß, daß der deutsche Arzt und Botaniker Dr. Leonhard Rauwolf, der im Jahre 1558 als erster Mediziner der Neuzeit auf die Droge aufmerksam machte, nicht ihr Entdecker, sondern nur ihr Wiederentdecker war.

Er fand ihre Beschreibung unter den nicht weniger als 500 pflanzlichen Drogen in der Tscharaka-Samhita. «Mond» nannten die altindischen Ärzte diese Pflanze, weil ihre Frucht eine halbmondförmige Gestalt besaß.

Sie verwendeten sie gegen schmerzhafte Koliken, Kopfschmerzen und als Mittel gegen die Angst. Die volkstümliche indische Überlieferung gab ihr den Namen: «Arznei der traurigen Menschen». Wie nahe kam das den neuzeitlichen Entdeckungen über die beruhigende, dämpfende Wirkung dieser Droge!

Die Rauwolfia aber war nur *ein* Mittel in der außergewöhnlichen Drogensammlung der Tscharaka-Samhita, die sogar noch übertraf, was im fernen Ägypten an Drogen oder sonstigen Heilmitteln zusammengetragen worden war. Viele begegneten uns bereits am Nil als Einfuhren aus Indien. Bei Dioskurides Pedanios von Anazarba aus Kilikien, einem griechischen Arzt, der um die Mitte des 1. Jahrhunderts n. Chr. ein fünfbändiges Werk über die «Arzneistoffe» schrieb, das bis ins 16. und 17. Jahrhundert im gesamten Abendlande als vorbildlich galt, läßt sich überhaupt nicht abschätzen, wieviel er indischen Quellen, indischen Erfahrungen und indischen Überlieferungen verdankt, die seit der Mitte des 1. Jahrtausend v. Chr. auf den verschiedensten Wegen in den Mittelmeerraum gelangt waren.

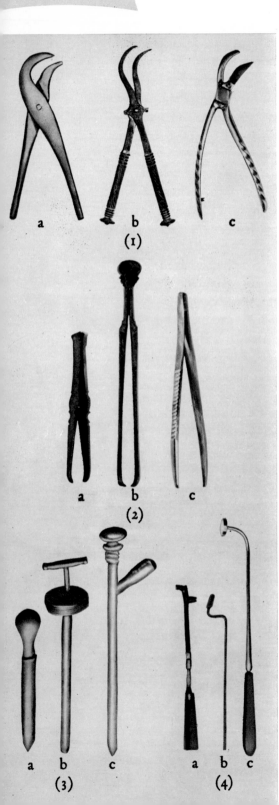

a   b   c
(1)

a   b   c
(2)

a   b   c   a   b   c
(3)   (4)

Während der Boden des Nillandes wenigstens einige Statuen und Bilder ägyptischer Ärzte aufbewahrte, überliefert kein Stein und kein Grab Altindiens eine Abbildung eines seiner Ärzte. Verschiedene, im 18. Jahrhundert entstandene Bilder wurden in der «Geschichte der Medizin» gelegentlich als Porträts Susrutas gedeutet – nachempfundene Darstellungen indischer Künstler, die aus der Kolonialzeit ihres Landes in eine große Vergangenheit zurückblickten. Diese Deutungen aber beruhten auf Irrtümern. Es gibt in Wirklichkeit kein Bildnis dieses Mannes. «Die Chirurgie», so hieß es in der Susruta-Samhita, «ist die erste und höchste Abteilung der heilenden Kunst, am wenigsten anfällig für Betrug, durchsichtig in sich selbst, voller Beweglichkeit in ihrer Anwendung, das würdige Produkt des Himmels, die sichere Quelle des Ansehens auf Erden...»

Die unvergleichliche Vielzahl der indischen chirurgischen Instrumente, die aus dem 1. Jahrtausend n. Chr. überliefert wurde, deren Entwicklung aber viel weiter zurückreichte, ließ von Anfang an auf eine außergewöhnlich Entwicklung der Chirurgie im frühen Indien schließen. Unvergleichlich wie ihre Zahl war auch der hohe praktische Sinn, der sich in der Formgebung dieser Instrumente ausdrückte. Das wird hier in der Gegenüberstellung frühindischer Instrumente (a) mit römischen (b) und neuzeitlichen (c) besonders deutlich. Ganze Epochen der Weltgeschichte liegen zwischen altindischen und modernen Knochenzangen in der Gegenüberstellung (1) oder den Pinzetten, Trocars und Glüheisen der Gegenüberstellungen (2), (3) und (4). Aber die neuzeitlichen Formen sind bereits in den alten Instrumenten vorgezeichnet. Zwanzig scharfe und 101 stumpfe Instrumente werden in der Susruta-Sammlung beschrieben; aber nicht nur das, sondern auch bereits besondere Tische für die Vornahme «großer Operationen».

206

Schon Historiker, die sich mit der Operation des grauen Stars in Babylonien beschäftigten, hatten die Frage gestellt, ob die Methode dieser Operation nicht – wie so viele Drogen auch – aus Indien ins Zweistromland gekommen sei.

Zu den vielen erstaunlichen Stellen, welche sich in der Susruta-Sammlung fanden, gehört in der Tat die erste ausführliche Beschreibung der Staroperation, die wir kennen.

Sie lautet: «Bei mittlerer Temperatur, auf einem hellen Platz, am Vormittag, lasse sich der Arzt auf einer Bank, die so hoch wie sein Knie ist, gegenüber dem Patienten nieder, der sich gewaschen und gegessen hat und gebunden auf dem Boden sitzt.

Nachdem er mit dem Hauch seines Mundes das Auge des Kranken erwärmt, es mit dem Daumen gerieben und in der Pupille die gebildete Unreinigkeit erkannt hat, nehme er, während der Kranke auf seine Nase blickt und fest am Kopf gehalten wird, die Lanzette mit dem Zeigefinger, Mittelfinger und Daumen fest in die Hand und führe sie ein, in Richtung nach der Pupille hin, auf der Seite, eine halbe Fingerbreite vom Schwarzen und eine viertel Fingerbreite vom äußeren Augenwinkel, in dem er sie nach oben hin und her bewegt. Er durchbohre das linke Auge mit der rechten Hand, oder das rechte mit der linken. Hat er richtig gestochen, so gibt es ein Geräusch, und ein Wassertropfen tritt schmerzlos aus.

Den Kranken ermutigend, benetze er dann das Auge mit Frauenmilch, darauf ritze er mit der Spitze der Lanzette die Pupille, ohne weh zu tun. Sodann stoße er allmählich den ‹Schleim› nach der Nase zu, wo der Kranke ihn durch ‹Aufziehen› in die Nase beseitigen muß. Gleichviel, ob das Kranke fest oder beweglich ist, erhitze er das Auge von außen. Kann der Kranke die Gegenstände sehen, so ziehe der Arzt die Lanzette langsam heraus, lege eingefettete Baumwolle auf die Wunde und lasse den Kranken mit verbundenen Augen liegen.»

Einzelheiten der Übersetzung waren lange Zeit umstritten. Das Wort für Pupille konnte auch «Starhülle» oder «Hülle der getrübten Linse» bedeuten. Ebenso gab es Unklarheiten bei der Übersetzung des Wortes «Schleim» oder hinsichtlich des «Aufziehens in die Nase». Aber es bleibt dabei, daß hier in Indien die früheste ausführliche Darstellung der Staroperation durch Niederdrücken der getrübten Linse gegeben war.

Wenn diese Methode aber durch Ärzte, die gelegentlich indische Handelsschiffe oder Karawanen begleitet haben mochten, nach Mesopotamien gelangt war: wie früh mußte man dann die mündlich überlieferten Ursprünge dieser Kunst datieren, bevor sie in der Susruta-Sammlung ihren schriftlichen Niederschlag gefunden hatten? Die Hinweise auf den «Starstich», die in den Gesetzen des Babylonierkönigs Hammurabi gegeben worden waren, stammten aus der ersten Hälfte des zweiten Jahrtausends v. Chr.

Der Starstich bildete jedoch nur einen Teil der chirurgischen Pionierleistungen, die in der Susruta-Sammlung verzeichnet waren. In zwei weiteren Fällen gab es kaum Zweifel daran, daß die Methode, die ihnen zugrunde lag, als Geschenk des frühen Indien an die mittelmeerische und abendländische Medizin ihren Weg vom Osten nach dem Westen fand.

Longmate sc.

Fig. 1.   Fig. 4.   Fig. 2. & 3.

«Wiederherstellung einer verstümmelten Nase durch plastische Chirurgie» (wie sie hier in einer späteren indischen Zeichnung dargestellt wird), so hätte die Überschrift über ein Lehrkapitel der «Susruta» lauten müssen. Das Kapitel besagte im einzelnen: «Wenn die Nase eines Menschen (als Strafe) abgeschnitten oder (durch Krankheit) zerstört ist, nimmt der Arzt das Blatt einer Pflanze, das die Größe der zerstörten Teile besitzt. Er legt es auf die Wange des Kranken und schneidet aus dieser Wange ein Stück Haut von der gleichen Größe heraus (aber so, daß die Haut an einem Ende mit der Wange verbunden bleibt). Sodann frischt er die Ränder des Stumpfes der zerstörten Nase mit dem Messer auf, klappt das Stück Wangenhaut überall, aber vorsichtig darüber und näht es ringsum an. Danach legt er zwei dünne Röhrchen an Stelle der Nüstern in die Nase ein, um das Atmen zu erleichtern und zu verhindern, daß die aufgenähte Haut zusammenfällt. Nach alledem streut er Pulver von Sappanholz, Süßholzwurzel und Berberitze auf und bedeckt mit Baumwolle. Sobald die Haut angewachsen ist, durchtrennt er die Verbindung mit der Wange.»

Zu den bevorzugten Strafen der wedischen Zeit wie der Zeit der frühen indischen Königreiche hatte das Abschneiden von Nasen und Ohren gehört. Daraus war möglicherweise die Anregung erwachsen, das Verlorene durch ärztliche Kunst wieder zu ersetzen.

Mit dieser und ähnlichen Zeichnungen illustrierte der *italienische Professor der Chirurgie Caspare Tagliacozzi* aus Bologna in der zweiten Hälfte des 16. Jahrhunderts n. Chr. sein Buch «de cuttorum chirurgia». Es handelte von der Herstellung künstlicher Nasen aus der Haut des Oberarms. Rund 100 Jahre vorher, 1492, hatte ein Schriftstück des Bischofs Ranzano von Lucera in Italien über einen Wundarzt namens Ranca berichtet, der in Catania in Sizilien zerstörte Nasen aus der Wangenhaut ersetzte. Rancas Sohn Antonio ging dazu über, das Gesicht zu schonen. Er verwendete die Haut des Oberarms für die Operation, die trotz ihrer Schmerzhaftigkeit und trotz des Fehlens antiseptischer Mittel viel Erfolg hatte.

Es bestehen kaum Zweifel daran, daß diese Operationsmethode, die im europäischen Mittelalter förmlich aus dem Nichts, aus dem Dunkel der mittelalterlichen Medizin hervorbrach, ihre Wurzeln im frühen Indien hatte.

Dort war schließlich der Grundgedanke aller plastischen Chirurgie, der Gedanke des gestielten Lappens, geboren worden, der so lange mit dem Körperteil, dem er entnommen wurde, in Verbindung bleibt, bis er in dem neuen Körperteil, in den er verpflanzt wird, Wurzeln schlägt. Nirgendwo sonst, nirgendwo in der gesamten frühen und antiken Welt war davon die Rede.

Das hellste Licht fiel auf diesen Brückenschlag von der Frühzeit zur Neuzeit, als ein Pionier der modernen plastischen Chirurgie, der Engländer Carpue, im Jahre 1814 durch einen Zeitungsbericht aus Indien zur ersten Nasenplastik des 19. Jahrhunderts in Europa angeregt wurde. Branca und Tagliacozzi waren vergessen, aber der Bericht, der Carpue inspirierte, erzählte von einer indischen Methode zur Wiederherstellung von Nasen, wie sie von wandernden Heilkundigen in Dörfern des kolonialen Indien erfolgreich durchgeführt wurde – genauso, wie es die Susruta-Samhita Jahrtausende vorher beschrieb. Der Bericht macht nicht zuletzt deutlich, welche gewaltigen Zeiträume medizinische Praktiken in Indien zu überdauern vermochten, und man darf um so sicherer annehmen, daß die ältesten greifbaren Zeugnisse indischer Medizin auf noch älteren Traditionen fußen.

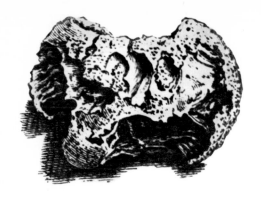

Der Blasenstein
(eine der qualvollsten und lange Zeit als tödlich be-
trachteten Heimsuchungen der Menschheit) stand im
Mittelpunkt eines anderen Kapitels der Susruta-Samhita.
Ohne jeden Zweifel war im frühen Indien der
Blasenstein – wie in allen tropischen Ländern –
infolge der hohen Flüssigkeitsverdunstung und
der Konzentration des Harns besonders häufig
gewesen. Während kleinere Steine die Harn-
organe, wenn auch unter entsetzlichen Schmerzen,
passieren konnten, blieben größere Konkremente
in der Blase zurück, nahmen hier durch Kristallisation an Umfang zu und verlegten den Blasen-
ausgang, bis der Kranke nach langen Qualen an
Harnvergiftung oder Blasenzerreißung starb.
Die Entdeckung der ersten ausführlichen Beschreibung der chirurgischen Entfernung des
Blasensteins bei Susruta gehört zu den bewegenden Dingen in der Erforschung der Geschichte der frühen Medizin.
Lange Zeit hatte sich die Entwicklung des sogenannten Blasensteinschnitts nur bis nach Griechenland und Rom zurückverfolgen lassen. In
dem sogenannten Hippokratischen Eid der Ärzte,
von dem noch die Rede sein wird, gab es eine
Stelle, nach der jeder, der diesen Eid sprach, sich
verpflichtete, die Operation des Blasensteins
«denjenigen zu überlassen, welche darin erfahren
waren». Sonst beschäftigte sich das gesamte griechische Schrifttum an keiner Stelle mit der Behandlung des Blasensteins. Später hatte der
Römer Celsus, der im ersten Jahrhundert n. Chr.
eine vielbändige Geschichte über die Medizin
schrieb, auf die Entfernung des Blasensteins «mit
dem Messer» hingewiesen.

Die frühesten uns bekannten bildlichen Darstellungen
des Steinschnitts (siehe links)
stammen aus dem europäischen Mittelalter, aus
dem 14. Jahrhundert, als wandernde Blasenstein-
schneider von Land zu Land zogen.

Giovanni de Romanis, Mario Santos sind Namen, mit denen sich für den Medizinhistoriker der Steinschnitt verknüpft. Aber wo haben diese Männer ihre Methode gelernt, wo ist diese Methode einstmals erfunden worden?

Jetzt gaben die wenigstens zweitausend Jahre älteren Texte der Susruta-Samhita eine genaue Beschreibung der Blasensteinchirurgie. Es hieß darin, der Chirurg habe den zweiten und dritten Finger seiner linken Hand, gut eingefettet und mit kurz geschnittenen Nägeln, in den After des Kranken einzuführen. Er müsse die Finger so hoch und kräftig hinaufschieben, bis er den Stein in der Blase ertasten könne, der wahrscheinlich durch Druck auf die Bauchdecke nach hinten und unten gepreßt würde. Dann habe er den Stein gegen das Rectum herabzudrücken und mit der rechten, messer-bewaffneten Hand durch das Pyreneum in Richtung auf den Stein einzu-schneiden. Durch den Schnitt war eine Zange einzuführen, der Stein zu erfassen und auszuziehen.

So verwegen und unglaubhaft dieser chirurgische Eingriff aus der Frühzeit zunächst erschien – die Erfahrungen aus der neueren Medizingeschichte ließen keinen Zweifel daran, daß er auf die geschilderte Weise durchgeführt worden war und auch erfolgreich hatte durchgeführt werden können.

Von den Tagen Atrajas und seiner Vorgänger führt eine direkte Linie über Griechenland und Rom zu den Steinschneidern des Mittelalters, ja weiter, bis zu den Chirurgen des 19. Jahrhunderts, die bis zur Entwicklung der unblutigen Steinzertrümmerung in der Blase und dem Aufkommen der Antisepsis nach der gleichen Methode arbeiteten, um Blasensteinkranke zu retten. Auch sie konnten auf nicht wenige Fälle verweisen, in denen ihre Operation gelang, obwohl sie nicht einmal eine Naht der Wunde vornah-men, sondern die natürliche Heilung abwarteten...

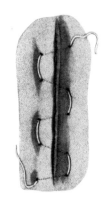

Chirurgische Nähte und Nadeln aus dem 19. Jahrhundert n. Chr. sind auf den Abbildungen oben und rechts zu sehen. Die Nähte und Nadeln, welche in den Susruta-Texten einige Tausend Jahre früher beschrieben wur-den, sahen nicht anders aus. «Gerade» und «gebogene Nadeln» aus Kno-chen und Bronze wurden verwendet. Als Nahtmaterialien dienten Hanf, Rindenfasern, Haare und Tiersehnen – letztere verwendete man auch zur Unterbindung von Blutgefäßen. Absolut ungewöhnlich aber erschien eine Methode für die Naht von Darmwunden, bei der die frühe indische Chirur-gie sich großer schwarzer bengalischer Ameisen bediente.

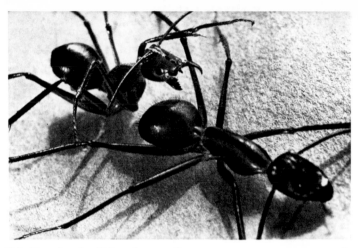

Die Ränder der Wunden mußten zusammengezogen werden, so hieß es...
dann wurden *schwarze Ameisen (siehe oben)* nebeneinander angesetzt, bis sich
ihre Zangen wie Klammern um die Wundränder verbissen hatten. «Wenn»,
so hieß es weiter, «die Wundränder von den Ameisen gebissen sind, werden
die Körper der Ameisen von ihren Köpfen getrennt, und ihre Zangen bleiben in den Eingeweiden zurück. Die Eingeweide werden (in die Bauchhöhle) zurückgelegt und der gemachte Einschnitt (in der Bauchdecke) mit
einer Nadel vernäht.»

Dieser Text ließ sich nicht anders deuten, als daß man bei Bauchwunden
mit inneren Verletzungen die Bauchdecke öffnete und die Darmwunden zu
schließen suchte. Man tat es nicht mit Hilfe von Nahtmaterial, das in Fäul-
nis übergegangen wäre und die Infektion gefördert hätte, sondern man bediente sich der zusammengekrampften Zangen der Ameisen, wobei die
Ameisensäure wahrscheinlich eine Art Antiseptikum lieferte. Offenbar ließ
man die Zangen dann im Leib zurück und vernähte die äußere Wunde.

Diese ungewöhnliche Methode mußte bei den Forschern der Neuzeit Skepsis hervorrufen. Sie wiesen darauf hin, daß von der griechisch-römischen
Zeit bis ins 19. Jahrhundert hinein Operationen in der Leibeshöhle wegen
der drohenden tödlichen Bauchfellentzündung so gut wie niemals gewagt
worden waren. Sie konnten andererseits jedoch auch nicht völlig leugnen,
daß in der indischen Methode abermals jenes geniale Erfindertum steckte,
welches die altindische Chirurgie in ihrer Zeit so beispiellos machte. Angesichts der erwiesenen späteren Erfolge mit Steinschnitt, Starstich und plasti-
scher Chirurgie vermochte niemand die Möglichkeit auszuschließen, daß
sogar manche dieser altindischen Eingriffe erfolgreich verlaufen waren.

Und noch einmal muß man bis in die Neuzeit gehen, um ein Bild zu finden,
das geeignet ist, die Lehrmethoden zu illustrieren, deren sich die altindischen
Chirurgen bedienten.

Das nebenstehende Bild zeigt eine Vorlage für chirurgische Nähte aus Nürnberg aus dem Jahre 1732 n. Chr. zur Unterrichtung junger Chirurgen. Einige Jahrtausende früher verwandten indische Chirurgen eine Vielzahl solcher Lehrmittel. «Der Meister», so hieß es in der Susruta-Samhita, «hat darauf zu achten, daß sein Schüler die Praxis der Chirurgie lernt, auch wenn er bereits die verschiedenen Sparten der allgemeinen medizinischen Wissenschaft studiert hat. Der Schüler muß alle Akte chirurgischer Operationen kennen... Ein Schüler, mag er noch so belesen sein, ist ungeeignet als Chirurg, wenn er die Praxis der Chirurgie nicht beherrscht. Derjenige, der nur seine Bücher kennt, wird verwirrt und ängstlich dastehen wie ein Feigling auf dem Schlachtfelde, wenn er der wirklichen Krankheit gegenübersteht...» So übten die Schüler die Kunst der Wundnaht an Tierhäuten oder Baumwollstreifen, Verbände oder das Abbinden verwundeter Glieder an Puppen von menschlicher Größe, die Eröffnung von Geschwülsten, Cysten oder wassersüchtigen Schwellungen an Tierblasen und Ledersäcken, die mit Getreideschleim oder Wasser gefüllt waren. Die chirurgische Schnittführung wurde an Wassermelonen, großen Gurken und später an Fleisch und Muskelteilen von Tieren gelehrt. Das Abbinden der Gefäße und den Aderlaß übte man an Lotosstengeln und danach an den Venen toter Tiere, das Sondieren und Ausstopfen von Wunden an von Holzwürmern durchsetztem Holz und Bambusrohr, das Ziehen von Zähnen an den Kiefern toter Tiere...

Der ärztlichen Hilfe bei der Geburt, so wie sie im Bild rechts auf einer Nadel aus Luristan (aus dem 1. Jahrtausend v. Chr.) plastisch dargestellt ist, galten viele Textstellen in der Susruta-Samhita; ebenso den Frauenleiden, der Empfängnis und der Schwangerschaft. Hier wie sonst trat aus dem Gestrüpp der mythologisch und magisch bestimmten falschen Vorstellungen richtig Beobachtetes hervor. Es paarte sich mit chirurgischen Aktionen, über die weder in Ägypten noch in Mesopotamien je berichtet worden war.

Die Vorstellungen über die Vorgänge bei der Empfängnis gingen freilich in die Irre. Man glaubte, daß sie durch die Vermischung des männlichen Samens mit dem Menstrualblut der Frau, das außerhalb der «unreinen Tage» im Innern des weiblichen Körpers auf den männlichen Samen wartete, zustande komme. Kaum klarer waren die Vorstellungen über die Gebärmutter. In der Bauchhöhle der Frau befand sich ein «Kindslager», in dem das Kind wuchs und später durch den «Wind» aus dem Leib der Mutter getrieben wurde.

In erstaunlichem Gegensatz dazu lieferten die die Geburtshilfe betreffenden Texte Susrutas die erste genaue Beschreibung des weiblichen Beckens. Sie gaben eine nicht weniger erstaunliche Darstellung der Entwicklung des Kindes im Mutterleib. Ihr zufolge begann im dritten Monat die Differenzierung des Körpers in Kopf und Glieder, im 4. die Entwicklung von Brust, Herz und Leib. Im 6. waren Haare, Nägel, Knochen, Sehnen und Kanäle (Gefäße) ausgebildet. Die Susruta-Sammlung kennt 8 anomale Lagen des Kindes, welche die Geburt erschweren oder unmöglich machen: darunter die Querlage, die Steißlage, den einfachen und den doppelten Armvorfall. Erst wenn das Kind trotz der Anwendung wehenfördernder Drogen starb, wurde versucht, mit der eingefetteten Hand die Lage des Kindes zu korrigieren und das Kind so schnell wie möglich «auszuziehen», um das Leben der Mutter zu retten.

Verschiedene seltsam geformte Haken und Zangen (siehe links) mußten dabei helfen. Für Fälle in denen die Mutter starb, beschrieb Susruta jenen Eingriff, der später als «Kaiserschnitt» seinen festen Platz in der geburtshilflichen Chirurgie bis in die Neuzeit behauptete. Schnell und ohne Zögern durchgeführt, wurde er von den frühen indischen Ärzten angewendet, um das Leben des Kindes zu erhalten.

Historiker, deren Vorstellung von der überaus wechselvollen, farbigen Geschichte Indiens allzusehr mit der Entwicklung der indischen Religion und Philosophie verkettet war, haben häufig die Frage gestellt, wie sich solche ärztlichen und chirurgischen Pionierleistungen inmitten einer Welt entwickeln konnten, «welche durch die absolut pessimistische, inaktive, duldende Religion des Hinduismus gekennzeichnet war».

Vereinfachend wiesen sie auf die «Auslieferung» des «indischen Menschen» nicht nur an die Kaste, sondern auch an die Schicksals- und Leidenskette der Seelenwanderung und Wiedergeburten hin. Wie war ärztliches aktives Handeln in einer Welt zu verstehen, die geradezu zum Leiden und Dulden erzogen wurde und der nur die Möglichkeit blieb, durch Gebete, Opfer, Götterkult und Selbstkasteiung die Anwartschaft auf ein besseres Schicksal in einem kommenden Leben zu erringen?

Gelegentlich suchte man eine geistesgeschichtliche Erklärung für die Leistungen der frühen indischen Ärzte in jenen Gegenbewegungen gegen das Brahmanentum, die im ersten Jahrtausend v. Chr. aufkamen. Man dachte an die Lokajatabewegung, welche die ganze Wiedergeburtslehre ablehnte und das Tun der Brahmanen als Betrug bezeichnete. Aber waren diese revolutionären Gedanken nicht zu kurzlebig gewesen und zu spät gekommen, als daß sie die frühe indische Medizin erklären könnten?

Und endeten alle anderen revolutionären Bestrebungen, die einen Weg aus der gnadenlosen, pessimistischen Welt des Hinduismus zu finden suchten, nicht abermals in mehr oder weniger weltabgewandten passiven Erlösungslehren oder Riten? Lehrte nicht Dschaina die Befreiung vom Leid der Welt durch absolute Askese bis zur Selbsttötung durch Hunger?

Zwar verkündete die oppositionelle Sankhja-Philosophie einen strikten Gegensatz zwischen Seele, Geist und der materiellen Welt. Sie mündete schließlich in eine Lehre, die dem Menschen die Möglichkeit zur Vereinigung mit der lichten Welt der überirdischen Seele oder des überirdischen Geistes geben sollte, indem er sich durch Atem- und Körperübungen aus den Bindungen an alles Irdische, alles Materielle löse.

Diese Übungslehre führt den Namen Joga.

Die typische Stellung des Jogi sehen wir auf diesem Siegel aus dem 3. Jahrtausend v. Chr.

Es wurde in Mohendscho-daro gefunden. Das Siegel ist ein Zeichen für das hohe Alter dieser wie auch so vieler anderer Entwicklungen im frühen Indien. Wollte man den Joga mit wenigen Worten schildern, so könnte man ihn vielleicht als das Bestreben charakterisieren, durch lang dauernde, sorgfältig durchdachte Übungen der Atmung wie des Körpers und durch Techniken der Entspannung und Konzentration alle Verbindungen des Übenden zur materiellen Umwelt und zu den eigenen Körperfunktionen weitgehend zu unterbrechen. Der Geist löst sich dabei mehr und mehr von der Verbindung mit seiner irdischen Hülle. Es entsteht ein Gefühl von Schwerelosigkeit, ein Gefühl der Vereinigung mit dem Weltgeist, dem Überirdischen. Zweifellos besteht dabei eine gedankliche Querverbindung zu jenem Element, das in den frühen physiologischen Vorstellungen der Ärzte den Namen «Wind» erhalten hatte. Nicht von ungefähr spielte schon bei den Uranfängen des Joga das richtige Atmen eine große Rolle.

Das Atmen beschleunigt die Vereinigung mit dem Weltgeist, den man nach der indischen Auffassung vielleicht auch Weltodem nennen könnte.

Es besteht kein Zweifel daran, daß die Jogalehre ein Erbteil Altindiens an die Medizin der Neuzeit ist. Berichte, die an der Schwelle der Neuzeit nach Europa kamen, erzählten von der unwahrscheinlichen Fähigkeit der Jogis, Schmerzempfindungen auszuschalten, ihre Herztätigkeit zu beeinflussen, das Körpergefühl so herabzusetzen, daß sie für längere Zeit ohne Nahrung, in völliger Versenkung leben, ja in eine Art Scheintod verfallen können.

Diese Erzählungen wirkten befruchtend auf jene Bestrebungen ein, die im 19. und 20. Jahrhundert unter den Bezeichnungen Suggestion, Hypnose, Selbstsuggestion Eingang in die abendländische Medizin, besonders die Neurologie gefunden hatten.

Sie befruchteten auch die Erforschung der Beziehungen zwischen Geist, Wille, Seele und Körper. Aber hierbei vergaß die Neuzeit, daß der Joga in Altindien keine medizinische Lehre gewesen war, sondern eine weltabgewandte Übung.

Mit Selbstkasteiung und Fasten bis an den Rand des Hungertodes hatte auch Buddha (Bild links) um das Jahr 535 v. Chr. nach einem Weg aus dem «universellen Leid» gesucht.

Seine Lehre von einem Leben der guten Werke als Weg zum «Nirwana» hatte zweifellos ihre

Wirkung auf die Krankenbehandlung der 2.Hälfte des 1.Jahrtausends v.Chr. Sie überwand wenigstens eine Zeitlang die Erbarmungslosigkeit der Kastenordnung und schuf mit der Idee von den guten Werken ein neues religiöses Element. Dies hatte zur Folge, daß indische Könige die ersten Hospitäler der Weltgeschichte schufen.

In der Nähe von Dschunagadh befindet sich dieser Felsblock, auf dem König Aschoka, der große Maurjaherrscher (273–232 v.Chr.), einige seiner berühmten Edikte einmeißeln ließ, darunter auch folgenden Text: «Überall errichtete der König Prijadarschin zwei Arten von Hospitälern, Hospitäler für Menschen und Hospitäler für Tiere. Wo es keine Heilpflanzen für Menschen und Tiere gab, befahl er, daß sie herbeigeschafft und angepflanzt würden.»
Andere Quellen berichten, daß bereits 427 v.Chr. auf Ceylon Hospitäler erbaut worden seien. Sicher war, daß auch König Duttha Gamani auf seinem Sterbebett im Jahre 151 v.Chr. den Befehl gab, die Liste seiner guten Taten zu verlesen. Zu diesen Taten gehörte die Gründung von 18 Hospitälern für die Armen. Der erste Hospitalgründer, den die abendländische Geschichte kennt, lebte erst ein halbes Jahrtausend später, von 330–379 n.Chr., Bischof Basilius der Große, in Caesarea.
Als der achtzigjährige Buddha um 483 v.Chr. in Kusinara starb (das sorgfältige Studium der Berichte über seine letzten Stunden läßt auf eine tödliche innere Blutung aus einem tiefsitzenden Zwölffingerdarmgeschwür schließen), hinterließ er auch unter den Ärzten viele Anhänger.

In seiner Umgebung hatten mehrere Ärzte gelebt, meistenteils selbst Söhne von Fürsten. Zu ihnen gehörte Kasjapu. Von ihm stammten 16 Pillen-rezepte gegen Kinderkrankheiten, die in dem weiter oben erwähnten Bower-Manuskript noch 800 Jahre später aufgezählt wurden. Auch dies war ein Zeichen für das Alter der überlieferten Quellen.

Ein anderer Arzt war Dschiwaka, über den berichtet wurde, daß er einen großen Teil seiner Einkünfte aus ärztlicher Tätigkeit regelmäßig dem Mei-ster übersandte, der ihn seine Kunst gelehrt hatte. Dschiwaka arbeitete im Umherwandern von Ort zu Ort, wurde aber später oberster Arzt am Hofe seines Vaters. Zu den feierlichen Zeremonien bei der Einführung in sein Amt gehörte es, daß der Hofarzt auf einem Elefanten vor den Palast ritt.

Faßte man zusammen, so mochte Buddhas Lehre die Hilfsbereitschaft gegen-über den Kranken geweckt haben; praktische ärztliche Pionierleistungen hatte sie nicht angeregt. Die Frage nach dem Ursprung blieb bestehen. Allerdings geben gerade buddhistische Schriften tiefe Einblicke in das wahre Gesicht der frühindischen Welt und damit wohl doch eine Antwort auf die obige Frage. Auch diese Welt war von Menschen gemacht. Könige und Fürsten, Mächtige und Reiche Indiens waren Menschen wie die Herr-schenden am Nil und im Zweistromland. Mochten auch die Massen oft in religiöser Dumpfheit dahinleben – die Herrschenden begehrten nicht nur nach Macht, sondern auch nach Gesundheit, Genuß und Befreiung von Schmerzen.

Sie kannten durchaus Glaubensinbrunst oder zumindest ein berechnendes, kluges Verhalten gegenüber den Göttern. Sie beteten und brachten Opfer ohne Zahl. Aber wo die religiösen Opfer nicht halfen, wo Orakel und Be-schwörung wirkungslos waren, verschmähten sie auch die irdische Hilfe nicht. Sie begehrten diese um so mehr, je größer ihre Intelligenz, ihr Wissen, ihr Wissensdurst oder ihre Macht waren. In zahlreichen Kriegen hatten die Mächtigen Indiens besonders der Wundärzte bedurft; so waren die Schlachtfelder der Boden, auf dem die Chirurgen in dieser Zeit wie auch in späteren Jahrtausenden entscheidende Erfahrungen sammelten. Die Jahr-hunderte der Konflikte und Rivalitäten, der Machtkämpfe und machiavel-listischen Intrigen zwischen Herrschern und Brahmanen, die mit Zeiten gegenseitigen Einverständnisses und gemeinsamer Machtentwicklung ab-wechselten, hatten ebenso wie die zeitweilige Entstehung reicher, genuß-süchtiger «Bürgerschichten» den Hintergrund abgegeben, vor dem sich sehr wohl unabhängige ärztliche Geister hatten entwickeln können. Auch sie waren Menschen ihrer Zeit, die den religiösen und philosophischen Ideen, Auseinandersetzungen und Traditionen verpflichtet blieben. Trotzdem hatten sie in lichten Stunden Neuland betreten, auf das ihnen oftmals erst wieder das europäische Mittelalter und die Neuzeit folgen sollten.

Wen konnte es verwundern, daß sich solche Männer ihrer Leistung und Bedeutung bewußt waren und ihrem Stand Gesetze schufen, in denen sich Standesstolz mit Standespflicht verband.

«Der Arzt», so hieß es, «der Patient, das Heilmittel und die Krankenpflegerin sind die vier Fundamente, von denen eine Heilung abhängt. Aber ohne den Arzt sind die anderen drei Fundamente wertlos..., so wie der Brahmane, der die Rig- und Sama-Wedas rezitiert, bei einem Ritual wertlos ist ohne den Brahmanen, der die Jagur-Weda rezitiert. Aber ein guter Arzt kann allein einen Kranken heilen, wie ein Seemann, der ein Boot ohne andere Seeleute allein an Land zu steuern vermag.»

An anderer Stelle standen die Vorschriften ärztlicher Ethik: «Widme dich ganz der Hilfe für den Kranken, sogar wenn dein eigenes Leben dabei verlorengeht. Schade dem Kranken nie, nicht einmal in Gedanken. Bemühe dich ständig, dein Wissen zu vervollkommnen. Behandle keine Frauen, außer in Gegenwart ihrer Männer. Der Arzt soll alle Regeln der guten Kleidung und des guten Benehmens beachten. Sobald er sich bei einem Kranken befindet, soll er sich in Wort und Gedanken mit nichts anderem befassen als mit dem Fall des Leidenden. Er darf über nichts von dem, was sich im Hause des Leidenden ereignet, außerhalb des Hauses sprechen. Er darf zu einem Kranken nicht von dessen möglichem Tod sprechen, wenn er damit dem Kranken oder jemand anderem schadet. Im Angesicht der Götter... sollst du diese Verpflichtung auf dich nehmen. Mögen alle Götter dir helfen, wenn du sie befolgst. Andernfalls mögen sie gegen dich sein. Schüler sollen hierzu sagen: So sei es.»

Die gleiche Gunst der Überlieferung, die von der Antike begeisterte Medizinhistoriker ein Vorzugsbild der altgriechischen Medizin zeichnen ließ, übermittelte der Nachwelt auch den Text eines griechischen ärztlichen Eides. Bis in die erste Hälfte des 20. Jahrhunderts hinein galt dieser «Hippokratische Eid» als beispielhafter Ausdruck ärztlicher Ethik. Die neueren Forschungen, die das Bild von Hippokrates auf seinen historischen Gehalt zurückführten, zerstörten auch die Vorstellung, daß der Hippokratische Eid von den Schülern des Hippokrates am Ende ihrer Lehrzeit geschworen worden sei. Sie ließen aber die Möglichkeit offen, daß der Eid zu irgendeiner Zeit während des letzten Jahrhunderts v. Chr. von Unbekannten entworfen worden ist, vielleicht aus Opposition gegen das skrupellose und gewinnsüchtige Bestreben von Ärzten.

Gleichviel: Einige der wichtigsten Absätze dieses Eides lauteten: «Ich schwöre bei Appollon dem Arzte und Asklepios und Hygieia und Panakeia und allen Göttern und Göttinnen als Zeugen, daß ich nach bestem Vermögen und Urteil diesen Eid und diese Verpflichtung erfüllen werde. Meine Verordnungen werde ich treffen zu Nutzen und Frommen der Kranken nach bestem Vermögen und Urteil, sie schützen vor allem, was ihnen Schaden und Unrecht zufügen könnte.

In welches Haus ich eintrete, eintreten will ich zu Nutzen und Frommen der Kranken, mich fernhalten von selbstverschuldetem Unrecht und jeder Schädigung, insbesondere von Werken der Wollust an den Leibern von Frauen und Männern, Freien und Sklaven.

Was ich bei der Behandlung sehe und höre oder außerhalb der Behandlung im Verkehr mit den Menschen, soweit man es nicht ausplaudern darf, werde ich verschweigen, da hier Schweigen Pflicht ist.

Wenn ich nun diesen meinen Eidspruch erfülle und nicht verletze, möge mir im Leben und in der Kunst Erfolg beschieden sein, Ruhm und An-sehen bei allen Menschen bis in fernste Zeiten – wenn ich ihn übertrete und meineidig werde, dessen Gegenteil.»

Es hält nicht schwer, die gedanklichen Parallelen zu dem Standeseid zu fin-den, den wir den altindischen Samhitas entnahmen. Eines Tages mag die Erforschung vieler noch unerschlossener indischer Quellen endgültig dar-über entscheiden, wer als erster diese ethischen Vorstellungen von der Arbeit des Arztes entwickelte, wer sie von wem entlehnte, und ob – wie wir glau-ben – Indien Griechenland voranging, oder Griechenland Indien.

'i'

oder die Ärzte des alten China

KAPITEL I

Die «chinesische» oder «große Mauer»
ist wahrscheinlich das einzige Faktum aus der Frühgeschichte Chinas, das
der abendländischen Welt wirklich vertraut wurde. Als Verteidi-
gungswerk gigantischer Art, 2200 km weit über Berg und Tal führend,
von 25 000 Wachtürmen gekrönt, wurde sie zum eindrucksvollsten Symbol
der chinesischen Geschichte.
Doch als der chinesische Kaiser Shih Huang Ti (221–210 v. Chr.) in
seinem Abwehrkampf gegen die Nomaden aus den Steppen im Norden
diese Mauer zu errichten begann, ging die Frühgeschichte Chinas in Wahrheit bereits ihrem Ende entgegen.

223

ZEITTAFEL

Zeitalter der Drei Urkaiser		Die Shang, oder	
Zeitalter der Fünf Herrscher	2852–2205 v. Chr.	Yin-Dynastie	1766*–1122 v. Chr.
Kaiser Yao		Die Chou-Dynastie	1122 – 221 v. Chr.
Kaiser Shun		Die Ch'in-Dynastie	221 – 206 v. Chr.
Die Hsia-Dynastie	2205–1766 v. Chr.*	*(Reich des Shih Huang Ti)*	
Kaiser Yü	2205–2198	Die Han-Dynastie	206 v. Chr.– 220 n. Chr.

* Die oben angeführten Daten sind die der überlieferten Chronologie. Man stimmt nunmehr allgemein in der Ansicht überein, daß die Unterwerfung der Shang durch die Chou in der zweiten Hälfte des 11. Jahrhunderts vor Chr. stattgefunden hat. Viele Gelehrte setzen das Ereignis (ebenso wie wir in diesem Buch) mit 1027 v. Chr. an. Die Daten, die in Geschichtswerken nach 841 v. Chr. angeführt werden, können als verbindlich angenommen werden.

1911 erschien in England das damals vielleicht bedeutsamste Buch über die Geschichte Chinas, «The Civilization of China from the earliest times». Es verwendete nur wenige Seiten auf die Entwicklung Chinas vor Beginn der abendländischen Zeitrechnung.

Sein Verfasser, Sinologe in Cambridge, lehnte es ab, die frühe chinesische historische Überlieferung und ihr wichtigstes, schon zwischen 145 bis 86 v. Chr. niedergelegtes Werk «Shih-chi» (Geschichtliche Denkwürdigkeiten) allzu ernst zu nehmen.

Die Chinesen selbst führten die Ursprünge ihrer Geschichte auf fünf Kaiser zurück: Shen-nung war der Erfinder des Pfluges und der Landwirtschaft; Huang-ti galt als der Erfinder von Wagen und Schiff, Bogen und Pfeil, Seidenraupenzucht, Musik und Schrift; Fu-hsi hieß der Begründer von Jagd und Fischfang; Yao und Shu waren die Begründer der Verwaltung und des Kalenders, und Kaiser Yü hatte schließlich die Überschwemmungen des Gelben Flusses gemeistert. Diese Herrscher sollen nach der chinesischen Überlieferung zwischen 2852 und 2205 v. Chr. gelebt haben. Der letzte von ihnen begründete die Hsia-Dynastie, die zwischen 2205 und 1766 v. Chr. über größere Teile Nordchinas herrschte. Ihr folgte die Shang-Dynastie von 1766 bis 1122 v. Chr. Sie wurde wiederum durch die Chou-Kaiser (1122–221 v. Chr.) abgelöst und diese schließlich durch den schon genannten Kaiser Shih Huang Ti, der ganz China unter seiner gewaltigen Herrschaft vereinigte. Nach ihm aber ergriffen die sogenannten Han-Kaiser die Herrschaft (206 v. Chr. bis 220 n. Chr.).

Vielleicht sah der Cambridger Sinologe in den ersten fünf Kaisern zu Recht legendäre Erfindungen jener frühen Gelehrten, die im ersten Jahrtausend v. Chr. ihre Werke über chinesische Geschichte geschrieben hatten. Aber er irrte gründlich, wenn er die Angaben über die Shang und Chou ähnlich geringschätzte. 1936, fünfundzwanzig Jahre nach dem genannten Werk, erschien das Buch «The Birth of China» von H. G. Creel. Es widmete allein der Schilderung der Shang-Zeit mehr als 200 Seiten. Inzwischen hatten sich die Dinge geändert: Die Archäologie hatte vieles, was die Chinesen über ihre Shang-Herrscher geschrieben hatten, bestätigt.

Der Boden von An-yang, der einstigen Hauptstadt der Shang-Könige, gab zu Tausenden Knochen aus dem 2. Jahrtausend v. Chr frei. Sie trugen Schriftzeichen, die sich im Prinzip nicht allzusehr von der chinesischen Schrift der späteren Zeit unterschieden. Die Shang hatten in diese Knochen Anfragen an die Götter eingeritzt. Sie frugen bei den Himmlischen nach dem Wetter, nach dem Kriegsglück, nach Schicksalsproblemen jeglicher Art. Alle diese Fragen gaben den Forschern wertvolle Hinweise auf die Geschichte der Shang.

鼎	示	田	就	祖	逆	天	

Je mehr Schriften dieser oben abgebildeten Art entziffert wurden, um so größer wurde die Gewißheit:

China hatte eine sehr alte Geschichte, und das Reich der Shang war Wirk-lichkeit gewesen, auch wenn sich seine Datierung auf Grund der archäolo-gischen Funde ein wenig verschob. (Shang-Dynastie von 1523–1028 v. Chr., Chou-Dynastie von 1027–256 v. Chr.). Die meisten Elemente der chine-sischen Kultur waren im Shang-Reich bereits vorgebildet.

Angesichts der Gräber der Shang-Herrscher (links) fühlt man sich unwillkürlich an die Königs-gräber von Ur erinnert. Auch den Shang-Köni-gen waren große Teile ihres Gefolges, darunter ganze Streitwagenbesatzungen, in den Tod ge-folgt. Die Grabbeigaben zeigten der Nachwelt die Pracht und den Reichtum, in dem diese To-ten einst gelebt haben mußten.

Wie am Nil und wie auch im Zweistromland hatten am Gelben Fluß bäuerliche Kulturen exi-stiert, lange bevor die Shang auftauchten; aus-gestattet mit Streitwagen und überlegenen Waffen aus Bronze, aber auch mit jenen geistigen Gaben, die sie befähigten, die erste Stadt Chinas, ihre Hauptstadt An-yang, zu bauen. Durch den Gel-ben Fluß geschützt, hatten sie hier ihre Paläste errichtet, das Bauernland ihrer Verwaltung unter-worfen und die Rohstoffe des Landes, Kupfer und Zinn, verarbeiten lassen. Die Beobachtung der Gestirne, ein Kalender, die Rechenkunst und die Schrift waren notwendige Begleiter ihres Ver-waltungsaufbaus geworden. Außer auf Knochen (s. S. 225) hatten sie auch schon auf Bambus-streifen geschrieben.

Unvergleichlich waren die Bronzen, die sich in den Gräbern fanden.
Die Abbildungen auf dieser Seite geben zwei Beispiele wieder. Die Bronzen zeigten nicht nur eine Kunstfertigkeit ohnegleichen, sondern übermittelten auch etwas von der Vorstellungs- und Glaubenswelt, welche die Shang sich geschaffen hatten. Sie kannten Götter wie alle frühen Völker – an der Spitze Shang-Ti, den Ahnherrn der Menschheit, der mit der Muttergöttin She die Erde geschaffen hatte.

Sie kannten auch Dämonen, vor allem den raubtiergesichtigen Tao-tieh, der vielleicht auf jene Vorzeit zurückging, in der das Jägervolk der Shang den Tiger zu fürchten gehabt hatte. Die Shang betrieben auch den Ahnenkult, der dem chinesischen Leben in der Folgezeit so tief seinen Stempel aufprägen sollte. Ein Teil der Seele jedes Verstorbenen blieb mit den Überlebenden der Familie verbunden. Die Seele war auf Opfer angewiesen, die die Lebenden darbrachten. Und diese Opfer vermochten böse Geister abzuwehren.

Im Laufe der Zeit hatten Priester der Shang begonnen, das Mysterium der Schöpfung auch gedanklich zu durchdringen. Sie schufen die Grundlagen jenes Weltbildes, das sich die Chinesen einige Jahrtausende lang bewahrten. Wie die frühen Inder, so erfüllte auch sie die Vorstellung von einer Art Weltgeist, dem Tao, das alles Werden und Vergehen durchdrang und sich besonders in zwei gegensätzlichen Kräften, dem Yang und dem Yin, dokumentierte. Yang war das schöpferische, feste, männliche Element, Yin das weibliche, weiche, empfangende. Im Spannungsfeld dieser Kräfte vollzog sich alles Leben im Kosmos und im Menschen, der ein Teil dieses Kosmos war.

Wir besitzen keine Bildnisse jener Herrscher, die im Jahre 1027 v. Chr. der Herrschaft der Shang ein Ende bereiteten. Die Plastik eines Dieners der Chou-Zeit (links) muß uns genügen, um ein Bild der Menschen jener Zeit zu vermitteln.

Rund 800 Jahre, bis 221 v. Chr., währte das Reich der Chou. Sie verteilten das eroberte Land als Lehen und schufen einen Staat der 1000 Lehensritter, die ihre eigenen Stadtfürstentümer gründeten. Die Chou kannten keine Götter, sondern nur den einen großen Himmel. Ihr König war der «Sohn des Himmels». Aber die neuen Machthaber waren klug genug, die Glaubenselemente ihrer Vorgänger an der Macht, der Shang, nicht zu zerstören.

Ihr Bestreben, die vorgefundene Kultur in sich aufzunehmen, ließ sie die Shang-Priester besonders hochschätzen. Jeder Fürst der Chou begehrte «Wissende» an seinem Hof. So entstand die Klasse der «Gelehrten», die bis in die Neuzeit einen tiefen Einfluß auf die chinesische Geschichte behielt.

Die Gelehrten der Chou-Höfe hinterließen der Nachwelt die bedeutendsten Bücher der chinesischen Frühzeit: Shu-Ching, das Buch der Urkunden, I-Li, das Buch der Zeremonien, Shih-Ching, das Buch der Lieder, I-Ching, das Buch der Wahrsagungen. Aus den älteren Vorstellungen über Makrokosmos und Mikrokosmos, Weltall und Mensch entwickelten sie ein weitgespanntes Gedankengebäude. Zu Tao, Yang und Yin gesellten sich fünf Elemente, aus denen Welt und Mensch geschaffen waren: Holz, Feuer, Erde, Metall und Wasser. Es gab fünf Himmelsrichtungen, fünf Planeten, fünf Jahres- und Tageszeiten, fünf Farben und Töne, fünf Arten des Geschmacks und fünf menschliche Beziehungen – vom Vater zum Sohn, vom Mann zur Frau, vom älteren zum jüngeren Bruder, vom Fürst zum Beamten, vom Freund zum Freunde. Dieser Versuch, alles Leben in ein System hineinzupressen, führte zwar mehr und mehr von der Wirklichkeit fort. Trotzdem war etwas fast Übermenschliches an dem Bemühen, die Geheimnisse der Welt zu entschleiern. Und dieses Bemühen dauerte an, auch als das Chou-Reich selbst seine innere Kraft bereits verloren hatte. Vom 8. Jahrhundert v. Chr. an rivalisierten die zahlreichen Lehensritter um die Macht, und ein Kampf aller gegen alle entbrannte.

Mitten in dieser Welt der Selbstzerstörung trat der Gelehrte Chung-ni (551-479
v. Chr.) auf, der in der abendländischen Welt später den Namen Konfuzius erhielt.
Das hier oben wiedergegebene Bild aus dem 19. Jahrhundert zeigt Konfuzius
beim Tee mit einem Schüler. Er glaubte, die Ordnung wiederherstellen zu
können, indem er Tugend und gutes Beispiel predigte; die Herrschenden
sollten sowohl sich als auch dem Volke Tugend vorleben und die Masse
ihrer Untertanen durch Vorbildlichkeit erziehen. Konfuzius träumte von
einer Herrschaft der Edlen. Seine Lehre blieb nicht ohne Einfluß auf die
Formung der chinesischen Familie, aber zu Lebzeiten erntete er nur Miß-
erfolge und endete in Resignation.
Resignation aber war von vornherein das Ziel einer anderen Gelehrten-
gruppe, an deren Spitze nach chinesischer Tradition ein Mann namens
Lao-tse stand. Sie verkündete die Abkehr von den schmutzigen Händeln
der Welt und den Verzicht auf jede eigene Aktivität. Nur wenn man sich
dem handelnden Weltgeist, dem Tao, ohne eigenen Willen ergab, konnte
die Welt ohne Störungen existieren. Der Taoismus erzeugte später jene Schick-
salsergebenheit, die das chinesische Volk jahrtausendelang zu erfüllen schien.
Er entartete in eine Zauberlehre voller Aberglauben und Alchimie. Wenn
er jedoch Einfluß auf das Schicksal des Chou-Reiches gewann, dann nur
in negativem Sinne: Er beschleunigte seinen Zerfall.

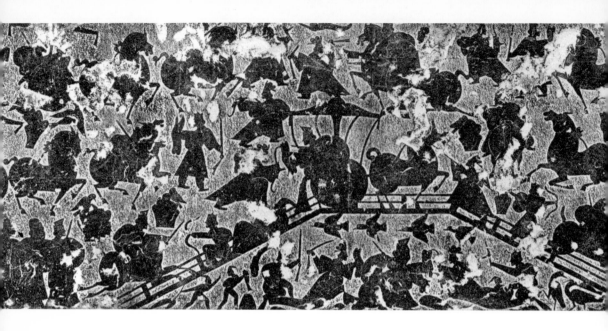

Shih Huang Ti, der erste «erhabene Kaiser von China» – so nannte sich der Fürst von Ch'in, als er 221 v. Chr. die Selbstzerfleischung des Chou-Reiches beendete. Das Bild zeigt ihn inmitten seines Streitwagenheeres, mit dessen Hilfe er die ganze Lehensritterschaft hinwegfegte.

An die Stelle der Lehensritter setzte er Verwaltungsbeamte, vereinheitlichte Sprache und Schrift, Maße und Gewichte, Wagenspurbreite und Straßen. Wir wissen noch nicht, wann die chinesischen Handelsbeziehungen mit Indien begannen und wann die riesigen Karawanenwege durch Turkestan zum erstenmal begangen wurden, auf denen chinesische Waren nach Klein-asien und in umgekehrter Richtung Wollstoffe, Schmuck und der Weih-rauch von Saba nach China wanderten. Shih Huang Ti hat jedenfalls um die Freihaltung dieser Karawanenwege gekämpft; unter ungeheuren Opfern schuf er die große Mauer zur Abwehr der Steppenvölker. Wie gewaltig der chinesische Handel sich während des ersten Kaiserreichs entwickelte, ging daraus hervor, daß Kaufleute an Stelle der einstigen Adligen Minister wurden und auch das Land erwarben, das einmal den Lehensrittern gehört hatte. Shih Huang Tis Streben nach «Einmaligkeit» und die Verachtung des absoluten Gewaltherrschers für die Tugendlehre des Konfuzius waren so gewaltig, daß er 213 v. Chr. die Vernichtung aller überlieferten Bücher befahl. Nur Werke über Landwirtschaft, Medizin und Wahrsagekunst wurden ausgenommen. Shih Huang Tis Schöpfung war indessen nur eine kurze Lebensdauer beschert. Als er 210 v. Chr. starb, zerstörten Aufstand und Mord innerhalb weniger Jahre die feste Ordnung. Abermals begann ein Kampf aller gegen alle, bis sich 206 v. Chr. der Bauerngeneral Kao-tsu zum neuen Kaiser aufschwang. Er leitete die letzte Phase der chinesischen Frühgeschichte ein: die Zeit der Han-Dynastie.

Die Verspieltheit einer reichen, neuen Oberschicht spricht aus der unten wiedergegebenen Wandmalerei der Han-Zeit. Kaiser Kao-tsu verteilte wieder Lehen. Aber das Kaiserreich der Han blieb in seiner besten Zeit ein zentralistischer Verwaltungsstaat. Eine bürgerliche Oberschicht entstand aus den reichen Landbesitzern, den ehemaligen Kaufleuten, die ihr Land verpachteten und in die Stadt zogen. Sie besaßen Wohlstand und Muße genug, um ihre Söhne für die Aufgaben eines Beamten und Gelehrten zu erziehen.

Rund 100 Jahre lang herrschten die Han-Kaiser mit fester Hand. Dann begann auch für ihr Reich eine Zeit der inneren Wirren. Die Lage wurde für die Bauern unerträglich, als sie außer den ständigen Opfern für die Kämpfe mit den Steppenvölkern auch noch die maßlose Verschwendung

am Hofe der Han mit ihren Abgaben zu bestreiten hatten. Bauernaufstände und die Gründung mordender Geheimbünde waren die Antwort. Die Kaiser wurden schließlich Puppen in der Hand ehrgeiziger Soldaten, und der Zerfall des Reiches war unaufhaltsam. 221 n. Chr. führte er zum Ende der Han-Dynastie, zum Ende des frühen China und zu einer 580jährigen Zeit der Teilung.

Trotzdem ging die Han-Zeit als letzte große Epoche der chinesischen Frühzeit in die Geschichte ein. Sie dankte dies in erster Linie den Gelehrten, die, unabhängig von den politisch Mächtigen und ihrem Streit, eine Anzahl unvergänglicher Werke geschaffen hatten.

Hausmodelle
aus Gräbern der Han-Zeit

übermitteln der Nachwelt ein Bild von den Heimstätten des wohlhabenden Chinesentums jener Tage. Hier arbeiteten die Gelehrten, die reich
genug waren, um sich vom Getriebe der Umwelt zu lösen. Sie leisteten
keine so schöpferische Arbeit mehr wie ihre Vorgänger in der Zeit der
Chou. Aber sie trugen all die Erkenntnisse und Lehren zusammen, die
unter den Shang- und Chou-Herrschern entstanden und der Vernichtung
durch Kaiser Shih Huang Ti entgangen waren. So entstanden die gewaltigen Werke «Geschichtliche Denkwürdigkeiten» (Shih-chi) und das
«Buch der Berge und Meere» (Chao-Hai-Ching), Berichte und Legenden
aus Naturwissenschaft und Geographie.

Als die Wogen der inneren Kämpfe immer höher schlugen, verschonten
sie allerdings auch das reiche Bürgertum nicht mehr. Auch seine Sicherheit
sank dahin, und Lebensangst drang in die Stuben der Gelehrten. Zauberei
und Aberglauben gewannen Einfluß auf ihr Denken. Nichtsdestoweniger
lieferten sie der Nachwelt die bedeutsamsten Zeugnisse über das Leben
des frühen China und – über seine Medizin.

«Wir dürfen nicht vergessen», so schrieb im Jahre 1929 der deutsche Arzt und Sinologe Franz Hübotter, «daß unsere Kenntnis der chinesischen Medizin und ihrer Geschichte noch in den Kinderschuhen steckt und daß Textkritik und Quellenforschung... noch kaum begonnen haben.»

Um die Mitte des 20. Jahrhunderts hatte sich die Situation infolge der kriegerischen Wirren, in die China gestürzt wurde, nicht wesentlich verändert. Die Zukunft wird zeigen, welche Quellen in den Archiven und im Boden des chinesischen Landes noch verborgen liegen.

Vielleicht wird die Frage, welches das älteste medizinische Buch Chinas ist, umstritten bleiben. Franz Hübotter neigt dazu, eine Schrift unter dem Titel «Shen-nung Pen Tsao» für das älteste chinesische Medizinwerk zu halten. Eine späte Abschrift findet sich in einer Zusammenstellung von Drogen, die im Jahre 1597 n. Chr. in China erschien: «Pen Tsao Kang Mu», d.h. «Klassifikationen von Wurzeln und Kräutern».

Ein chinesischer Verwaltungsbeamter, Li Shih Chen, hatte hier in dreißigjähriger Arbeit das gesamte traditionelle Wissen über die Heilmittel Chinas zusammengetragen. Die Sammlung umfaßte 52 Bände und verzeichnete 1892 Medikamente. Die Wurzeln dessen, was hier im 16. Jahrhundert gesammelt wurde, reichten jedoch weit zurück.

Die Bezeichnung «Shen-nung» für einen Teil des Buches knüpfte an einen der ersten Kaiser an, mit denen die Geschichtsschreibung Chinas beginnt, an Shen-nung, jenen «göttlichen Ackersmann», der China zwischen 2838 und 2698 v. Chr. die Fruchtbarkeit seiner Felder erschlossen haben soll.

In den historischen Denkwürdigkeiten der Han-Zeit und anderen Han-Werken hieß es hierzu: «Shen-nung schlug Kräuter und Bäume mit einer roten Peitsche, begann hunderterlei Kräuter zu kosten, damit begann die Pharmakotherapie.» Oder: «Shen-nung belehrte zuerst das Volk. Er kostete den Geschmack der hunderterlei Kräuter. Damals traf er an einem Tag auf siebzig Gifte.» ...«Wenn der Fürst krank ist, trinke er Arznei, der Minister probiere sie zuerst...»

Alles deutete darauf hin, daß das «Shen-nung Pen Tsao» in der Chou-Zeit auf Grund schon länger bestehender Erfahrungen aufgezeichnet worden war, und zwar zunächst in einem Bande, der insgesamt 365 Heilmittel umfaßte.

233

氏 轅 軒 帝 黄

Huang Ti, der zweite unter den legendären frühen Kaisern Chinas (2698 bis 2598 v. Chr.), gilt als der Urvater des wahrscheinlich zweitältesten chinesischen Werkes über Medizin: «Huang Ti Nei-Ching». Dies bedeutet so viel wie «Lehre vom Inneren». Der Text des Buches besteht aus Dialogen zwischen Kaiser Huang Ti und einem seiner Minister, Ch'i Po. Sie beschäftigen sich mit den Funktionen des menschlichen Körpers, seinen Krankheiten und deren Heilung. Auch beim «Nei-Ching» deutet vieles darauf hin, daß die früheste Fassung der Schrift von den Gelehrten der Chou-Ära stammt. Die darin enthaltenen Darstellungen über die menschliche Physiologie sind jedoch so umfangreich, daß sie damals schon auf eine lange Tradition zurückgeblickt haben mußten.

Texte auf den Knochenfunden aus der Shang-Zeit, wie der links gezeigte, lehrten, daß die Priester der Shang sich im 2. Jahrtausend v. Chr. sehr ausführlich mit Krankheiten und Krankheitsbildern beschäftigt hatten. Es gab Hinweise auf verschiedene Beschwerden des Kopfes, Krankheiten der Augen, der Zähne, der Halsorgane, der Nase, der Beine, des Verdauungssystems, des Nieren- und Blasenbereichs, vor allem aber auf Infektionskrankheiten und Seuchen. Rückschlüsse aus späteren Berichten lassen vermuten, daß es sich hierbei vor allem um die Malaria, die Tuberkulose, die Lepra, die Pocken, den Typhus, die Cholera und die Pest gehandelt hatte. Die östliche Mongolei ist ja, wie wohl bekannt ist, bis in die Neuzeit hinein ein ständiger Pestherd geblieben.

Die Beschreibung solcher Leiden auf Orakelknochen, mit deren Hilfe die Götter um Rat gefragt wurden, zeigt, wie sehr auch die altchinesische Medizin einmal von der Vorstellung erfüllt war, daß die Krankheiten von Göttern und Dämonen gesandt seien.

234

Noch die Chou-Zeit hin-
terließ Tonfigürchen von Schamanen (siehe Bild rechts),
jenen mit geheimen Kräften begabten Männern,
die den menschlichen Leiden durch Beschwö-
rung und Zauber entgegenwirkten. Selbst in dem
Buch «Lun-Yü», den Aufzeichnungen über die
Lehren des Konfuzius, hieß es, ein Mensch ohne
Beständigkeit könne nicht «Zauberarzt» werden.
Und für die Masse der Chinesen bildeten Beschwörungen und Zauberei auch in späteren
Jahrhunderten die einzige Zuflucht in all den
Leiden, die ihnen durch die Armseligkeit ihres
Daseins beschieden waren.
Wie die Gelehrten, so hatten auch die frühen
Ärzte Chinas ihre Heimstatt an den Fürsten-
höfen. In der Chou-Zeit wurde zum erstenmal
von Hofärzten, «I-shih-shang-shih», und Ver-
waltern der Arzneilager berichtet. In Schriften
der Han-Zeit war von einem «T'ai-i-ling» als

dem höchsten Arzt die Rede. Er erhielt als Bezahlung 600 bis 1000 Trag-
lasten Reis pro Jahr. In einem Bericht der späteren Han-Zeit wurden
293 Hofärzte (Beamte) aufgeführt, unter denen allerdings niemand einen
höheren Rang erreichte als denjenigen der fünfthöchsten Beamtenklasse. Die
Annalen berichten in mehr als einem Falle, daß Ärzte, die bei hochge-
stellten Patienten versagten, hingerichtet wurden. Um so erstaunlicher blieb,
daß sich überhaupt Männer fanden, die bereits im 2. Jahrtausend v. Chr.
mit all ihren geistigen Kräften um die Ergründung der inneren Funktionen
des Menschen und seiner Leiden rangen.

Verwirrend wie dieser chinesische «anatomische Schnitt durch den Menschen» (rechts)
erschien der abendländischen Welt später das Bild, das die Ärzte und Arztgelehrten Alt-Chinas von der menschlichen Anatomie und Physiologie
entwickelten. Es wirkte wie eine Mischung von «grandioser geistiger Konstruktion» und «absolutem Unsinn». Die Verquickung des wirklich Ur-
sprünglichen mit späteren Zutaten, die alle alten medizinischen Werke
Chinas auszeichnet, machte es schwer zu unterscheiden, was echtes frühes
Ideengut und was in den späteren Jahrtausenden durch uferlose Spekulationen entstanden war. Eins war jedoch sicher: Von dem Augenblick an,
in dem in China Ärzte versucht hatten, das Wesen von Gesundheit und
Krankheit zu erkennen, hatten ihnen die kosmologischen Vorstellungen der
Shang und Chou als Wegweiser gedient.

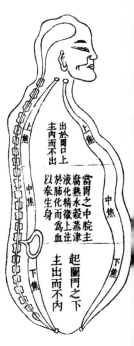

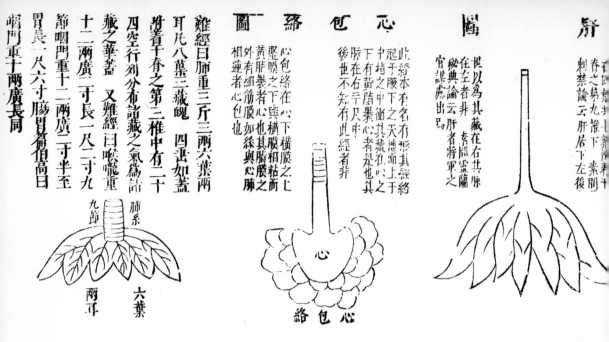

難經曰肺重三斤三兩六葉兩
耳凡八葉三藏魄　四垂如蓋
附着十椎之第二椎中有二十
四空行列分布諸藏之氣爲諸
藏之華蓋　又難經曰喉嚨重
十二兩廣二寸長一尺二寸九
節喉門重十二兩廣二寸至
胃長一尺六寸腸胃都相高曰
嗌門重十兩廣長同

心包絡在心下橫膜之上
堅膜之下與橫膜相粘而
黃脂裹者心也其脂膜之
外有細筋膜如絲與心肺
相連者心包也

此絡本有名有形其經絡
起于腋下腋下中指之中
衝之中循其臂陰兩筋之
下有齒陷露露心者是也其
脏在右膈下居右心者非
後世不知有此絡者非

世以爲其藏在右共脈
在左者非　素問靈蘭
秘典論云肝者將軍之
官謀慮處出焉

在西頰耳七斬斬斬耕
者之斬九椎下　素問
刺禁論云肝居下左後

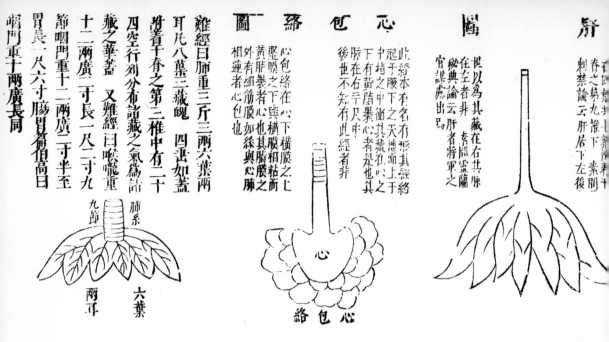

心包絡圖

絡包心

心圖

《Die auf diesen beiden Seiten wiedergegebenen Bilder der Lunge, des Herzens, der Leber, der Eingeweide, der Luftröhre und des Magens zeigen, daß bei ihrer Herausbildung in frühester Zeit wirklich einmal die Beobachtung menschlicher oder tierischer Organe Pate gestanden hatte. Andererseits sind die Abweichungen von der Wirklichkeit so groß, daß diese Beobachtung niemals sehr genau gewesen sein kann.*

Wahrscheinlich beschränkte sie sich, wie auch bei anderen frühen Völkern, auf zufällige Einblicke bei Toten und Verwundeten. Erst im Jahre 1145 n. Chr. wissen die chinesischen Annalen von einer Sektion an der Leiche eines Gefangenen zu berichten. Aber auch später war bis zur Neuzeit von einer wirklichen anatomischen Forschung nicht die Rede. Der Ahnenkult verbot es von vornherein, die Leiche eines Verstorbenen zu zerstückeln. Er verschloß somit den Arztgelehrten das Feld echter anatomischer Erkenntnis und trieb sie statt dessen auf das weite Gebiet der Spekulation. Der Versuch, rings um die wenigen zufälligen anatomischen Erkenntnisse ein geschlossenes Vorstellungsbild vom Inneren des Menschen zu errichten, war auf seine Weise grandios. Er war es um so mehr, als das Hauptanliegen der alten chinesischen Ärzte die Einfügung der Funktion des Menschen in die Funktion des Weltalls war.

Weil die Welt sich aus fünf Elementen zusammensetzte, gab es fünf Hauptorgane: Herz, Lunge, Niere, Leber und Milz. Zu ihnen gehörten fünf Hilfsorgane: Dickdarm, Dünndarm, Gallenblase, Magen, Harnblase. Sie standen in einem merkwürdigen Verhältnis von Freundschaft und Feindschaft zueinander, die wiederum auf die Eigenarten der fünf Elemente Holz, Feuer, Erde, Metall und Wasser zurückgingen. Die Niere als Organ des

Figürchen dieser Art aus Elfenbein oder Alabaster gehörten früher zum Haus-
halt der höheren Stände Chinas. Die erkrankte Dame des Hauses erklärte dem
Arzt an Hand des Modells ihre Leiden, da die sehr strenge altchinesische Sitte eine
Entblößung vor dem Arzt und eine Untersuchung ihres eigenen Körpers verbot.

一 女

鼻衄痘形一

Chinesische Darstellung eines Mädchens, das an Pocken („Himmelsblüte") leidet.

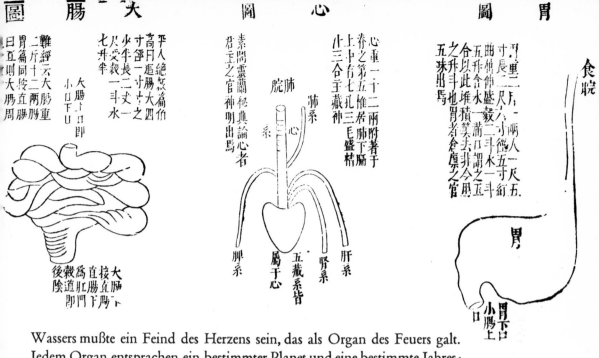

圖一大腸 圖心 圖胃

Wassers mußte ein Feind des Herzens sein, das als Organ des Feuers galt. Jedem Organ entsprachen ein bestimmter Planet und eine bestimmte Jahreszeit. Das Herz zum Beispiel besaß eine Wechselbeziehung zum Sommer. Am bedeutsamsten aber war das Wirken des Weltgeistes Tao und seiner gegensätzlichen Komponenten Yang und Yin im menschlichen Körper. Aus der Luft, «vom Himmel», gelangte der Weltgeist durch die Lunge, aus der Erde mit der Nahrung in den Menschen. Hier bewegte er sich durch ein System zahlreicher Adern, Kanäle oder Nerven, deren Identifizierung mit tatsächlichen anatomischen Organen der Nachwelt bis heute nicht gelang. Yang und Yin durchfluteten im Normalzustand bestimmte Körperteile. Der Rücken «war» Yang, der Bauch Yin. Leber, Herz, Milz, Lunge, Niere «waren» Yang. Magen, Galle, Dickdarm, Dünndarm, Harnblase Yin. War das Tao durch kosmologische Veränderungen gestört, so gerieten auch die Funktionen des menschlichen Körpers in Verwirrung. Vielleicht erklärte man sich so die großen Seuchen. Die Hauptursache aller Krankheiten war jedenfalls die Störung im Wechselspiel von Yang und Yin. Als die moderne Medizin die bedeutsamen Funktionen des sogenannten vegetativen Nervensystems entdeckte, entstand hier und da die Vorstellung, die altchinesischen Ärzte hätten vorausgeahnt, was die Neuzeit wissenschaftlich belegte. Die Parallelität von «Sympathicus» und «Vagus» als den großen Steuerern des vegetativen Nervensystems zum altchinesischen Yang und Yin drängte sich auf. Ist die Balance des sympathischen und vegetativen Nervensystems gestört, so werden Erkrankungen hervorgerufen. Die alten chinesischen Ärzte hatten vor einer Störung des Gleichgewichts von Yin und Yang gewarnt – Erkrankungen seien die Folge.

Es handelt sich um den ersten Arzt der chinesischen Frühgeschichte, über den greifbare biographische Angaben vorliegen.

Pien Ch'io lebte im 6. oder 5. Jahrhundert v. Chr. und zog von einer der damaligen Fürstenresidenzen zur anderen. Seine Spezialitäten waren anscheinend Kinderkrankheiten und Frauenleiden, und seine Erfolge verschafften ihm einen legendären Ruf. Ein neiderfüllter Kollege im Fürstentum Ts'in, das Haupt der dortigen Hofärzte, ließ ihn schließlich meuchlings ermorden.

Pien Ch'io gilt als der Urvater des später berühmt gewordenen chinesischen Werkes «Nan-Ching». Seine Lehren vermitteln Eindrücke von der Tätigkeit der chinesischen Ärzte um die Mitte des 1. Jahrtausends v. Chr., insbesondere von den eigenartigen Methoden der Diagnose, die sie aus ihrer «Anatomie und Physiologie» ableiteten.

«Der Puls, der ist wie verstreute Baumblätter, wie Feuergras... wie ein gespannter Faden... wie eine springende Quelle...» So hieß es in einem der älteren medizinischen Texte, und im «Nei-Ching» wurde vom «Trommelpuls» sowie vom «atemlosen Puls» gesprochen.

Von der allerfrühesten Zeit an hatte das Phänomen des Pulsschlags an den verschiedenen Teilen des Körpers die chinesischen Ärzte fasziniert. Dieser geheimnisvolle Pulsschlag wurde für sie zum wichtigsten Mittel, um «innere Vorgänge» zu erkennen.

Schon vorher hatten sie nach äußerlichen Kennzeichen für innere Krankheiten gesucht. Zufallsbeobachtungen führten dazu, Beziehungen zwischen dem Aussehen der Zunge oder des Auges mit verborgenen Krankheiten herzustellen. Daraus waren dann ganze diagnostische Lehrgebäude entstanden, wobei spekulative Phantasie die Realitäten überwucherte. So war das Ohr mit der Niere verbunden, die Lippen mit der Milz, die Zunge mit dem Herzen. Schwärzliche Farbe der Augen wies auf Nierenkrankheiten hin, weiße Farbe auf Lungenleiden. Der Kernpunkt aller Diagnostik aber blieb der nicht ruhenwollende Schlag des Pulses.

Auch hier läßt sich nicht mehr beurteilen, wie weit die grotesken Ausartungen der Pulsdiagnose, die während der nachchristlichen Jahrtausende

in China geübt wurde, zurückreichen. Man diagnostizierte schließlich bei Schwangeren aus dem Pulsschlag das Geschlecht des zu erwartenden Kindes. «Wenn der Puls der linken Hand rasch ist, ohne sich zu verflüchtigen, wird die Schwangere einen Knaben zur Welt bringen...»
Jedenfalls hatte die Lehre vom «Puls als Ratgeber der Krankheiten» schon zur Zeit Pien Ch'ios so sehr die Form eines Systems angenommen, daß eine lange Entwicklungszeit vorausgegangen sein mußte.

Man untersuchte den Puls an den Schlagadern des Kopfes, des Fußes, vor allem aber (siehe Abbildung rechts unten) der Hand.
Auch der Puls war ein Glied der großen Vorstellungswelt von Kosmos und Mensch. Der Himmel «sprach» im oberen Teil des Menschen durch die Schlagader an den beiden Stirnseiten. Der Mensch selbst aber «sprach» aus der Schlagader der beiden Ohren. Auch die Beziehung zu den Jahreszeiten war vorhanden. Im Herbst war der Puls wie ein «Haar».

Der Radialpuls an jedem Handgelenk wurde unterteilt (Abbildung links unten).
Ein Abschnitt an der rechten Hand unterrichtete über den Zustand der Lunge, einer an der linken Hand über denjenigen des Herzens. Ein zweiter Abschnitt an der rechten Hand verriet, ob Magen und Milz, ein anderer an der linken Hand, ob Galle und Leber erkrankt waren oder ein krankmachendes Übermaß von Yang oder Yin vorhanden war.

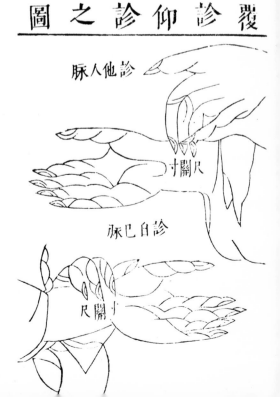

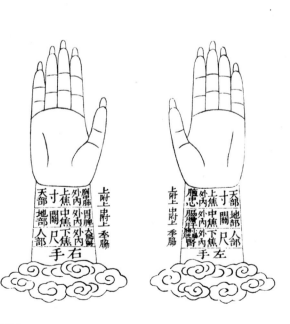

Wahrscheinlich geht die altchinesische Behandlungsmethode, die später im Abendland den Namen Akupunktur erhielt, auf die allerfrühesten Ärzte, vermutlich sogar auf die Schamanen, zurück. Der Kampf gegen die vermeintlichen Dämonen im Körper eines Kranken hatte letzteren vielleicht den Gedanken eingegeben, die bösen Geister durch Einstiche mit Nadeln zu vertreiben. Für die nachfolgenden Arztgelehrten erhielt dann die Akupunktur eine höhere Deutung in ihrem weiten medizinischen System.

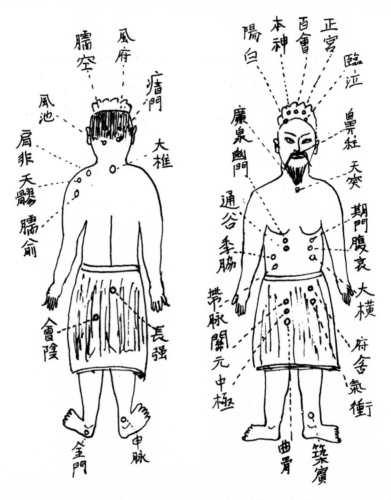

Nicht mehr Dämonen wurden nun mit den Nadeln bekämpft, die man an verschiedenen, genau vorgeschriebenen Stellen (siehe die Abbildung oben) in den Körper einstach, sondern das «Zuviel oder Zuwenig» an Yang und Yin. Bis zur Mitte des 20. Jahrhunderts gelang es nicht, die verwirrend vielgesichtigen Systeme zu klären und anatomisch zu deuten, nach denen in Alt-China das Einstechen der Nadeln gehandhabt wurde. Im Ursprung aber gingen sie alle auf den Grundgedanken zurück, bestimmte Stellen jenes «Adergefäßes oder Nervensystems», in dem Yang und Yin wirkten, zu öffnen oder zu reizen, den Überfluß des einen oder anderen herauszulassen und gestockte Bewegungen wieder in Gang zu bringen. Nah verwandt damit war eine andere Art der Behandlung: man verbrannte kleine Kegel aus pulverisierter Artemisia vulgaris (Beifuß) an bestimmten, den Akupunktur-stellen ähnlichen Punkten der Haut vielleicht mit dem Zweck, einen heftigen Reiz dort auszuüben, wo zu wenig Yang oder Yin vorhanden schien.

Wie sehr auch die frühen chinesischen Ärzte noch von den phantastischen Auswüchsen der Akupunktur entfernt waren – in späteren Jahrhunderten wurden nahezu 700 verschiedene Behandlungsstellen gezählt –, so bestand doch auch damals bereits ein System.

Die hier rechts gezeigte Bronzestatue eines Mannes wurde im 10. Jahrhundert nach Christi Geburt zum Unterricht für die Medizin-studenten benutzt. Sie weist die vorgeschriebenen Stellen auf, in die bei der Aku-punktur die Nadeln eingestochen werden mußten.

Für jede Krankheit gab es genau festgelegte Einstichstellen und Ein-stichtiefen. Wie eingreifend die Behandlung in der Frühzeit war, geht aus einer Stelle des «Huang Ti Nei-Ching» (nach der Übersetzung von Franz Hübotter) hervor: «Der gelbe Kaiser fragte: ‹Ich möchte etwas über die verbotenen Stellen hören.› Ch'i Po antwortete: ‹Wenn man beim Einstechen das Herz trifft, so tritt am selben Tage der Tod ein... wenn man in die Leber sticht, tritt am fünften Tage der Tod ein... wenn man in die Lunge sticht, tritt am dritten Tage der Tod ein.›»

Das ganze System wäre kein Produkt aus dem Geiste der Frühzeit gewesen, hätte es nicht wieder Beziehungen zu den Elementen, den Planeten, den Jahres- und Tageszeiten gehabt. Am dritten Tag des Monats durfte zum Beispiel kein Schenkel akupunktiert werden, am 16. Tage keine Brust. Es gab Yang- und Yin-Tage, an denen nur bestimmte Körperteile rechts oder links behandelt werden durften.

Zu den großen Brückenschlägen von der Frühzeit zur modernen Medizin gehört die sonderbare Tatsache, daß die Akupunktur drei- oder viertausend Jahre nach ihrer Entstehung, im 20. Jahrhundert, den Weg nach Europa fand. Im großen Strom der abendländischen Medizin blieb sie zwar eine Methode der Außenseiter, ausgestattet mit der Anziehungskraft des Neuen und Geheimnisvollen. Aber vielleicht war es gerade die abendländische Medizin, die den Wirkungsmechanismus erkannte oder erahnte, der der Aku-punktur zugrunde lag.

Im Jahre 1893 entdeckte der britische Neurologe Henry Head, daß kranke Organe, weit vom eigentlichen Sitz der Krankheit entfernt, in genau abge-grenzten Hauptgebieten Schmerzen hervorrufen konnten. Diese Gebiete erhielten den Namen Headsche Zonen. Behandelte man sie mit Wärme oder Massage, so erreichte man oftmals überraschend heilsame Fernwirkungen auf die kranken Organe selbst. Später fand der Deutsche Huneke, daß durch Injektion von Anaesthetica in Hautbezirke Krankheitszustände innerer Organe – zuweilen schlagartig – beeinflußt werden konnten. Hier wurden Vorgänge ausgelöst, die zunächst unerklärbar blieben, deren Wirksamkeit aber unbestreitbar war.

Hatten irrige theoretische Vorstellungen die frühen chinesischen Ärzte in der Praxis zu ähnlichen Erfolgen geführt? Erklärte es sich so, daß die Akupunktur viele Tausend Jahre überdauerte?

Auf der rechten Seite sehen wir vier der prachtvollen Illustrationen aus dem berühmten chinesischen Drogenbuch «Pen Tsao Kang Mu», dessen Urform, das «Shen-nung Pen Tsao», zumindest bis in die Chou-Zeit zurückreicht.

Es ist sicher, daß auch die Uranfänge der chinesischen Drogenkunde tief in den Vorstellungen von Kosmos und Mikrokosmos verankert waren. In der Welt der Arztgelehrten bestanden die Pflanzen aus den gleichen fünf Elementen, aus denen auch der Mensch zusammengesetzt war. Rote Arznei war wie das Feuer und sollte daher auf das Herz wirken, das ja ebenfalls als feurig galt. Die oberen Teile von Pflanzen schienen von der Natur dazu bestimmt, auf die oberen Körperteile des Menschen zu wirken.

Wenn aber auf dem Gebiet der frühen chinesischen Anatomie oder Diagnose «himmelstürmende» Spekulationen den Gehalt an echter Beobachtung und echtem Erfahrungsgut schließlich erdrückten, so enthielt der Heilmittelschatz eine Fülle von Dingen, deren rationale Wirkung gar nicht zu bestreiten war.

Schon im zweiten Jahrtausend v. Chr. hatte die chinesische Meertreubel oder Ephedra sinica dem Arzt Mas-huang als Mittel gegen Husten und Lungenleiden gedient. 1887 fand der Japaner Nagai in der Droge das Ephedrin, das in der modernen Medizin als Mittel bei Asthma und Bronchitis kaum mehr wegzudenken ist. Erst 1925 wurde jedoch die Heilwirkung des Ephedrin in Europa in vollem Umfange erkannt.

Die Chinesen waren anscheinend die ersten, die sich des Quecksilbers zur Behandlung von Geschwüren bedienten; wenigstens zwei Jahrtausende bevor die Quecksilberbehandlung der Syphilis in Europa begann. Die Wirkung von Kupfersulfat auf infektiöse Augenkrankheiten war ihnen ebenso vertraut wie den Ägyptern, desgleichen die blutreinigende Wirkung des Schwefels. Gegen die Malaria verwandten sie Huang-Chang-Shan, d. h. Dichroa fibrifuga. Im Jahre 1948 zeigten genauere Untersuchungen denn auch tatsächlich, daß die Wurzel der Pflanze Alkaloide enthält, die gegen die Malaria wirksam sind.

天戟巴　　　狗脊狗

滁州

歸州

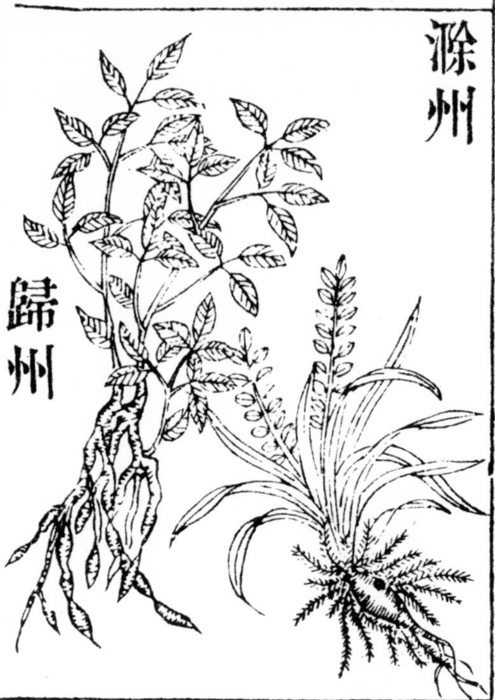

志遠　　眾貫

大葉　　　小葉

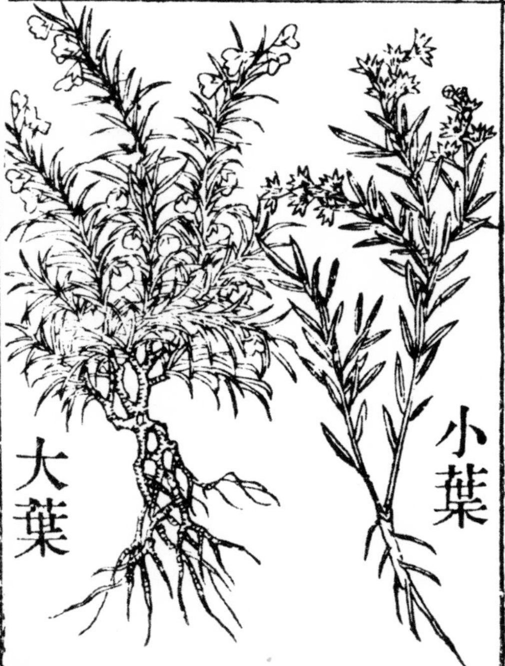

Pien Hsu oder Vogelknöterich hatte im 2. Jahrtausend v. Chr. als Mittel gegen Lungenleiden gedient. Die Pflanze enthält Kieselsäure, wodurch ihre spezifische Wirksamkeit erklärt wird. Die alten Chinesen kannten auch die Wirkung des Chaulmoogra-Öls bei Lepra. In der Neuzeit eroberte sich dieses gereinigte Öl als «Antileprol» einen festen Platz in der Leprabehandlung.

Noch interessanter war die Anwendung rohen Schweineblutes und der Schweineleber gegen Blutarmut, war doch die Wirksamkeit der Leber gegen Anaemien eine der großen Entdeckungen der modernen Medizin. Die aufbauende Kraft des Schweineblutes erklärt sich wahrscheinlich durch seinen hohen Gehalt an organisch gebundenem Eisen. Sehr sorg-fältige Krankheitsbeobachtung mußte auch dazu geführt haben, daß die frühen chinesischen Ärzte einen Extrakt aus Eselshaut gegen Krampf-zustände verwandten. Neuzeitliche Untersuchungen solcher Extrakte be-wiesen, daß sie die Absorption von Kalzium im menschlichen Körper erhöhen – ein bei Tetanien bedeutsamer Vorgang. Die Verwendung von Schwalbennestern als Stärkungsmittel wurde erklärlich, als man den Vita-minreichtum der Algen und Gräser feststellte, aus denen die Salangane ihre Nester bauten. Eine besondere Überraschung aber bereitete die Unter-suchung der Hautabsonderungen von Kröten, die von den frühen Chi-nesen als Heilmittel empfohlen worden waren: Sie enthielten Adrenalin und die auf die Herztätigkeit wirkenden Stoffe Bufagin und Bufotalin.

Die Ginseng-Wurzel (links) erreichte unter den altchinesischen Drogen wahrscheinlich die größte Popularität.

Bis in die Gegenwart behauptete sich Ginseng als geheimnisumwittertes Kräftigungsmittel bei vorzeitigen Störungen der Sexualfunktionen und gegen Erschöpfungszustände der verschiedensten Art.

Untersuchungen, die um die Mitte des 20. Jahr-hunderts begannen, zeigten, daß Ginseng fol-gende wirksame Substanzen enthält: Panaxin, Panax-Säure, das ätherische Öl Panacen, das Glykosid Panax Villon sowie die Vitamine B1 und B2.

In dieser Zusammensetzung steigern die Wirk-stoffe den Gefäßtonus, intensivieren den Stoff-wechsel, beeinflussen die endokrinen Drüsen und regen das Nervensystem an.

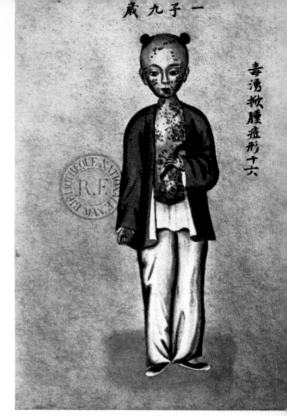

«Himmelsblüte», so lautete schon in den ältesten Quellen die chinesische Bezeichnung für die Pocken (rechts). Gerade bei ihrer Vorbeugung zeigt sich besonders deutlich die Fähigkeit zur Beobachtung, die den Chinesen trotz aller Spekulationen eigen gewesen sein muß. Die alten chinesischen Ärzte hatten offensichtlich erkannt, daß Kranke, welche die Pocken einmal überstanden hatten, selten zum zweitenmal erkrankten.

So erzeugten einzelne Hofärzte künstlich leichte Pockenerkrankungen, indem sie den Schorf von Pockenpusteln Leichtkranker pulverisierten und Gesunden in die Nase stopften. Die Grundidee der Immunisierung, die als Impfung erst in der Neuzeit in Europa auftauchte, blieb so erstaunlich, daß niemand daran vorübergehen kann, der sich mit den rationalen Elementen im Gebäude der altchinesischen Medizin beschäftigt. Das gilt um so mehr, als sich nirgendwo mit Sicherheit feststellen läßt, wann diese chinesische Immunisierungsmethode entstand. Nur eines ist sicher, daß auch ihre Wurzeln weit in die Frühgeschichte der chinesischen Medizin zurückreichen. So zeigt sich, daß sich auch in der Welt der alten chinesischen Ärzte Irrationales und Rationales, Spekulation und Wirklichkeit, Irrtum und zukunftsweisende Erkenntnis verbanden. Eines allerdings taten sie nach allem, was wir wissen, nie: den Schritt auf das Feld jener schöpferischen Chirurgie, die im benachbarten Indien eine so unwahrscheinliche Blüte erlebte.

Erst zu Beginn des 3. Jahrhunderts n. Chr. taucht in der chinesischen Medizingeschichte die Gestalt eines Chirurgen auf: Hua-to (etwa 190 bis 265 n. Chr.) Das Bild zeigt Hua-to während einer Operation am Arm des chinesischen Generals Kuan-yün. Die chinesischen Annalen wissen zu berichten, daß der Chirurg dem General anbot, ihn vor der Operation mit Hilfe eines Trankes aus Eisenhut und Hanf zu betäuben. Kuan-yün,

245

der von einem Pfeil getroffen worden war, lehnte jedoch ab. Er unterhielt sich mit einem Freunde, während Hua-to das infizierte Fleisch um die Pfeilwunde ausschnitt.

Die chinesische Überlieferung schildert auch den Tod dieses Chirurgen, der ein bezeichnendes Licht auf die gefährdete Stellung der frühen chine-sischen Hofärzte wirft.

Hua-to wurde zu dem chinesischen Fürsten Tsao-tsao gerufen, der an unerträglichen Kopfschmerzen litt. Hua-to riet, eine Öffnung der Schädel-decke durch Trepanation vorzunehmen. Als der Chirurg jedoch mit der Operation beginnen wollte, wurde Tsao-tsao plötzlich von der miß-trauischen Furcht überfallen, Hua-to wolle ihn im Auftrag eines Gegners ermorden. Er ließ den Chirurgen einkerkern und hinrichten. Der Über-lieferung zufolge hinterließ Hua-to viele Schriften über Medizin und Chirurgie, die aber auf seinen Wunsch vernichtet wurden, bevor er starb. So steht Hua-tos Gestalt plötzlich inmitten der chinesischen medizini-schen Welt, die so beharrlich jede Verstümmelung des menschlichen Körpers ablehnte. Sie steht einsam da, ohne Vorgänger und – für mehr als anderthalb Jahrtausende – ohne Nachfolger. Die Erklärung für diese ein-malige Erscheinung sind uns die Quellen noch schuldig; es sei denn, Hua-to wäre ein Fremder gewesen, der mit buddhistischen Missionaren aus Indien herüberkam und vertraut war mit der indischen Kunst der Chirurgie.

ticitl ahmen campi–camayoc oquetlupuc

oder die frühen Ärzte in Mexiko und Peru

MEXIKO

Im Jahre 1958 schrieb der deutsche Vorgeschichtsforscher Herbert Kühn in seinem Buch «Die Entfaltung der Menschheit»: «Bis vor wenigen Jahren, bis 1950, war es nicht möglich, für die Neue Welt, für Amerika, das historische Werden zu erfassen. Wenn man durch die großen amerikanischen Museen ging, dann fand man an den Kunstwerken und Tongefäßen von Mexiko und Peru die Inschrift ‹Vorkolumbisch›, das heißt vor 1492, dem Datum der Entdeckung Amerikas (durch den Genuesen Christoph Kolumbus). Genauere Daten konnten von niemandem gegeben werden, eine chronologische Gliederung war nicht möglich. Zwar sahen die Wissenschaftler bei ihren Arbeiten in Mexiko, Peru und Yucatan, daß ein solcher Hochstand der Lebenshaltung, wie er in den drei Gebieten vorlag, nur in Jahrtausenden entstanden sein konnte... Als die Spanier am 8. November 1519 in Tenochtitlan, ins heutige Mexiko, einzogen, konnten sie sich nicht genug verwundern über die Brücken, die Straßen, die Paläste, die Tempel. Sie verglichen die Stadt mit Venedig... Jedoch die Möglichkeit zu einer Datierung fehlte... So hat die Forschung der letzten Jahre eine Weltvorstellung umgestürzt. Amerika ist nicht der junge Erdteil... Seine alte Kultur, bis jetzt für jung gehalten, hat plötzlich durch eine physikalisch-chemische Forschungsmethode ihr Alter enthüllt, ihr Alter, das mit Stadt, Schrift und Handel, mit den höheren Elementen der Kultur zurückreicht bis an das erste, an den zentralen Stellen bis in die Mitte des zweiten Jahrtausends vor Christi... Diese Erkenntnis bedeutet eine Neuentdeckung für die Geschichtsauffassung der Welt, die bisher den Kontinent Amerika für den jungen Erdteil hielt, der erst spät, nach Christi Geburt, ähnlich wie Mittel- und Nordeuropa in den Umkreis der hohen Kulturen eintrat... Die Entdeckung gehört zu den Überraschungen unseres Jahrhunderts...»

Mit der physikalisch-chemischen Forschungsmethode meint Kühn jene Radiokarbonbestimmung, die nach dem zweiten Weltkrieg von dem Amerikaner W. F. Libby vom kernphysikalischen Institut der Universität Chicago entwickelt wurde. Aus dem Zerfallsprozeß des Isotops C 14 erlaubt sie verhältnismäßig genaue Altersbestimmungen da, wo organische Stoffe aus frühen Fundstellen einer Analyse unterzogen werden können.

in welche die spanischen Eroberer unter Führung von Hernando Cortez am 8. November des Jahres 1519 nach Christi Geburt einzogen. In den folgenden Kämpfen wurde die Stadt vollständig zerstört. Aber überlieferte Berichte und archäologische Funde genügten, um diesen Rekonstruktions-versuch von Ignacio Maquina zu ermöglichen.

Tenochtitlan war die Hauptstadt des Aztekenreiches, von der aus, bis zum Erscheinen der Spanier, König Moctezuma II. einen großen Teil Mexikos mit Hilfe seiner überlegenen Krieger sowie seines hochentwickelten Ver-waltungs- und Nachrichtensystems beherrschte.

Während ihres langen Marsches nach Tenochtitlan waren die Spanier bereits auf die Stadt Cholula gestoßen, in deren Mittelpunkt sich eine ge-waltige, von Tempeln gekrönte Pyramide erhob. Die Grundfläche dieser Pyramide war doppelt so groß wie die der Pyramide des Cheops am Nil. Ihre Höhe betrug 57 Meter. Die Tempel, Paläste und rund 20000 Häuser dieser Stadt hatten die Augen der Spanier geblendet. Noch mehr aber blendete sie nun der Anblick Tenochtitlans, als sie nach langem Marsch zwischen den mächtigen Vulkangipfeln Popocatepetl und Iztacciuatl in das Ana-huac-Tal gelangten.

Vor ihnen öffnete sich der Blick auf weite, von Bergen umrandete Seen-flächen zwischen Dörfern und Maisfeldern. Mitten darin lag, durch mäch-tige Straßendämme mit dem Festland verbunden, die Hauptstadt. «...Es ergriff uns Staunen, und wir sagten, das muß Zauberei sein... denn aller-seits erhoben sich große Türme, Tempel und Pyramiden aus dem Wasser. Manch ein Soldat glaubte sogar zu träumen...»

Vielleicht greift der britische Archäologe Georges Vaillant zu hoch, wenn er die Einwohnerzahl der aztekischen Hauptstadt auf mehr als 500000 Men-schen schätzt. Doch selbst wenn sie nur 100000 Einwohner beherbergt hätte – in jenen Tagen wohnten in Paris nicht mehr als 65000 und in Lon-don bloß etwa 40000 Menschen. Dämme schützten die Stadt Moctezumas gegen Überflutung. Das Trinkwasser kam durch Tonrohre vom Festland herüber und wurde in die Brunnen geleitet. Die hygienischen Verhältnisse waren fortschrittlicher als in den Städten des Abendlandes. Aller Unrat wurde gesammelt und mit Booten zum Festland gebracht. Entlang der Straßen gab es öffentliche Toiletten, die regelmäßig gesäubert wurden. Die mit Lehmziegeln gepflasterten Straßen waren sauber gefegt. 50 Meter hoch ragte die Teocalli-Pyramide, die auf ihrer abgeflachten Spitze zwei Tempel trug, über die Stadt empor, links und rechts flankiert von den Palästen der Aztekenherrscher Axayacatl (1469-1481 n. Chr.) und Moctezuma II. (1503-1520 n. Chr.).

Die Pracht von Moctezumas Palast raubte den Spaniern den Atem. Er
bildete ein Gewirr von Hallen und Räumen, voll mit Wandgemälden und
Reliefs. Dutzende von Gebäuden dienten der Staatsverwaltung, den Ge-
richten und für die Lagerung der Abgaben tributpflichtiger Völker. Es gab
Wohnkomplexe für die Priester, Schulen, Springbrunnen, Fischteiche, ein
Gehege für wilde Tiere und einen Markt, der täglich von Zehntausenden
von Menschen aus dem ganzen Aztekenland besucht wurde. «Man fand
Häuser», so berichtete der Eroberer Cortez selbst, «wo sie Apotheken
führen, wo man trinkfertige Heilsäfte, Salben und Pflaster kaufen kann.
Man sieht Barbierstuben, wo man baden und sich die Haare schneiden
lassen kann...» Die Priester beherrschten eine Bilderschrift, die sich auf dem
Weg zur Lautschrift befand. Ihr Papier war aus der abgeschabten Rinde
einer Art Maulbeerbaum gefertigt oder aus den Fasern des Wildfeigen-
baumes gemacht. Unübersehbar war die Zahl der Akten, Gerichtsproto-
kolle, Tributlisten und Faltbücher. Der Spanier Bernal Diaz, ein Mit-
streiter Cortez' und in seinen Berichten sehr zuverlässiger Zeuge der Eroberung, schrieb immer wieder: «Wir konnten es nicht fassen und meinten,
es sei alles Zauberei.»

Beinahe 400 Jahre vor dem Eintreffen der Spanier war der kleine Stamm der Azteken aus dem Norden kommend ins Anahuac-Tal eingedrungen und hatte sich schließlich auf einer Seeinsel festgesetzt. Die Azteken waren Barbaren, die offenbar in ein Land gekommen waren, das schon seit anderthalb Jahrtausenden eine Hochkultur entwickelt hatte.

Erst 1370 n. Chr. hatte die aztekische Inselstadt den Namen Tenochtitlan angenommen. Aber schon 80 Jahre später, unter König Itzcoatl (1428 bis 1440 n. Chr.), trieb die Azteken ihr kriegerischer Geist und ein nach Menschenopfern verlangender Götterglaube zu umfassenden Unternehmungen. König Moctezuma I. (1440–1469 n. Chr.) drang erobernd bis in das weite Küstengebiet des Golfs von Mexiko um Cempoala vor.

Wie bei den Inka in Peru, von denen noch die Rede sein wird, hatten auch bei den Azteken 100 Jahre genügt, um sie in Mexiko zur Herrschaft zu führen. Doch anders als die Inka hatten sie nicht danach gestrebt, den Unterworfenen ihren Geist aufzuprägen und ein festgefügtes Reich zu schaffen. Ihr Ziel war es lediglich, Tribute zu erhalten, und zwar Tribute an Gütern, aber auch an Menschen.

Huitzilopochtli, der Gott des «Auserwählten Volkes», konnte nicht wie die Menschen mit Maisfladen ernährt werden – er verlangte Blut, das aus Menschenherzen floß. Zwanzigtausend Gefangene hatte König Ahuitzotl – spanischen Berichten zufolge – nach der Eroberung Oaxacas in Tenochtitlan geopfert. Die fünftausend Priester der Hauptstadt hatten den Lebenden die Brust geöffnet, das Herz herausgerissen, der Sonne entgegengehalten und in die Opferschalen geworfen. Der Hunger der Götter aber

Krug der Mochica-Kultur mit Darstellung eines Arztes am Lager seines Patienten.

Hölzerne Büchse in der Form eines kauernden Jaguars. Auf der Rückseite ist eine vereinfachte Darstellung des Herzens, der Lunge und der Bronchien zu sehen.

trieb zu immer neuen Kriegen. Es war ein grau-
sames Gesetz, das die Azteken zur Herrschaft,
aber auch vom Barbaren-Volk zu Erben und
Meistern einer großartigen Kultur erhoben hatte.
Der Nachwelt hinterließen sie so vollendete Werke
wie dieses Bildnis eines aztekischen Adler-Kriegers.

Am 27. Juli 1520 starb der Aztekenherrscher Moctezuma,
den das Bild rechts unten zeigt,
auf dem Dach seines Palastes unter den Stein-
würfen des eigenen Volkes. In dem Glauben, die
Spanier als «Weiße Götter» ehren zu müssen,
hatte er versucht, die Azteken zu beruhigen, als
diese den Palast stürmen wollten, in dem er selbst
bereits Gefangener der Spanier war. Die Azteken
kämpften ihren Todeskampf, in dem sie – dezimiert durch den Hunger und die von den
Spaniern eingeschleppte Pockenkrankheit – am
28. Juli 1521 in den Trümmern Tenochtitlans
unterlagen.

Mit heiligem Vernichtungseifer, zu dem sich die
Spanier durch den Götzendienst der Azteken
berechtigt glaubten, wurden sowohl die gesamte
Führungs- und Kulturschicht der Azteken vernichtet als auch die der benachbarten, mehr oder
weniger unabhängig gebliebenen Völker. Alle
Tradition wurde zerstört. Juan de Zumarraga,
der erste Erzbischof der Stadt Mexico, die an die
Stelle Tenochtitlans trat, berichtet über die Vernichtung von fünfhundert Tempeln und 20000
Statuen. Das riesige königliche Bilderschrift-
archiv von Tetzcoco ließ er verbrennen. Einzelne
Männer wie der Vizekönig Mendoza oder der
Franziskanerpater Bernardino de Sahagún konnten zwar klägliche Reste retten. Sie versuchten
auch durch Befragung überlebender Azteken,
nachträglich ein Bild von deren Vergangenheit
zu zeichnen. Aber nur neunzehn Texte aus der
großen Menge des aztekischen Schrifttums und
nur acht Texte des Mixteken-Volkes wurden
gerettet.

So wurden durch Jahrhunderte bis in die Neuzeit hinein Moctezuma und das «Reich der Azteken» für die Welt zu den einzigen Symbolen für die Geschichte Mittelamerikas. Es sah so aus, als hätte es dort vor den Azteken überhaupt keine Geschichte im eigentlichen Sinne gegeben.

Nur noch ein zweites Volk und ein «zweites Reich», so glaubte man, ließe sich in Mittelamerika mit dem Aztekenstaat vergleichen: das «Reich» der Maya, das bald nach den Azteken der spanischen Eroberung zum Opfer fiel.

Merkwürdig leuchtende Gebäude
wie diese Maya-Tempel auf Gemälden von Carlos Vierra
hatten die spanischen Seefahrer schon im Jahre 1506 beobachtet. Sie waren damals an der Westküste des Golfes von Honduras an der Halbinsel Yucatan entlanggesegelt. Aber es dauerte bis 1524, ehe die Spanier began-

nen, auch diese Halbinsel zu erobern. Erst 1546 gelang es Francisco de Monteo, die Maya-Völker auf Yucatan endgültig zu unterwerfen.

Merkwürdigerweise hinterließ die Eroberung des Maya-Reiches in den spanischen Berichten nichts, was etwa dem Widerhall entsprochen hätte, den die Kämpfe mit den Azteken und die aztekische Kultur bei ihnen gefunden hatten. Daß sie abermals auf eine hochstehende indianische Kultur gestoßen waren, ging eigentlich nur aus solchen Darstellungen hervor, in denen die Vernichtung von «Teufelswerk» – also schriftlichen Dokumenten – beschrieben wurde.

Diese Seite voller Hieroglyphen (rechts) entstammt einem Maya-Buch, das 1860 und 1870 in zwei Teilen an zwei verschiedenen Orten Spaniens gefunden wurde. Es handelt sich um eines der nur drei Maya-Bücher, welche auf ungeklärte Weise der Vernichtung entgingen.

Der zweite Bischof von Yucatan, Diego de Landa, ließ nämlich 1562 sämtliche Bücher der Maya in der Stadt Mani öffentlich verbrennen. Dadurch zerstörte er alle historischen Werke. Die drei Bücher, die seinem Eifer entgingen, enthielten allein astronomische und religiöse Darstellungen.

Im Alter begriff de Landa die Sinnlosigkeit seines Tuns. Mit Hilfe eines am Leben gebliebenen Maya-Königs versuchte er, wenigstens die Hieroglyphen der Maya und ihre spanische Bedeutung aufzuzeichnen. Es gelang ihm unter anderem, die Zeichen für die Tage und Monate festzuhalten. Aber auch sein spätes Werk blieb unbeachtet, bis es im 19. und 20. Jahrhundert plötzlich Bedeutung gewann. Jahrhundertelang schlummerten die großartigsten Zeugnisse einer frühen mittelamerikanischen Kultur in den Dschungelwäldern Yucatans, deren üppiges Grün sich immer dichter um unvergleichliche Bauwerke schloß.

So dicht war der Dschungel, daß Bauten
wie diejenigen der Maya-Stadt Palenque (oben) nur aus der Höhe zu erkennen waren.
Palenque aber gehörte zu den frühesten und erstaunlichsten Maya-Städten,
die sich der Nachwelt wieder erschlossen. Seit der amerikanische Rechts-
anwalt und Amateurarchäologe John L. Stephens im Frühjahr 1840 auf
die Ruinen Palenques stieß, begann die Auferstehung der Maya-Welt. Acht
mächtige Bauwerke traten in der Folgezeit aus dem Dschungel hervor,
darunter ein mit Reliefs geschmückter Palast von 103 mal 73 Meter Grundfläche und 18 Meter Höhe...

...ferner der sogenannte «Tempel der Inschriften», den das untere Bild zeigt.

In ihrer Tiefe barg die Tempelpyramide unter einer mit Hieroglyphen verzierten, fünf Tonnen schweren Steinplatte ein Grab mit dem Skelett eines
Herrschers oder Priesters. Die Skelette von fünf Männern lagen vor dem
Tor zum Grabe, das einst bewacht gewesen war. Durch einen Treppen-
schacht stand diese Grabkammer mit der Plattform der Pyramide in
Verbindung, auf der sich der eigentliche Tempel befand. Doch anders
als in Ägypten ist die Bestattung hochstehender Personen in Pyramiden
für das alte Mittelamerika eine Ausnahme. Welche Würden hatte der
Tote einst im Leben bekleidet, daß man ihm eine Grabkammer unter
dem Tempel zugestand? Diese Frage vermochte selbst der kriminalistische
Scharfsinn der Archäologen nicht zu lösen.

Piedras Negras, 90 km von Palenque entfernt (hier in einer Rekonstruktion),
wirkte nach seiner Entdeckung trotz vieler Zerstörungen wie ein riesen-
haftes, zusammenhängendes Monument. In der Stadt selbst gab es Häuser,
Straßen, ein mächtiges Dampfbad mit Heiß- und Kaltraum. Man fand
nahezu achtzig Steinstelen mit Reliefs und Hieroglyphen. Vor diesen Inschriften aber entdeckten die Archäologen, daß man ihre Datenangaben
mit Hilfe von de Landas späten Aufzeichnungen sehr gut lesen konnte;
die Stadt mußte schon um 435 n. Chr. geblüht haben – tausend Jahre bevor
die Spanier Mexiko und die Halbinsel Yucatan eroberten.

In Chichen Itza,
einer Stadt, die dreimal – 552, 987 und 1194 n. Chr. – neu gegründet oder
wieder aufgebaut worden war, überraschte dieser runde Turm, der den
Astronomen der Maya als Observatorium gedient hatte. Von diesem Turm
aus überwachten sie die höchst genaue Einteilung ihres Kalenders.

*Das unten abgebildete Relief an einem Altar der südlichsten Maya-Stadt, Copan,
die um 460 n. Chr. gegründet wurde, zeigt insgesamt siebzehn Astronomen
aus verschiedenen Maya-Städten, die um das Jahr 776 n. Chr. in Copan zu
einer Kalenderkonferenz zusammengekommen waren. Jeder der Männer
sitzt hier auf einer Hieroglyphe, die wahrscheinlich den Namen seiner
Heimatstadt bezeichnet.*

Zu Beginn der zweiten Hälfte des 20. Jahrhunderts öffneten sich immer noch neue Ausblicke in die Welt der Maya, deren geistige und kulturelle Leistung die der Azteken sogar übertraf. Die Forschung stand immer noch am Anfang, aber das Bild, das sie bis dahin gewonnen hatte, war schon großartig genug. Am erstaunlichsten aber blieb der große Zeitraum, den dieses Bild überspannte.

Die Überprüfung der Hieroglyphen auf Bauwerken und Stelen ergab immer ältere Daten, sie reichten schließlich auf einer Stele aus Peten bis ins Jahr 350 v. Chr. zurück. Es zeigte sich, daß die Zeitrechnung der Maya mit dem Datum 4 Ahan 8 Gumhu begann, was dem Jahr 3113 v. Chr. der abendländischen Zeitrechnung entsprach. Wenigstens bis 500 v. Chr. und 909 n. Chr. hatten die großen Städte und Staaten der Maya in ständig wachsender Zahl geblüht und waren durch ein erstaunliches Straßennetz miteinander verbunden gewesen.

Als die spanischen Eroberer kamen, waren sie nur noch auf Restbestände der einstigen großen Maya-Welt gestoßen.

Die Geschichte der Maya war die Geschichte eines Volkes, das bereits tief im 1. Jahrtausend vor Christus Städte, Baukunst, Verwaltung, Schrift, Papier, Rechenkunst und Kalender gekannt hatte. Wo aber lagen seine Anfänge? Und wenn schon die Kultur der Maya so weit zurückreichte, wo lagen die Anfänge jener Kulturwelt, als deren späteste Erben die Azteken in Mexiko gelten mußten?

Zwei Meter und siebzig Zentimeter hoch war dieser steinerne Riesenkopf (rechts), den amerikanische Archäologen zwischen 1939 und 1941 in La Venta, einer vom Dschungel bedeckten Sandinsel im südlichen Küstengebiet des Golfs von Mexiko, entdeckten. Es war nur eines unter vielen künstlerisch ähnlich vollendeten Riesenhäuptern, die ohne Rumpf auf dem Boden standen.

Sie wurden zu Symbolen einer Kultur, deren Entdeckung ungeheures Aufsehen erregte – der Kultur der Olmeken. In La Venta mit seiner Erd-pyramide, mit Riesenaltären, Gräbern und künstlerischen Grabbeigaben, in Tres Zapotes am Ufer des San-Juan-Flusses und 100 Kilometer westlich in Cerro de las Mesas hatten die Olmeken unübersehbare Zeugnisse für ihr Leben und Wirken hinterlassen, das der Amerikaner Philip Drucker in die Zeit zwischen 800 und 400 v. Chr. datierte.

Die hölzernen Bauten der Olmeken waren vergangen. Aber ein Volk, das in der Frühe des 1. Jahrtausends v. Chr. zwanzig bis fünfzig Tonnen schwere Basaltblöcke für seine Plastiken und Bauten über eine Entfernung von mindestens 130 Kilometer aus dem Gebiet der Tuxtla-Vulkane in seine Küstenstädte schaffte, mußte sogar über mehr als nur über ungewöhn-liche Macht und organisatorische Meisterschaft verfügt haben.

Bald dämmerte mit den weiteren Funden die ahnungsvolle Erkenntnis, daß bei den Olmeken – lange vor Christi Geburt – der Ursprung der Hoch-kulturen Mexikos und Yucatans zu suchen sei: der Ursprung der Schrift, des Kalenders, der Steinplastik, der Bau- und Verwaltungskunst, die Kenntnis des Mörtels, des Asphalts, des Kautschuks, der Ursprung der höheren sozialen Organisation und zahlreicher religiöser Symbole.

In Yucatan hatten die Mayas das olmekische Erbe angetreten. In Mexiko waren es Völker gewesen, die zwischen 200 und 800 n. Chr. um Teoti-huacan ein großes Kultur- und Machtzentrum schufen. Ihnen folgten die Tolteken, dann die Chichimeken, die das zentrale Mexiko beherrschten, bis die Azteken ihnen die Macht entrissen.

Offen blieb die Frage: Hatten die Olmeken jene Ursprünge der mittel-amerikanischen Kultur ganz aus sich selbst geschaffen? Hatte, um mit dem englischen Historiker Toynbee zu sprechen, die «Herausforderung der Dschungelwelt» sie zu ihrer Leistung beflügelt? Oder hatten äußere Ein-flüsse anderer Art dazu beigetragen?

Seit der Entdeckung der amerikanischen Hochkulturen ging ein Mei-nungsstreit um die Frage, ob diese Kulturen unabhängig von den frühen Kulturen der Alten Welt im Nahen und Fernen Osten entstanden, oder ob sie gar deren Ableger seien. So gab die äußerliche Verwandtschaft der Pyramiden und Hochtempel mit den Pyramiden und Zikkurats Ägyptens und Mesopotamiens Anlaß zu Theorien dafür und dagegen. Um die Mitte des 20. Jahrhunderts war dieser Streit immer noch nicht ganz abgeklungen. Aus der Entdeckung der olmekischen Kultur zog der Glaube an die Exi-stenz früher Beziehungen zwischen Alter und Neuer Welt frische Nahrung. Tatsächlich bestehen verblüffende Parallelen zwischen manchen Kulturen Südostasiens und denen Altamerikas, besonders in der Kalenderrechnung und in gewissen Techniken bei der Bearbeitung von Metallen und Textilien.

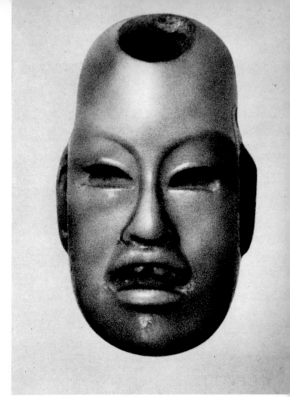

Viele der Selbstbildnisse (rechts), welche die Olmeken der Nachwelt hinterließen, scheinen unverkennbar ostasiatische Züge zu tragen, mochten auch die olmekischen Künstler in diese Bildnisse Züge des Jaguar-Kopfes hineingelegt haben, der in den religiösen Vorstellungen und Zeremonien der Olmeken eine wichtige Rolle spielte.

Hundertfach erscheinen die Züge des Jaguars in den Kunstwerken der Olmeken, besonders drastisch in ihren Erzeugnissen aus Jade (Bild rechts unten). Jade war ein Lieblingsmaterial der altchinesischen Kunst. Gerade der Jaguar als dämonisches Tier erinnerte mit großer Deutlichkeit an das dämonische Tier der Chinesen, Tao-tieh, das während der chinesischen Chou-Zeit, 1100 bis 256 v. Chr., und später eine so große Rolle gespielt hatte.

Hatten etwa chinesische Sendboten, Seefahrer und Kaufleute, im 1. Jahrtausend v. Chr., den nordpazifischen Küsten folgend, Mexiko und später Peru erreicht?

Hatten sie dort Niederlassungen gegründet und Elemente ihrer religiösen und mythischen Vorstellungen vermittelt, gleichzeitig aber ihre organisatorischen, künstlerischen und handwerklichen Fähigkeiten unter einer Bevölkerung verbreitet, die selbst einmal, am Ende der Eiszeit, den Tieren folgend, von Ostasien über eine Landbrücke in der Bering-Straße nach Nord- und Mittelamerika gelangt war?

Hatten sie den Anstoß zur Bildung jener Kultur gegeben, die sich bei den Olmeken fand?

Die Frage war gestellt, aber die Antwort blieb offen. Noch steckt die Erforschung der Kulturen Mittel- und Südamerikas in ihren Anfängen. Aber es zeichnen sich vage Verbindungslinien ab, die eine Beziehung zwischen den frühen Reichen der Alten Welt und den ersten Kulturen Amerikas möglich erscheinen lassen.

KAPITEL II *War es Tuberkulose? War es Malaria, gelbes Fieber, tropische Dysenterie oder Hunger, die dieses menschliche Wesen aus der Frühzeit Mexikos betroffen hatte?*
Als die oben abgebildete Tonfigur im 20. Jahrhundert in Westmexiko gefunden wurde, vermochte niemand diese Fragen zu beantworten.

Nur eines war sicher: diese und ähnliche primitive Tonkeramiken, die auf dem Boden des späteren mexikanischen Staates Nayarit entstanden waren, gaben der Nachwelt Zeugnis von der ewigen Bedrohung des Menschen durch Leid und Tod.

Die Versuche, den Spuren prähistorischer Krankheiten in Mittel- und Südamerika nachzugehen, zählen zu den jüngsten Bemühungen der Forschung auf dem Gebiete der Frühgeschichte der Medizin. Für Mexiko stecken diese Bemühungen noch in ihren ersten Anfängen. Es gehört zu den Besonderheiten dieser jungen Forschungsrichtung, daß ihr die ebenso junge archäologische Untersuchung Westmexikos die vielleicht ältesten, in jedem Falle aber vielgestaltigsten medizinischen Zeugnisse lieferte. Auf dem Boden der westmexikanischen Staaten Guayanato, Colima, Jalisco, Nayarit lebten in der Frühzeit Völker, die in dem großen, bisher erforschten Entwicklungsweg von den Olmeken zu den Maya und Azteken nicht oder kaum in Erscheinung traten.

Es fanden sich zwar keinerlei Zeugnisse für ärztliches Wirken, so wie sie uns in Peru auf wunderbare Weise begegnen werden. Wohl aber zeichneten ihre Künstler trotz aller Schlichtheit ihrer Bemühungen so realistische Abbildungen menschlicher Leiden, daß es neuzeitlichen Betrachtern oftmals die Sprache verschlug.

Wem diese von Auszehrung und einer Verkrümmung des Rückgrats gezeichnete Mutter (auf dem Bild oben) ihr krankes Kind zeigt – einem Priester, einem Zauberer oder einem frühen Arzt –, niemand vermag es zu sagen. Auch läßt sich hier kein Leiden mit Sicherheit beim Namen nennen.

Aber angesichts der vier Gestalten aus Jalisco (oben rechts) gelangte der New Yorker Arzt A. L. Weisman, der über die bedeutendste private Sammlung medizinisch interessanter Kunst der präkolumbischen Kulturen Mittel- und Südamerikas verfügt und ein grundlegendes Werk über seine Forschungen vorbereitet, zu einer eindeutigen Diagnose: «chronischer Vitaminmangel». Die rachitische Verkrümmung der Beine sprach eine deutliche Sprache.

Elephantiasis, eine Krankheit, die zu unförmigen Gliederschwellungen führt, läßt sich unschwer in dem Bild rechts erkennen.

Wassersucht als Folge von Nierenentzündung, diagnostizierte Weisman an der Statuette rechts unten. Weisman verwies dabei besonders auf die typische «Todesblase» vor dem Mund.

Zu den Streitfragen, die lange Zeit die Medizinhistoriker beschäftigten, gehörte die Frage nach der Herkunft der Syphilis.

Diese Geschlechtskrankheit, die gegen Ende des 15. Jahrhunderts n. Chr. im Abendland um sich griff und auch in der Neuzeit trotz der Entdeckung von Salvarsan und Penicillin nie mehr völlig verschwand, war urplötzlich aufgetreten – 1493 in Barcelona in Spanien, 1495 in Italien, Frankreich, Deutschland, 1496 in Holland und Griechenland, 1497 in England, 1499 in Rußland. Um die gleiche Zeit tauchte sie auch in Hinterindien, China und Japan auf. Offenbar hatten europäische Seeleute, die zu dieser Zeit ihre berühmt gewordenen Entdeckungsfahrten nach Ostasien unternahmen, die Krankheit eingeschleppt. Der Weg, den das Leiden genommen hatte, war deutlich zu verfolgen. In Barcelona hatte es sozusagen zum ersten Male europäischen Boden betreten – mit den Matrosen des Kolumbus, die von dessen erster Reise aus Mittelamerika zurückkehrten. Keiner der zeitgenössischen Berichte zeigt irgendwelche Zweifel daran, daß die Matrosen sich in Mittelamerika infiziert hatten. Trotzdem wurde dies noch Jahrhunderte später bezweifelt. Einzelne Medizinhistoriker glaubten, die Syphilis habe in anderer Form schon vorher in Ägypten und Mesopotamien geherrscht. Sie fanden allerdings nicht die Spur eines Beweises. Aber ihre Behauptungen forderten dazu heraus, widerlegt zu werden. Als die medizingeschichtliche Erforschung Mittel- und Südamerikas begann, setzte daher auch die Suche nach Belegen für das Auftreten der Syphilis in den frühen amerikanischen Kulturen ein. Denn wenn auch alle Wahrscheinlichkeit dafür sprach, daß diese höchst gefährliche Krankheit ein böses Geschenk der Neuen Welt an die Alte Welt war, so war ein eindeutiger Beweis doch nicht vorhanden, der dies für die präkolumbische Zeit unabstreitbar hätte bezeugen können.

So fand das hier abgebildete westmexikanische Tonfigürchen aus der Sammlung Weisman besondere Aufmerksamkeit.

Es konnte jedoch schwerlich als Beweis für Symptome der Syphilis gelten. Um so deutlicher aber zeigte es Erscheinungen der Gonorrhöe, jener zweiten Hauptform der übertragbaren Geschlechtskrankheiten, die in den Keilschriften Mesopotamiens zwar bereits erwähnt, aber nirgendwo in anschaulicher und zugleich so krasser Form dargestellt worden ist.

*Eher mochte diese
überall mit Geschwüren bedeckte Figur aus Nayarit
(Anthropologisches Museum von Mexico City)
eine an Syphilis erkrankte Frau darstellen.*

*Das größte Aufsehen erregte allerdings diese
weibliche Tonfigur (auch aus der Sammlung Weisman)
mit allen Anzeichen eines vollzogenen Kaiserschnitts.*

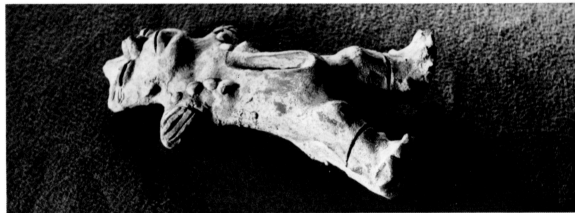

Die Schwellungen der Augenlider und andere Symptome führte Weisman
– selbst Professor der Frauenheilkunde – darauf zurück, daß die dargestellte
Frau möglicherweise an praeklamptischen Vergiftungserscheinungen mit
Ödemen der Augenlider gelitten habe. Eklampsie ist eine mit Vergiftungs-
erscheinungen und schweren Krämpfen einhergehende Komplikation der
Schwangerschaft oder Geburt. Wer aber hatte den Leib der Frau geöffnet?
Wer hatte das Kind gerettet oder zu retten versucht? Auch auf diese Frage
gab es keine Antwort. Sicher war nur, daß hier auf mexikanischem Boden
eine frühe plastische Darstellung des Kaiserschnitts gefunden worden war.
Im Jahre 1950 schrieb ein junger französischer Arzt, der die Museen und
Fundstätten Mexikos und Perus aufgesucht hatte: «Jeder, der die unver-
gleichlichen Zeugnisse kennt, welche die alte Mochica-Kultur in Peru für
die Existenz einer beachtenswerten Medizin und Chirurgie schon im ersten
Jahrtausend v. Chr. hinterlassen hat, hofft, daß auch der Boden Mexikos

solche Zeugnisse aus frühester Zeit, vor allem aus der Zeit der Olmeken, birgt». Vorläufig muß man sich mit den Funden in Westmexiko begnügen.

Aber man darf auf einen Kopf mit Hasenscharte (links) hinweisen, den uns die Totonaken (Zeitgenossen und Nachfolger der Olmeken) als medizinisch aufschlußreiche Skulptur hinterlassen haben.

Und noch mehr auf eine Maya-Plastik aus Campeche, die einen schwer leidenden Mann mit einem Tumor in der linken Augenhöhle zeigt (links unten). Hier liegt noch eine Welt begraben.

Um uns wenigstens in Umrissen ein Bild der frühen medizinischen Vorstellungen zu schaffen, müssen wir heute noch vorsichtige Rückschlüsse ziehen. Ich meine Rückschlüsse aus der späteren Zeit der Maya und der Azteken. Leider geben uns die wenigen Maya-Texte, die wir bis heute besitzen, keine medizinischen Aufschlüsse. Die sogenannten Kräuterbücher der Maya, die gelegentlich benutzt werden, um populäre Artikel über die Medizin der Maya zu schreiben, entstammen alle erst dem 18. Jahrhundert. So bleiben die erhalten gebliebenen Texte der Azteken, die Aufzeichnungen des Paters Sahagún und die Berichte einiger spanischer Ärzte kurz nach der Eroberung Mexikos die wichtigsten Quellen, aus denen man die genannten Rückschlüsse auf die Frühzeit zu ziehen vermag, deren Erben die Azteken auch in medizinischer Hinsicht waren.»

Die Maisgöttin Chicomecoatl, Herrin über das Hauptnahrungsmittel der Azteken, stand im Mittelpunkt des Götterhimmels, in dem die Priester und Ärzte der Azteken einerseits die Ursache, andererseits aber auch die Heilung vieler Krankheiten sahen oder suchten. Vergehen gegen die himmlischen Mächte als Ursache von Unheil und Krankheit – diese Vorstellung geisterte auch durch die Köpfe der Azteken.

Die Göttin Tlazolteotl (rechts) drang in den Menschen ein und ließ ihn in Krämpfe verfallen. Der Kranke schnitt Grimassen, verdrehte die Augen, bekam gelähmte Arme und gekrümmte Füße, schlug mit den Händen um sich, und Schaum trat vor seinem Mund. Es war nicht schwer, in dieser Beschreibung die Epilepsie zu erkennen. Der Grausamkeit dieser Krankheit entsprach das Bild der Göttin. Auch sie hatte gekrümmte Füße, Blut strömte aus ihrem Mund, und ihre Augen trieften.

Xochipilli, der mixtekische Gott der Vegetation und der Fruchtbarkeit (unten rechts), strafte ebenfalls für «Sünden» der verschiedensten Art. So strafte er zum Beispiel mit Krankheiten der Geschlechtsorgane, darunter sicher auch der Syphilis.

Auch der Gott Xolótl-Nanauatzin (Bild unten) quälte die Menschen mit Geschlechtsleiden. Sein Bild mit verkrümmten Gliedern, triefenden Augen und voller Geschwüre war nicht weniger abschreckend als das Bild der Göttin Tlazolteotl.

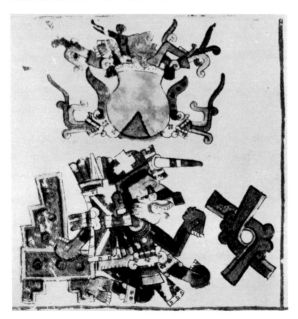

Die Bedeutung, die dem Menschenopfer während der Aztekenherrschaft zukam, erklärt sich aus der ungewöhnlich festen Bindung der aztekischen Herrenschicht und Priesterschaft an bestimmte mythologische Vorstellungen. Es läßt sich leicht ermessen, welche Wichtigkeit der Gedanke der Versöhnung zürnender Götter durch Opfer auch bei der Bekämpfung von Seuchen und Krankheiten besaß.

Hierbei brachte man als Opfer in erster Linie Maiskolben, Gold und Edelsteine dar. Doch man opferte auch Menschen. Man glaubte zum Beispiel, daß der Frühlingsgott Xipetotec Hautleiden, wie Geschwüre, Furunkel und Krätze, sende. Also gelobten Hautkranke, zum Frühjahrsfest die abgezogene Haut eines Gefangenen über den eigenen Körper zu ziehen.

Um so erstaunlicher war es, daß die Spanier bei ihrem Eintreffen trotz dieser religiösen Besessenheit ein rationales medizinisches Erfahrungsgut vorfanden, das sie – abendländische Menschen des 15. Jahrhunderts n. Chr. – genauso tief überraschte wie der erste Anblick der mexikanischen Städte.

Dr. Nicolas Monardes (rechts) hieß der 1578 verstorbene Stadtarzt von Sevilla, der im Jahre 1565 nach jahrzehntelanger Arbeit ein Buch in drei Teilen über die Heilmethoden und Heilstoffe der Einwohner Mexikos veröffentlichte. Mehrere Hundert aztekischer bzw. mexikanischer Drogen probierte Monardes selbst in seiner Praxis aus, und zwar in der gleichen Weise, in der sie von den Azteken angewandt wurden. Seine Erfolge erregten großes Aufsehen.

Noch aufschlußreicher wurde die Arbeit des königlich-spanischen Arztes für Westindien, Dr. Francisco Hernandez. Im Auftrag König Philipps II. stellte er ein Riesenwerk über die Naturgeschichte der Neuen Welt zusammen. Es umfaßte 24 Bücher und 10 Bildbände. Hernandez beschrieb darin 1200 Drogen und sonstige Heilmittel, die in der Aztekenzeit verwendet worden waren. Sein Werk wurde jedoch erst 1628 in einer stark gekürzten Fassung gedruckt.

Die Sarsaparilla (rechts) war eine jener mexikanischen Heilpflanzen, die in dem Werk des Dr. Hernandez abgebildet waren. Sie hatte den Azteken als harntreibendes Mittel bei Nieren- und Blasenleiden, als Medikament zur inneren Behandlung von Hautausschlägen und als Gurgelmittel gedient. In der gleichen Eigenschaft gewann sie auch in ganz Europa Bedeutung. Bis in unsere Tage blieb das Kraut Bestandteil vor allem zahlreicher medizinischer Tees.

Auch in den Berichten des Franzikanerpaters Bernardino de Sahagún konnte man nachlesen, daß es im Aztekenreich neben den Priestern, Wahrsagern und Zauberern kräutersammelnde Apotheker und Ärzte gab. Manche Spezialisierung der Ärzte erinnerte geradezu an das frühe Ägypten. Insbesondere hatte es Spezialisten für die Behandlung von Wunden gegeben. Sie vernähten die Wundränder mit Menschenhaar, richteten Brüche ein und legten Schienen an. Bei Knochenbrüchen, die nicht heilen wollten, fügten sie Späne aus dem Holz einer Pinienart in die Knochen ein. Abszesse der Mandeln öffneten sie mit kleinen Obsidianmessern. Pulverisierter Obsidian diente zur Verhinderung von Wundeiterungen.

Das Temascal oder Dampfbad

bildete den Schauplatz der Tätigkeit anderer Spezialisten. Sie verstanden sich vor allem auf die Behandlung von Rheumatismus, von Lähmungen und Nervenschmerzen. Dabei bedienten sie sich auch der Massage. In den Bädern wurde, wie in der modernen Sauna, Wasser über heiße Steine gegossen und der Körper des Kranken mit Maisblättern gepeitscht.

Andere Spezialisten beschäftigten sich ausschließlich mit den Leiden des Darms und der Blase. Sie kannten bereits Diätvorschriften, darunter eine Schonkost aus gekochten Maisfladen. Wie sehr alle diese Heilkundigen, Mythologie und Magie zum Trotz, zu beobachten verstanden, lehrt eine Stelle aus einem aztekischen Text: «Der Arzt wird an Auge und Nase erkennen, ob der Patient sterben oder wieder gesunden wird... Eines der Anzeichen ist das Rußigwerden in der Mitte der Augen... dann Dunkel- und Blindwerden der Augen... dünner werdende Nase... ebenso dauerndes Mahlen mit den Zähnen... und schließlich das zusammenhanglose Stammeln von Worten... Man kann die Brust mit in Wasser zerquetschtem Föhrenholz einreiben oder die Haut mit einem Wolfsknochen, einem Adlerknochen oder einem Pumaknochen punktieren... Hilft nichts von alledem, dann liegt die verhängnisvolle Unabwendbarkeit auf der Hand – der Tod hält seine Ernte.»

«Es gibt ein Gewächs, das Peyotl heißt», schrieb Bernardino de Sahagún. «Es wächst in den nördlichen Teilen des Landes. Wer davon ißt oder trinkt, sieht zum Lachen reizende oder erschreckende Dinge. Das Gewächs läßt Furcht, Durst und Hunger vergessen. Wer Peyotl ißt, kann in die Zukunft sehen.»

Erst die Neuzeit sollte das Geheimnis des kleinen Kaktus Peyotl enthüllen. Sein getrocknetes Pflanzenfleisch, das von aztekischen Priestern und Ärzten verwendet wurde, enthält eine Anzahl von Alkaloiden. Einige wirken betäubend. Ein anderes aber erzeugt bei denen, die dieses Pflanzenfleisch kauen, nach einer Phase der Übelkeit Halluzinationen wollüstiger Art. Es handelt sich um das Alkaloid Mescalin, das im 20. Jahrhundert als Rauschgift Aufsehen erregte.

Eine andere Droge, Nanacatl, war eine Fliegenpilzart, die geistiges und körperliches Wohlbefinden verlieh, in höheren Dosen aber einen Dämmerzustand hervorrief, der erst nach Stunden wieder wich. «Colorines» dagegen, der Same einer roten Bohne, erhöhte die geschlechtlichen Fähigkeiten. Er reizte das Erektionszentrum im Rückenmark, ähnlich dem afrikanischen Yohimbin, das im 20. Jahrhundert lange Zeit in Europa als sexuelles Reizmittel große Verbreitung fand.

Camotl war ein kleines Knollengewächs, das apathisch machte. Es erzeugte Unempfindlichkeit gegen Schmerz und Umwelteinflüsse. Auch hier fand erst die Neuzeit das Geheimnis der Wirkung. Saponine erzeugten diese Unempfindlichkeit – die der Süchtige allerdings mit der Zerstörung seiner roten Blutkörperchen bezahlen mußte.

Keine andere der frühen Kulturen besaß eine ähnliche Fülle an Drogen, die Rausch, Unempfindlichkeit oder beides zugleich erzeugen konnten.

Acayatl, «Tabak an einem Rohr», nannten die Azteken jene nach Art unserer Virginias um ein Röhrchen gewickelten Tabakrollen, die sie rauchten, um sich in einen «Zustand der Ruhe» zu versetzen. Pulverisierte Tabakblätter dienten dagegen als wichtiges Mittel gegen Kopfschmerz, Schwindel, Benommenheit und gegen Erkrankungen der Nasenhöhle.

Die Ärzte ließen das Tabakpulver einfach durch die Nase aufschnupfen.

Schon der Eremit Pane, der die zweite Reise des Kolumbus mitmachte, hatte über den Tabak berichtet, daß er «als Arzneimittel wirksam, aber ebenso stark berauschend» sei.

Doch erst in den Jahrzehnten nach der Eroberung Mexikos hielt der Tabak als Heilmittel seinen Einzug in Europa. Noch um die Mitte des 20. Jahrhunderts, vor der Entdeckung der Chloroformnarkose, dienten Tabaksklistiere europäischen Chirurgen als Medikament, um bei ihren Patienten störende Muskelkrämpfe zu verhindern. Der Schnupftabak behauptete sich als Mittel gegen Schwindel und Nasenerkrankungen jahrhundertelang. Unterdessen hatte der Tabak als Genußmittel die ganze Welt erobert.

Erst im 20. Jahrhundert wurde er aus seiner Rolle als Helfer der Medizin herausgedrängt. Er wurde statt dessen zu einem Feind, dem die Medizin als Erzeuger von Kreislaufleiden und mutmaßlichem Erreger des Lungenkrebses den Kampf ansagte.

Die Entdeckung und Kultivierung des Tabaks aber war zweifellos kein Erfolg der kurzen aztekischen Herrschaft. Wie die Mehrzahl der anderen Drogen und Heilmethoden war er den aztekischen Herren als Frucht einer viel älteren Entwicklung in den Schoß gefallen. Wie weit die Wurzeln dieses Erbes zurückreichten, zeigten andere Stoffe, die ebenfalls von anhaltender Bedeutung für die Medizin der Neuzeit wurden.

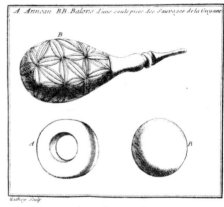

Im Jahre 1743 veröffentlichte der französische Arzt und Weltreisende Pierre Barrère in seinem Buch «Nouvelle Relation de la France Equinoxiale» die nebenstehenden Bilder einer Klistierspritze aus Gummi, eines Gummirings und eines Gummiballs. In Südamerika war er auf diese Dinge gestoßen, und Europa erfuhr zum ersten Male, daß die Indianer Südamerikas solche Gegenstände aus dem Saft eines Baumes herstellten. Fünfzig Jahre später tauchten – ebenfalls zum ersten Male – Klistierspritzen aus Gummi, Gummiflaschen und Gummischläuche im Instrumentenkatalog der berühmten Londoner Firma Savinier auf. Sie leiteten die Entwicklung zahlloser Geräte aus hartem und weichem Kautschuk ein, die in der Folgezeit zu unentbehrlichen Hilfsmitteln der modernen Medizin werden sollten. Insgesamt hatte es nach der spanischen Eroberung Mexikos 300 Jahre gedauert, bis der Kautschuk seinen Weg in die abendländische Medizin fand.

Die altmexikanischen Kulturen aber hatten den Kautschuk nicht nur zur Herstellung von Bällen für ein Kampfspiel verwendet, das sie auf großen Spielplätzen wie diesem in Monte Alban zwischen Spielern, deren Aussehen auf dem Steinrelief oben links verewigt ist, veranstalteten.

Auch die Ärzte führten Kautschuk in ihren Taschen bei sich, vor allen Dingen zur Herstellung großer Zugpflaster gegen rheumatische Erkrankungen und Rippenfellentzündungen.

Kautschuk aber kam auch zur Aztekenzeit nur aus dem Küstengebiet am Golf von Mexiko, in dem die olmekische Kultur der frühesten Zeit geblüht hatte. Und die Azteken nannten ihr dortiges Tributgebiet «Olman», das Kautschukland.

Vom gleichen Lande berichtete Sahagún: «Dort wächst der Kakaostrauch» (rechts).

Cacahuatl, das Pulver der Samenbohne des Kakaostrauches, mit Vanille, Honig und Pfeffer in Wasser gekocht, bildete das bedeutendste Heil- und Stärkungsgetränk der Azteken. Als Cortez 1528 nach Spanien zurückkehrte, brachte er die ersten Kakaobohnen nach Europa. Wie der Tabak, wurde auch die Schokolade für die europäische Medizin zum Medikament, zum Stärkungsmittel gegen alle auszehrenden Krankheiten. Zwar erhielt sie später den Charakter eines Genuß- und Nahrungsmittels. Doch als Zugabe zu Kräftigungspräparaten und vor allem in Gestalt der Kakaobutter als Grundsubstanz des medizinischen Zäpfchens verlor der Kakao niemals seine therapeutische Bedeutung.

Die Kakaobohne aber war nur ein weiteres Beispiel aus einer Reihe von Drogen, deren Verwendbarkeit nicht erst im Aztekenreich entdeckt worden war, sondern bis in die Zeit der ersten Kulturreiche auf mexikanischem Boden zurückging, deren medizinische Erforschung noch vor uns liegt.

Das Inkareich mit seinem Strassennetz
vor der Ankunft der Spanier

KOLUMBIEN

Quito

EKUADOR

Guayaquil

Cuenca
Tumbes

PERU

Marañon

Amazonas

K E T S C H U A

Lambayeque

Pacasmayu
Chicama

Cajamarca

Chicama
Trujillo

Chan-Chan

Moche

Chimbote

Chavin

Viru
Nepena

Chavin

MOCHICA-CHIMU

Casma

Casma
Recuay

Paramonga

JUNIN SEE

Uruhamba

Huari

Chancay
Ancon

Apurimac

Lima
Cajamarquilla

PACHACAMAC

Machu Picchu
Pisac

Chincha
Pisco

Ollantaytambo
Cuzco

Paracas
Ica

Ica

Nazca

BOLIVIEN

Nazca

Pucara

Sillustani

TITICACA SEE

Tiahuanaco

Santa Cruz

PAZIFISCHER OZEAN

C H I L E

Quito

Tumbes

Cajamarca

Chan-Chan

Paramonga
Pachacamac

Cuzco

Kalamarko
Kala-Koto

Calama

Palkisa

Copiapo

Maule

PERU

Pachacamac (unten)

nannte sich jene Ruinenstadt südlich von Lima, die der schweizerische
Naturforscher Johann Jakob Tschudi (1818–1889) im Jahre 1842 besuchte.
Er ließ sich von einem Indianer durch die mit Sand bedeckten Ruinen
führen, und vor seinen phantasiebegabten Augen entstand das Bild eines
peruanischen Rom, einer Herrscher- und Pilgerstadt, die hier dereinst
geblüht haben mußte. Tschudi wußte noch nichts von neuzeitlichen
archäologischen Zeitbestimmungen, er «ahnte» nur eine versunkene Welt
und beschrieb sie 1851 in seinem Buch «Antiguedades peruanas».
Er beschrieb den Tempel, der sich im Hintergrund über stufenartige
Mauergürtel erhob. Er beschrieb die Stadt und ihre Pilgerherbergen sowie
das «Kloster» der dem Tempeldienst geweihten Frauen. Er beschrieb
schließlich die Paläste und Tempel, welche die «Inka»-Könige sich selbst
und ihrem eigenen Sonnengott errichten ließen, als sie in der ersten Hälfte
des 2. Jahrtausends n. Chr. aus ihrem Bergkönigreich um Cuzco herab-
stiegen und sich ganz Peru dienstbar machten.

Seit die spanischen Eroberer unter Francisco Pizarro 1533 n. Chr. den letzten König
des Inka-Reiches, Atahualpa (oben links), als Gefangenen hingerichtet hatten,
verband sich in der Vorstellung Europas der Gedanke an Peru mit dem Begriff des Inka-Reiches. Die Inka erschienen als die alleinigen Schöpfer dieses
Kulturreiches, über dessen Verwaltungssystem, Tempel, Städte, Wasser-
werke und Straßen das Abendland erstaunliche Berichte erhielt. Es dauerte
lange, bis sich das Bewußtsein durchsetzte, daß die Inka nur die letzten,
späten Herrscher über Peru gewesen waren.

Nicht viel länger als hundert Jahre hatten sie, die vorher Könige des
Ketschua-Volkes gewesen waren, dem peruanischen Raum den Stempel
ihrer Verwaltung und ihrer Sprache aufgezwungen. Chroniken wie die
des Indianers Poma de Ayala, die in den Jahrhunderten nach der spanischen Eroberung aufgezeichnet wurden, nährten mehr oder weniger bewußt
die Heldenlegende der Inka. Dies konnten sie tun, ohne auf vorhandene
Quellen Rücksicht nehmen zu müssen. Wenn in Mexiko der katholische
Vernichtungseifer wertvollste Teile der Geschichtsschreibung zerstört hatte,
so war dies in Peru nicht nötig gewesen. Die Eroberer hatten im Inka-Reich
keine Schrift und daher auch keine Geschichtsschreibung vorgefunden.

Die «Quipu» (links), die einzige Art von Aufzeichnungen,
die bei den Inkas existierte, waren Schnüre, die in verschiedenen Abständen
verknotet wurden. Sie hatten jedoch nur zur Festlegung von Zahlen und
Anweisungen gedient, niemals aber den Rang einer echten Schrift erreicht.

Die Mauerreste der mächtigen, aus Lehmziegeln errichteten Festung Paramonga (oben) sowie das 18 Quadratkilometer bedeckende Ruinenfeld von Chan-Chan (unten) gehören zu den frühesten archäologischen Zeugnissen, welche die Inka-Legende zerstörten.

Sie zeigen, daß es schon lange vor der Inka-Herrschaft bedeutende politische und kulturelle Zentren in Peru gegeben hatte. Bereits nach der spanischen Eroberung war in den Berichten hie und da von einem Chimu-Reich mit seiner Hauptstadt Chan-Chan die Rede gewesen, einem Reich, das mehrere Jahrhunderte lang in den Küstentälern von Pacasmayo bis Santa geblüht haben sollte. Das Chimu-Reich verdankte diese frühen Hinweise auf seine Existenz der Tatsache, daß sein letzter Herrscher, Minchanza-

man, noch gelebt hatte, als die Spanier eintrafen. Aber erst die archäologische Forschung lieferte im 18. Jahrhundert Beweise für die Existenz des ChimuVolkes. Sie zeigte auch, daß ChanChan große Pyramiden und Wasserspeicher besessen hatte. Außerhalb der zwölf Meter starken Mauern breiteten sich künstlich bewässerte Ackerflächen aus. Die Festung Paramonga hatte die Südgrenze eines Reiches geschützt, das von Straßen durchzogen war. Sie führten von Oase zu Oase und waren bis zu 24 Meter breit. Die Funde an Keramik und Schmuck gaben Zeugnis von einem handwerklichen Hochstand, der auf eine sehr lange Tradition zurückblicken mußte. Worauf stützte sich diese Tradition?

Das Sonnentor von Tiahuanaco,
im Süden des Titicacasees fast 4000 Meter hoch gelegen, regte seit seiner Entdeckung zur Erforschung der Zeit vor den Inkas an. Das mächtige Tor und andere Ruinen, die eine Fläche von 450000 Quadratmeter bedeckten, führten zu dem Schluß, daß hier einmal das Zentrum eines großen Reiches gelegen haben müsse, das sich noch vor der ChimuZeit bis zur Küste ausdehnte. Noch fehlten allerdings die Beweise für die Existenz eines solchen Reiches. Erst die genauere archäologische Untersuchung, die 1932 begann, ergab, daß Tiahuanaco schon um 800 v. Chr. bestanden hatte – als Hauptstadt oder aber als gewaltiges Tempelzentrum, zu dem die Gläubigen von weither hinaufzogen, um hier den Göttern nahe zu sein.

*Eine noch entscheidendere Anregung erfuhr die
Forschung durch die oben und unten abgebildeten Systeme geheimnisvoller Linien,
die kilometerweit den festen Wüstenboden in der Umgebung von Nazca durchzogen.*
Für dieses System schien es keine andere Erklärung zu geben als diese:
Astronomen hatten jene Linien geschaffen – Astronomen, die mit ihnen
den Aufgangsort bestimmter Gestirne am Horizont anpeilten. Mit Hilfe
eines solchen Liniensystems hatten sie ihre Jahres- und Monatsdaten errech-
net. Die Untersuchung anderer Bodenfunde im Raum von Nazca ließ erkennen, daß auch hier spätestens zwischen 700 und 500 v. Chr. eine beach-
tenswerte Kultur entstanden sein mußte.

Zum ersten Male trat die Frühzeit Perus aus dem Boden des Landes zutage, als die Spaten der Archäologen in Cerro Sechín, im Casma-Tal, diese Steine freilegten. Die Steine hatten zu einem großen Tempel gehört, der in der Zeit zwischen dem 9. und 6. Jahrhundert v. Chr. hier im Norden, weit von Nazca entfernt, errichtet worden war.

Er fügte sich in eine Reihe anderer Tempelfunde, deren wichtigster in der Ortschaft Chavín de Huantar am Mozna-Flüßchen gemacht wurde. Dieser Tempel maß 75 mal 75 Meter in der Grundfläche, und selbst seine Überreste standen noch 13 Meter hoch. Der Bau war aus großen, fest ineinandergefügten Steinen errichtet, eine Bauweise, die, wie in Ägypten, eine staatliche Organisation der Arbeitskräfte und der Materialbeschaffung voraussetzte. Rings um den Tempel lagen Straßen, Häuser und Plätze.

Der Name Chavín wurde in der Folge zur Bezeichnung eines ganzen Kulturkreises.

Kaum weniger bedeutungsvoll war die Entdeckung der Trümmer des «Kunturwasi»-Tempels im Gebiet von Cajamarca, von dem eine Rekonstruktion links unten wiedergegeben ist.

Tausende von Gräbern befanden sich an den Berghängen rings um die ehrfurchtgebietenden Ruinen dieses einst gewaltigen Tempels.

Die Fundstellen der Chavín-Kultur erstreckten sich nach allen Richtungen bis nach Chongoyape, Ancón, Paracas. Man stieß nicht nur auf Siedlungs- und Tempelbezirke, sondern auch auf kunstvolle Bewässerungsanlagen für die Felder. So fand man Beweise für den Anbau von Baumwolle, Mais, Bohnen und Erdnüssen, fand Zeugnisse für die Haltung von Haustieren, wie Lama und Hund, entdeckte Reste einer entwickelten Weberei und von erstaunlich gearbeitetem Schmuck – Kronen aus Gold waren darunter. Dies alles aber stammte aus der Zeit zwischen 900 und 600 v. Chr.

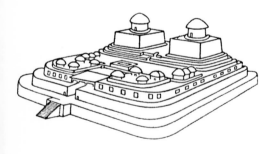

Die Darstellungen grausamer, abschreckender Tierdämonen – Schlangen, Raubkatzen, Jaguare – charakterisieren in besonderem Maße die Chavín-Kultur.

Den ersten Forschern, denen es gelang, die zeitliche Erstreckung der Chavín-Kultur bis ins 9. Jahrhundert v. Chr. zu überblicken, fühlten sich angesichts dieser Darstellungen wieder an die Tao-tieh, die Tierdämonen Chinas, erinnert. Erneut erfüllte sie das ahnungsvolle Bewußtsein, daß in der Frühe des 1. Jahrtausends v. Chr. ein Kulturaustausch zwischen Ostasien und Südamerika stattgefunden haben müßte.

Wenn aber handeltreibende Sendboten der chinesischen Küstenländer Wu und Yueh zu Beginn des 1. Jahrtausends v. Chr. ihre religiösen Vorstellungen nach Peru getragen hatten, hatten sie dann vielleicht auch die Kunst der Weberei und der Goldbearbeitung mitgebracht? Lag hier vielleicht die Erklärung dafür, daß alle Zeugnisse für die Chavín-Kultur (wie für die Kultur der Olmeken) «plötzlich» da waren und daß Versuche, Beweise für eine noch früher liegende Kulturentwicklung in Peru zu finden, scheiterten? Hatten die Seefahrer aus Ostasien ihre religiösen Vorstellungen und handwerklichen Kenntnisse auf primitive Stämme übertragen, die im 2. Jahrtausend v. Chr. in den Flußtälern Perus von Ackerbau und Fischfang lebten?

Die Vorstellung eines Brückenschlages, der über weite Meere hinweg Verbindungslinien zwischen den frühen Kulturen der Erde zog, war hier genau so faszinierend wie für Mexiko. Noch faszinierender aber war, daß der Archäologe Max Uhle bei Moche die Reste zweier gewaltiger, aus Lehmziegeln errichteter Pyramiden fand. Sie gehörten freilich nicht der Chavín-Kultur an, sondern waren Symbole eines weiteren altperuanischen Kulturkreises, der gegen Ende der ersten Hälfte des ersten Jahrtausends v. Chr. entstand. Die Zeugnisse, die diese Kultur hinterließ, stellten alles in den Schatten, was bis dahin gefunden worden war.

*Auf Grundflächen von 130 mal 130 und 80 mal 60 Meter erhoben sich die Überreste
der Pyramiden von Moche (oben Luftbild, unten aus der Nähe),*
der Pyramiden der Sonne und des Mondes. 130 Millionen luftgetrocknete
Ziegel waren nötig gewesen, um allein die Sonnenpyramide zu errichten. Auf
ihrer Spitze fand man die Reste einiger Kulträume mit vielfarbiger Malerei.
Die Könige von Moche hatten, wie die Mächtigen des alten Mesopotamien,
danach gestrebt, die Stätten ihrer Opfer und Anbetung so hoch wie möglich den Göttern entgegenzuheben. Der Name Moche wurde zur Bezeichnung für das ganze Volk, das einmal diese Pyramiden geschaffen hatte –
für das Volk der Mochica.

Zu den Pyramiden von Moche gesellten sich andere Pyramiden, vor allem
in Pachacamac und Maranga – kaum weniger gewaltige Zeugnisse für ein
Herrschertum, das weit mehr noch als die Begründer der Chavín-Kultur
von schöpferischem Geist erfüllt gewesen sein mußte. Ein Bewässerungs-
kanal von 110 km Länge, der rund 2000 Jahre später noch seiner Aufgabe
gerecht wurde, sprach nicht weniger von diesen Fähigkeiten als die Zeugnisse einer hochentwickelten Metallbearbeitung und der Herstellung von
Woll- und Brokatstoffen.

Was die Mochica aber am stärksten von allem Vorangegangenen und
Kommenden unterschied, war ihre Töpferkunst. Diese Töpferkunst übermittelte der Nachwelt ein beispiellos farbiges Bild vom Leben jenes
«Mochica-Reiches», das spätestens um das Jahr 500 v. Chr. begann sich
zur Blüte zu entfalten, und viele Jahrhunderte lang, bis über den Beginn der
abendländischen Zeitrechnung hinaus, diese Blüte bewahrte.

Vielleicht war dies der Kopf eines Königs oder eines Kronprinzen (rechts) aus der langen Reihe von Fürsten, die das Reich schufen und beherrschten, energisch, entschlossen, aber auch mit Klugheit und überlegener Intelligenz. Ihre Macht und der Einfluß ihrer Verwaltungskunst und ihrer Kultur reichten nach Norden in die Täler von Pacasmayo und Lambayeque, nach Süden ins Virú-Tal, in die Täler von Nepeña, Casma und weiter. Panamarca und das großartige Pachacamac, über das Tschudi so sehr begeistert berichtet hatte, gehörten mit ihren Stadt- und Tempelanlagen in diese Welt. In der 2. Hälfte des 20. Jahrhunderts war noch nicht zu erkennen, in welchem Umfange sich die Mochica-Kultur mit anderen Kulturformen in den Gebieten von Cicama, Pisco, Ica, Nazca oder Paracas vermischt hatte.

Der Jaguar- oder Katzenkopf, der aus der Stirn dieses Mannes eigenartig hervorragt, läßt vermuten, daß es sich hier um das Bildnis eines Hohenpriesters handelt, der über eine Religion wachte, in der die Raubtiergötter der Chavín-Zeit weiterlebten.

Zahlreiche Bilder auf Vasen berichten über die Götterverehrung dieses Volkes.
Auf der Zeichnung oben nehmen Priester durch eine Art Saugrohr berau-
schende Getränke zu sich, während eine Himmelsschlange ihr weitgeöffne-
tes Maul gegen Opfer richtet, die ihr dargebracht werden. Über dieser Szene
leuchten die Sterne des Himmels.

Die überaus zahlreichen Darstellungen von Kriegern mit Schild und Keule (links)
bezeugen anschaulich, daß das Mochica-Reich durch Kampf entstanden
war und allein durch Kampf behauptet werden konnte.

Seine Herrscher übten sich auf der Jagd in der Handhabung der Waffen (oben), und
Gelegenheiten, bei denen mit Keulen und Speeren bewaffnete Kriegerscharen in den
Fluß- und Bergtälern Perus aufeinanderprallten (unten), stellten sich immer wieder ein.

*Ein unübersehbarer,
von Töpfern geschaffener Bilderbogen*
erzählt schließlich vom täglichen Leben des Volkes der Mochica. Wir finden Darstellungen eines
Bauern, der bäuchlings liegend auf seinem Lama
reitet, einer Mutter mit ihrem Säugling im Arm,
eines Hauses (rechts, von oben nach unten) oder
Bilder zweier Küstenfischer, die ihr Boot rudern,
und eines Jägers, der Robben erlegt (unten links
und rechts).

Dies sind nur wenige Beispiele aus einem Bilderbogen, der vom König bis zum Bettler das Leben
dieser frühen Welt für die Ewigkeit festhält. Er
zeigt Könige an der Tafel und Diener, die ihre
Herren in Sänften durch das Land tragen. Er
überliefert Szenen vor Gericht, Hinrichtungen
und Strafen durch Abschneiden von Nasen und
Ohren. Er zeigt Aufseher beim Sammeln der
Ernten und Bauern in den Feldern über Mais,
Baumwolle, Kartoffeln und Süßkartoffeln. Wir
sehen Astronomen bei der Beobachtung des Himmels, Handwerker beim Schmieden von Kupfer
und Gold und beim Weben kostbarer Stoffe.
Dieser Bilderbogen macht nicht halt vor den Ta-
bus vieler Kulturen – er zeigt mit uneingeschränk-
tem Naturalismus auch alle erdenkliche Formen
des Sexus.

Niemals wieder zeichnete eine frühe Kultur ihr
eigenes Gesicht – ohne ein einziges geschriebenes
Wort – in solcher Vielfalt und Vollendung. Wen
wundert es daher, daß die Mochica für die Nachwelt zur klassischen Verkörperung der frühen
peruanischen Kultur geworden sind?

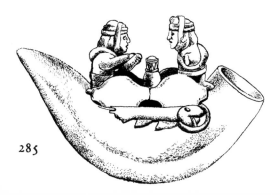

KAPITEL II

Ein Volk, das so realistische Bildnisse seiner Welt und seines Lebens schuf, konnte jene Seiten dieser Welt nicht übersehen, die von den unaus‚ rottbaren Begleitern des menschlichen Daseins – von Krankheit und Schmerz – überschattet sind.

So schufen die Mochica nicht nur einen Bilderatlas ihres Lebens, sondern auch ihrer Leiden. Es entstand eine Chronik, die alle medizinischen Dar‚ stellungen aus dem alten Mexiko weit überragt. Sie liefert einen Beitrag zur Frühgeschichte der Medizin, der auf seine Weise ohne Beispiel ist.

Die in der spanischen Zeit entstandenen Inka‚Chroniken, die 1500 bis 2000 Jahre später so mancherlei über die Medizin der Inka berichteten, enthielten viele Hinweise auf Krankheiten, welche in Peru herrschten.

Es war da die Rede von der Malaria, der Diarrhöe, dem Rheumatismus, der Gicht; man erfuhr von Entzündungen der Nerven oder der Nieren, von der Wassersucht. Diese wurde mit den Worten «Der Fluß der Quelle hat aufgehört» umschrieben. Häufig wurde von Lungenentzündungen («Unterbrochenem Atemholen») und Tuberkulose («Austrocknungs‚ krankheit») gesprochen – von Leiden also, welche durch die Gegensätze zwischen tropischer Hitze und einem schroffen Höhenklima gefördert wurden. Es gab auch eine «Pest der Vornehmen und der Frauen», in der manche Historiker auf ihrer Suche nach neuen Bestätigungen für den süd‚ amerikanischen Ursprung der Syphilis eben diese Krankheit zu erkennen glaubten.

Aber nirgendwo in der ganzen Literatur der Inka‚Spanier gab es so ein‚ dringliche Krankheitsbilder, wie sie die Mochica in ihrer Keramik schufen.

286

Die alten Ägypter hatten im «Bildnis eines blinden Harfenspielers» eine künstlerische Darstellung der Blindheit hinterlassen, die weltbekannt
werden sollte.

*Angesichts der beiden Darstellungen der Blindheit auf
Mochica-Krügen (links und rechts oben)*
darf man fragen, ob die ägyptische Arbeit die er-
greifende Wirkung der Mochica-Töpfer erreichte.

*Die Geschwulst über dem rechten Jochbein, die sich in
einer Töpferarbeit (unten rechts) deutlich ausprägt,*
wird von Ärzten unserer Tage als bösartiges Sar-
kom gedeutet.

Schwere Drüsenstörungen und krankhafte Fettsucht –
diese Diagnose erlaubt ohne Zweifel das unten
wiedergegebene Bildnis eines Mochica-Mannes.

Lange und heftige Auseinandersetzungen entbrannten um die Deutung der Krankheit,
die in dieser Tonfigur ihre Darstellung fand.

Selbst der berühmte deutsche Pathologe Rudolf Virchow, der Begründer
der Zellenpathologie (der Lehre vom Ursprung der Krankheit in den
menschlichen Zellen), nahm an diesem Meinungsstreit teil. Virchow ver-
focht im Jahre 1897 auf dem internationalen Lepra-Kongreß in Berlin die
These, hier sei ein Fall von Lepra dargestellt. Andere Wissenschaftler
meinten dagegen, es könnte auch eine als Strafe erfolgte Verstümmelung
des Gesichtes dieser Kleinplastik als Vorbild gedient haben.

In den folgenden Jahren wurde die Berliner Gesellschaft für Anthropologie der Schauplatz weiterer Meinungskämpfe, bei denen der Spanier Marcos Jiménez de la Espada die Ansicht vertrat, es handle sich um eine typisch peruanische ansteckende Krankheit, die in den Inka-Chroniken als Uta bezeichnet werde. Peruanische Archäologen und Ärzte, wie Julio Tello und Edmundo Escomel, fanden schließlich die Lösung. Es handelte sich um die «Amerikanische Schleimhaut-Leishmaniose», eine krebsähnliche Erkrankung, deren Erreger durch den Stich fliegender Insekten übertragen wurde. In der Neuzeit befiel sie vor allen Dingen die Coca-Pflücker in den heißen Anden-Tälern.

Die Lepra verschwand damit allerdings nicht aus der Liste der Krankheiten des frühen Peru.

Kenner des Leidens erblickten in der Figur rechts, die wieder der Sammlung Weisman entstammt, eine Darstellung des Aussatzes im sogenannten Tertiärstadium.

Um in diesem Gesicht die Anzeichen einer einseitigen Lähmung (meist als Folge eines Schlaganfalls) zu erkennen, bedurfte es keiner Auseinandersetzung.

Um so langwieriger jedoch waren die Debatten um die nebenstehende Figur eines nackten Mannes.
Man glaubte erneut, Beweise für den südamerikanischen Ursprung der Syphilis gefunden zu haben. Indes handelt es sich wieder um eine typische Erkrankung Perus: die Verruga. Bei dieser Krankheit, die mit Hals- und Knochenschmerzen beginnt, bedeckt sich der ganze Körper mit roten Erhebungen. Später bluten sie, und der Kranke geht an Blutverlust zugrunde. Noch rund zwei Jahrtausende nach der Entstehung der Mochica-Keramik, im Jahre 1869, legte das seuchenhafte Auftreten dieses Leidens durch den dadurch verursachten Ausfall eines großen Teils der eingeborenen Arbeiter den Bau einer Eisenbahnstrecke in Peru lahm.

Arzt am Krankenbett –
so könnte man schließlich diese Tonplastik nennen. Es blieb den Mochica vorbehalten, die einzige Plastik der Frühzeit zu schaffen, die einen Heilkundigen am Lager eines Kranken zeigt. Sie wäre kein Erzeugnis der Frühzeit gewesen, wäre darin nicht der Glaube an dämonische Urheber der Krankheiten und an die Nützlichkeit der Beschwörung zum Ausdruck gekommen.
Die Dämonen des Todes und der Krankheit – wieder eng verbunden mit den Katzen- und Schlangenköpfen, die aus der Chavín-Zeit weiterlebten – geisterten über zahlreiche Tongefäße. Sie trugen die Köpfe der Toten mit sich oder stritten wild um das Leben der Kranken.
Zwangsläufig ergab sich auch hier die so oft gestellte Frage: Hatten sich die Mochica im Kampf gegen ihre Leiden mit Gebet, Zauber und Beschwörung begnügt? Oder hatten auch sie aus Beobachtung und Erfahrung den Weg zu rationalen Behandlungsmethoden gefunden? Auf der Suche nach einer Antwort lag es auch hier nahe, Rückschlüsse aus der zeitlich so viel näher liegenden Medizin der Inka zu ziehen.

Die schon einmal genannte illustrierte Inka-Chronik des Poma de Ayala,

der im Jahre 1599 dieses Ergebnis vierzigjährigen Sammeleifers dem König von Spanien übergab, schien in ihren die Medizin betreffenden Teilen ebenfalls voll von Dämonenglauben, Krankheitszauber und Krankheitsbeschwörung. Bei Rückschlüssen von der Welt der Inka auf die um 1500 bis 2000 Jahre ältere Welt der Mochica war, wie in Mexiko, zweifellos Vorsicht am Platze. Trotzdem durfte man annehmen, daß viele Bräuche der Inka bei der Krankenbehandlung von vorausgegangenen Kulturen übernommen worden waren.

Die Krieger auf dem Bilde rechts waren wichtige Gestalten eines Festes, das im 15. und 16. Jahrhundert n. Chr. alljährlich im September in der Inka-Hauptstadt Cuzco begangen wurde – das Citua-Fest. Die Regenzeit stand bevor. Erfahrungsgemäß brachte sie zahlreiche Infektionskrankheiten, bösartige Diarrhöen und Augenentzündungen. Der Sinn des Festes war daher, vorbeugend die Krankheitsdämonen aus Cuzco zu vertreiben. Alle Kranken und Krüppel mußten die Stadt verlassen. Die Krieger aber stürmten bei Neumond, schreiend und ihre Waffen schwingend, durch die Straßen. Sie jagten die Dämonen vor sich her, verfolgten sie bis an den nächsten Fluß und stürzten sich selbst ins Wasser, um ihre Körper und Waffen nach der Berührung mit den Krankheitsgeistern zu reinigen.

Der Glaube an die Sünde als Ursache der Krankheit erfüllte die Inkas nicht weniger als die Azteken. Krankheit war eine Strafe für die Sünden, und die Götter forderten Opfer, Gebete und Beichten, ehe sie diese Sünden zu vergessen bereit waren. Wenn der Inka-König in Person erkrankte, war dies die Folge von Sünden, die in seinem eigenen Lande begangen worden waren. Sie erforderten daher Opfer des ganzen Volkes. Zwar erreichten die Menschenopfer in Peru nie

HICHE3EROS DE3VENOS
LLVII A' AICA'VMV

hichezero de sueno

hichezero de fuego

hichezero q iqupa

hichezeros fol sos   ollos

ein ähnliches Ausmaß wie die auf mexikanischem Boden. Aber sie waren der Inka-Zeit keineswegs fremd; die Opferung ganz besonders schöner Kinder war nicht selten. Und nur wenige Inka-Fürsten ersetzten sie durch die Hingabe goldener Statuen.

Priester diagnostizierten Art und Verlauf von Krankheiten aus der Lage von Coca-Blättern, die sie auf den Boden warfen. Sie rieben mit einem Meerschweinchen über den Körper eines Leidenden, bis es sich an der Stelle der heftigsten Schmerzen befand; dort töteten sie das Tier mit einem schnellen Griff der Hand. Dann öffnete man den Leib des Meerschweinchens und las aus dessen Organen – besonders den abnorm gebildeten oder von Blut unterlaufenen – den verborgenen Sitz der Krankheit. Aber auch Traumdeuterei spielte bei der Diagnose eine nicht unbedeutende Rolle.

Der Traumdeuter, der sich auf dem Bilde links über einen Kranken beugt, hatte sich in der spanischen Zeit aus einem Inka-Priester verständlicherweise in einen Teufel mit Schwanz verwandelt. Das Bild zeigt aber nicht nur Traumdeutung als therapeutisches Hilfsmittel, sondern auch eine Behandlungsmethode der Inka-Priester, die von Dämonenvorstellungen ausging: das Saugen am Leib des Kranken.

Dahinter stand der Glaube, krankmachende Geister gleichsam aussaugen zu können. Man rieb auch den Kranken mit Exkrementen ein, um wie in Ägypten und Mesopotamien die Dämonen mit Ekel zu erfüllen und zu vertreiben. Daneben spielte vor allem das Beichten von Sünden vor den Priestern eine Rolle, aber auch die Spende von Opfern und Beschwörungsgespräche der Priester mit den Dämonen galten als wirkungsvoll.

Die Bedeutung der Opfer, Zauberriten und Beschwörungen war also groß. Das verhinderte aber nicht, daß neben den Priestern und Beschwörern

Heilkundige standen, deren Leistungen auf dem Gebiet der rationalen Medizin beachtenswert waren.

Nicht umsonst sandten die Spanier, die an der Schwelle der Neuzeit nach Peru kamen, bewundernde Berichte über die Drogenkenntnis der Inka-Heilkundigen, die man *hampi-camayok, oquetlupcuc* oder *sircac* (Medizin-besitzer und Wundärzte) nannte, nach Europa. Nicht umsonst hieß es in ihren Berichten, man benötige keine spanischen Ärzte, da die indianischen wirkungsvollere Kuren beherrschten. Das Inka-Reich kannte nicht nur staatlich bestellte Heilkräutersammler. Es kannte auch *colla huayu*, wandernde Apotheker, welche die getrockneten Heilkräuter des Landes und mineralische Heilmittel mit sich führten.

Die Abführmittel, die auch im Inka-Reich an der Spitze der Drogenlisten standen, waren sehr vielgestaltig. Da gab es die gemahlene Uill-Cautari-Frucht, die teils eingenommen, teils durch Klistiere eingeführt wurde. Das Klistiergerät wurde Uillca-China oder «Uillca-Fruchtdienerin» genannt. Es gab auch Drogen, die so drastisch wirkten, daß sie gleichzeitig als Abtreibungsmittel dienten, u. a. das Wurzelpulver der Huachanca-Pflanze (Euphorbia huachanhana). Nahm man dieses Pulver ein und setzte daraufhin den Körper der Sonne aus, so folgten Schweißausbrüche, Diarrhöe und Erbrechen – eine vollständige Reinigung des Körpers. Als Mittel gegen Diarrhöe wiederum diente das Rindenpulver der Ratantici, die, wie neuzeitliche Untersuchungen bewiesen, große Mengen an stopfenden Gerbstoffen enthält. Man verwandte aber auch Chacco, eine Tonerde. Sie setzte sich aus den gleichen Stoffen zusammen, die auch im 20. Jahrhundert die Grundstoffe zahlreicher Medikamente gegen Magen- und Darmleiden bilden: Silicium, Aluminium, Magnesium. Die Narbenrispen des unreifen Maises wirkten harntreibend und dadurch heilend bei Blasenleiden. Sie wurden aber auch gegen die Wassersucht verwandt. Das Harz des Pfefferbaumes besaß eine austreibende Wirkung auf Parasiten im Darm. Gegen Augenentzündungen verwendete man die Blätter der Mactellu, die, wie ebenfalls die Mediziner der Neuzeit bestätigen konnten, ausgesprochen antiseptische Substanzen enthält. Ähnliches galt für die Milch des grünen Melonenbaumes, die bei hartnäckigen Hautkrankheiten verwendet wurde. Eine Salbe aus Tierfett und Schwefel diente – wie in unseren Tagen – zur Behandlung der Krätze. Das Kupfersulphat, dessen Wirksamkeit auch den Ägyptern vertraut gewesen war, galt den Inkas als hilfreich gegen Geschwüre und bösartige Augenleiden. Der giftige Schwefelarsen, dessen Inka-Name Hampiyok Hampei (Tod-Arznei) bedeutete, wurde schließlich als wirksames Mittel gegen Verruga und Leishmaniose erkannt.

Für die Medizin des Abendlandes aber sollten zwei Pflanzen besonders wichtig werden.

Die erste war die «Quina-Quina» (Myroxylon peruiferum), deren Öl bei der Behandlung von Wunden verwendet wurde und später als Peru-Balsam einen Siegeszug durch die Apotheken Europas antrat. Auch die Rinde dieser Pflanze galt als wirksames Mittel gegen die Fieberschauer der Malaria, war aber nicht identisch mit der wohl erst nach der spanischen Eroberung entdeckten Rinde des China-Rindenbaumes, die lediglich von der «Quina-Quina» ihren Namen erhielt.

Die zweite Pflanze war der Coca-Strauch, jenes sonderbare Gewächs, das auf dieser Erde nur in den heißen Tälern der Anden gedeiht (links).
Das Hauptalkaloid seiner Blätter – Cocain – sollte vom 19. Jahrhundert an nicht nur zu einem gefährlichen Rauschgift werden, sondern auch zur Grund-lage der örtlichen Schmerzbetäubung in der ganzen Welt.
Die Inka-Herrscher wußten, weshalb sie die Coca-Pflanzungen bewachen und die getrockneten Coca-Blätter nur einmal täglich an die Arbeiter in der dünnen Luft der Hochtäler ausgeben ließen. Ihre Ärzte kannten die Wir-kung, die das Coca-Blatt ausübt, wenn man es langsam kaut: Es erhöht den Blutumlauf, die Atembewegung, die Muskelenergie und den Stoff-wechsel und beschwichtigt durch Betäubung der Magenschleimhaut das Hungergefühl. In allzu großen Mengen dagegen wirkt es berauschend, macht süchtig und läßt den Süchtigen schließlich zu einem geistigen und körperlichen Wrack werden.
Ausschließlich den Priestern war der Genuß der Coca-Blätter ohne ir-gendeine Einschränkung erlaubt. Sie versetzten sich mit Hilfe dieser wirksamen Droge in einen Rauschzustand und traten so bei kultischen Feiern oder bei der Beschwörung von Krankheitsdämonen mit den Göttern in unmittelbare Verbindung. Als Ergebnis dieser „Besprechung" ent-standen ihre Schicksalsdeutungen und Krankheitsdiagnosen.

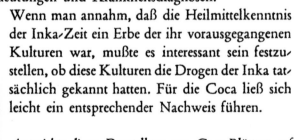

Wenn man annahm, daß die Heilmittelkenntnis der Inka-Zeit ein Erbe der ihr vorausgegangenen Kulturen war, mußte es interessant sein festzu-stellen, ob diese Kulturen die Drogen der Inka tat-sächlich gekannt hatten. Für die Coca ließ sich leicht ein entsprechender Nachweis führen.

Angesichts dieser Darstellung von Coca-Blättern auf einem Gefäß der Nazca-Kultur aus der ersten Hälfte des 1. Jahrtausends n. Chr.
konnte man vielleicht noch Zweifel äußern, denn diese Darstellung war noch nicht eindeutig genug. Andere Keramiken jedoch ließen alle Zweifel verstummen.

Johann Jakob Tschudi beschrieb in seinem zu Anfang genannten Buch über Peru die Coca, Kauer mit folgenden Worten: «Zu diesem Zweck nehmen sie die einzelnen Blätter sorgfältig aus dem Beutel, lösen die Rippen heraus, stecken das geteilte Blatt in den Mund und zerbeißen es, womit sie so lange fortfahren, bis sich unter den Mahlzähnen eine ordentliche Kugel geballt hat. Dann stecken sie ein dünnes, befeuchtetes Hölzchen in gebrannten Kalk und stecken es mit dem daran klebenden Pulver in den Coca-Ballen im Mund. Das wiederholen sie – bis er die richtige Würze hat.»

Der Coca-Ballen, von dem Tschudi sprach, ist bei der Darstellung eines Gesichts (rechts) auf einer Keramik nicht vergessen worden.
Deutlich ist er unter der rechten Wange zu erkennen. Das Werk stammt aber aus der Zeit des Chimu-Reiches, das entweder unmittelbar oder nach einigen kulturellen Zwischenstufen auf das Reich der Mochica gefolgt war.

Die folgende Keramik (rechts) führt uns direkt in die Zeit der Mochica zurück und lehrt, daß die Mochica die Coca und ihre Verwendung kannten.
Wahrscheinlich war dieser Mochica-Mann wieder ein Priester, gekennzeichnet durch den Raubkatzenkopf auf seiner Kappe. In seinen Händen hielt er deutlich erkennbar die beiden Gegenstände, die zum unentbehrlichen Rüstzeug des Coca-Kauers gehörten. Da war einmal der Beutel, in dem er die getrockneten Coca-Blätter mit sich führte. Und die linke Hand hielt das Gefäß voll Kalk, dessen Beimischung der Coca die Schärfe nahm. Im Falle der Coca konnte man eine Brücke aus der Frühzeit über Jahrtausende hinweg bis zur medizinischen Wissenschaft des 20. Jahrhunderts schlagen. Die Brücke reicht von der Mochica-Zeit über den spanischen Geheimschreiber Francisco de Xeres, der um 1533 die ersten Berichte über die

Coca nach Europa schickte, zu dem Deutschen Albert Niemann, der 1860 das wirksame Alkaloid der Coca isolierte – das Cocain. Sie führt weiter bis zu dem Österreicher Carl Koller, der 1884 die Möglichkeit entdeckte, Augenoperationen durch das Einträufeln von Cocain schmerzlos zu machen. Sie führt zu dem Franzosen Reclus, dem Amerikaner Halsted und dem Deutschen Carl Ludwig Schleich, die um die Wende vom 19. zum 20. Jahrhundert Methoden erfanden, um ganze Teile des Körpers durch Injektion von Cocain in Nervenbahnen oder Gewebe schmerzunempfindlich zu machen.

Schließlich reicht diese Brücke aus der Mochica-Zeit bis zu dem Deutschen August Bier und dem Amerikaner Leonard Corning, die Cocain in den Rückenmarkskanal einspritzten und damit den bereits vorhandenen Möglichkeiten lokaler Betäubung eine weitere Möglichkeit hinzufügten, die sich in der Folge die Operationssäle der Welt eroberte.

Im Jahre 1902 schrieb der Franzose Emile Dorvaux: «Als wir zum ersten Male gewissen Mochica-Plastiken begegneten, begannen wir zu ahnen, daß die Mochica lange vor unserer Zeit auf dem Gebiete der Chirurgie Methoden entwickelt hatten, die unser Erstaunen verdienen.

Wahrscheinlich werden ihre Entdeckungen und ihre offensichtlichen Erfolge für immer zu den großen Mysterien in der Geschichte der Heilkunst gehören.»

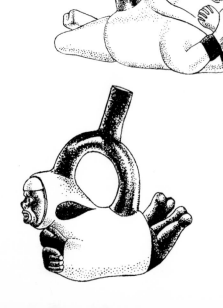

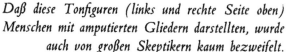

Daß diese Tonfiguren (links und rechte Seite oben) Menschen mit amputierten Gliedern darstellten, wurde auch von großen Skeptikern kaum bezweifelt. Die Tatsache, daß viele der Abgebildeten gleichzeitig Veränderungen an den Nasen zeigten, führte lediglich zu unterschiedlichen Auffassungen über die Ursache, die zu diesen Amputationen geführt haben könnte. Es schien durchaus glaubhaft, daß schwere Formen der Leishmaniose, die hier außer dem Gesicht auch Hände oder Füße befallen zu haben schienen, zu derart radikalen chirurgischen Eingriffen geführt hatten. Was immer die Ursache gewesen sein mag – es bleibt die Tatsache der Amputation und ihrer offensichtlich erfolgreichen Durchführung.

An manchen Arm- oder Beinstümpfen waren die Andeutungen von Nähten zu erkennen, mit deren Hilfe die Haut über den Stümpfen zusammengezogen worden war. Es wurden auch

hölzerne Hohlzylinder gefunden, die man als Prothesen über die Stümpfe geschoben hatte. Am
Wadenbein einer Mumie mit abgetrenntem Fuß
war noch der Holzstab befestigt, der als Stütze
gedient hatte.

*Diese Unterseite einer Männerplastik (rechts),
deren übriger Körper frei von Anzeichen einer
Krankheit war, zeigt uns Heutigen, daß Amputationen jedenfalls auch nach Verletzungen und
Unfällen vorgenommen wurden. Während das
linke Bein einen voll ausgebildeten Fuß besitzt,
endet das rechte in einem Stumpf.*

Ungezählte Fragen drängten sich angesichts dieser Fundstücke auf. Wie hatten die Mochica-Chirurgen z. B. das Problem der Blutstillung während und nach der Operation gelöst? Noch anderthalb bis zwei Jahrtausende später schreckten die Chirurgen des Abendlandes davor zurück, Amputationen an gesunden, durchbluteten Gliedern vorzunehmen. Sie amputierten nur dort, wo der Wundbrand bereits die Durchblutung des Gewebes zum Stillstand gebracht hatte. Dadurch vermieden sie zwar schwere Blutungen, verloren jedoch ihre Patienten durch den Brand, der unaufhaltsam weiterfraß. Später hatte man versucht, Blutungen durch Ausbrennen der Wunden und Blutgefäße mit glühenden Eisen zu stillen. Erst in der Neuzeit hatte sich langsam die Abbindung der großen Gefäße mit Fäden durchgesetzt. Es blieb also die Frage: Wie hatten die Mochica dieses Problem gelöst? Hatten sie das Glüheisen oder die Unterbindung der Gefäße gekannt? Wie waren sie mit dem Wundschmerz fertig geworden und wie mit dem Schock, der besonders häufig bei Amputationen auftrat? Hatten sie sich etwa der betäubenden Wirkung der Coca bedient? Hatten sie die Infektionen zu vermeiden gewußt, die im 19. Jahrhundert noch die Amputierten zu Hunderten sterben ließen? Über all diesen Fragen schwebt tatsächlich jene mysteriöse Ungewißheit, von der Emile Dorvaux sprach. Dies war indessen nicht die einzige mysteriöse Ungewißheit, von der die frühe peruanische Medizin umgeben war.

Die wenigen medizinisch interessierten Archäologen, die sich – wie der Peruaner Julio Tello – bis zur Mitte des 20. Jahrhunderts mit dem über zahllose Museen der Welt verstreuten «Bilderatlas» der Mochica beschäftigten, stießen immer wieder auf unbezweifelbare Zeugnisse rationaler ärztlicher Arbeit.

Sie reichten von den links abgebildeten Trägern, die einen Kranken oder ein krankes Kind in einer eigenartigen, windgeschützten Bahre tragen...

...*bis zu der unten wiedergegebenen Darstellung von Geburt und Geburtshilfe,* die ebenfalls in der Frühgeschichte der Medizin ohne Beispiel ist. Sie zeigt deutlich die Schwangere während des Geburtsaktes. Hinter ihr sitzt eine Helferin oder Hebamme, die bemüht ist, den Geburtsvorgang durch Druck und Massage zu erleichtern. Der Kopf des Kindes ist bereits ausgetreten und liegt zwischen den Händen einer zweiten Hebamme oder Heilkundigen, die vor der Gebärenden kniet. Ihre Aufgabe ist es, die Erweiterung der Geburtswege zu unterstützen, das Kind abzunabeln und die Nachgeburt abzuwarten.

Der in mancher Beziehung erregendste Abschnitt in der Erforschung der Mochica-Medizin begann allerdings im Jahre 1867.

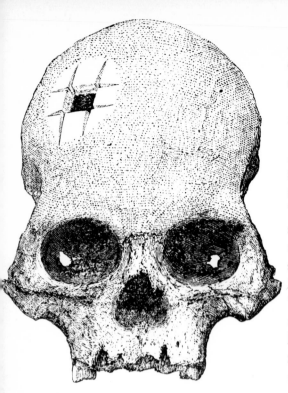

Im Jahre 1867 fand Ephraim Georges Squier, ein nord-amerikanischer Journalist, Diplomat und Amateur-archäologe (1821–1888), in einem altperuanischen Gräberfeld den links abgebildeten Schädel, dessen Alter sich mit den damals bekannten Methoden noch nicht näher bestimmen ließ.

Aufsehenerregend war bei diesem Fund die Tatsache, daß dieser Schädel an seiner linken Stirnseite eine Öffnung zeigte, die weder durch den Treffer einer Keule noch durch eine Krankheit, sondern einzig und allein durch eine planmäßig und geschickt arbeitende menschliche Hand entstanden sein konnte.

Die Nachricht über Squiers Fund erreichte die Welt zu einer Zeit, als Funde derartiger Schädel und andere Entdeckungen ähnlicher Art soeben in Frankreich gemacht worden waren und bereits von Ärzten und Anthropologen heftig diskutiert wurden.

Die Funde «trepanierter», das heißt chirurgisch geöffneter früh- und vorgeschichtlicher Schädel blieben in der Tat nicht auf Peru beschränkt.

Sie fanden sich von 1865 an in verschiedenen Teilen Europas, Kleinasiens und Nordafrikas, vor allem aber in Südfrankreich, in England, in Dänemark, in Portugal, ferner im Kaukasus, in Marokko und – siehe unser Kapitel über Mesopotamien – in Palästina.

Die meisten dieser Schädel stammten bereits aus der Steinzeit, und so verschieden die Methoden ihrer Öffnung auch waren, immer hatte man dabei Teile der Schädeldecken entfernt. Die ersten Anthropologen, die sich mit diesen Funden beschäftigten, suchten zuerst eine einfache Erklärung: Sie nahmen an, daß hier die Köpfe von mit besonderen Fähigkeiten begabten Verstorbenen zuerst mit Hilfe von Steinwerkzeugen, dann aber auch mit Instrumenten aus Metall geöffnet worden seien, um Knochenscheiben als Amulette zu gewinnen.

Aber der französische Arzt und Anthropologe Paul Broca (1824–1880) wies sehr bald nach, daß diese Operationen an lebenden Menschen durchgeführt worden waren. Die Knochen der Schädeldecke rings um die eingeschnittenen, manchmal eckigen und manchmal runden Öffnungen hatten sich in vielen Fällen regeneriert. Es hatte sich – was nur an lebenden Menschen geschehen konnte – neue Knochensubstanz gebildet, welche die Öffnungen langsam wieder zu schließen begann.

Unter den beiden oben abgebildeten in Dänemark gefundenen Schädeln zeigt der linke in der oberen Trepanationsöffnung besonders deutlich diesen Heilungsvorgang.

Am Ausmaß der «Heilung» ließ sich noch nach Jahrtausenden ziemlich genau ablesen, wie lange ein Mensch den Eingriff der Trepanation über, lebt hatte.

Broca und nach ihm der Engländer Parry unternahmen es, an lebenden Tieren und später auch an soeben verstorbenen Menschen Schädelöffnungen durchzuführen. Sie taten es mit den gleichen Steininstrumenten, deren man sich bereits in der Urzeit bedient hatte. Niemals benötigten sie mehr als 30 bis 45 Minuten, um Knochenscheiben aus der Schädeldecke zu schnei, den und die Gehirnhaut freizulegen. Es gab gar keinen Zweifel mehr daran, daß die Trepanationen der Frühzeit an lebenden Menschen vorgenommen worden waren. Viele dieser Eingriffe hatten allerdings zum Tode geführt. Zumindest ebenso viele, wahrscheinlich jedoch mehr, wurden von den Patienten überstanden. Diese Entdeckung war um so erregender, als sie in eine Zeit fiel, in der die modernen Chirurgen nach der Entwicklung von Narkose und Antisepsis sich gerade daranwagten, das menschliche Gehirn freizulegen und Gehirntumore zu operieren.

Der Streit der Meinungen über die Gründe, die vor Tausenden von Jahren zu derart schweren chirurgischen Eingriffen geführt hatten, wogte hin und her. Anfänglich nahm man an, daß es sich hierbei um verzweifelte Versuche gehandelt habe, bei Irrsinn oder unerträglichen Kopfschmerzen einen Ausweg für die Krankheitsdämonen zu schaffen. Bald aber zeigte sich an den gefundenen Schädeln, daß die Trepanationen nach schweren Schädelverletzungen vorgenommen worden waren. Man hatte also versucht, zertrümmerte Schädelteile, die auf das Gehirn drückten, zu entfernen.

Vielleicht hatte dies zu der Erfahrung geführt, daß Lähmungserscheinungen, epileptische Anfälle, anhaltende Bewußtlosigkeit sowie Schmerzen und geistige Verwirrung durch solche Eingriffe beseitigt werden konnten. Und vielleicht hatten diese Erfahrungen wiederum bewirkt, daß Trepanationen später nicht nur bei Verwundeten, sondern eben auch bei «gewöhnlichen Kranken» durchgeführt wurden.

Wie jedes Mysterium, schuf auch die Entdeckung der frühen Schädeltrepanation den Boden für nicht endenwollende Theorien. Und immer wieder brach auch der Zweifel des Menschen von heute durch, ob solche Operationen in der Frühzeit denn wirklich möglich gewesen seien.

Die endgültige Antwort auf diese Zweifel lieferten erst Peru und die Funde aus der Mochica-Zeit.

Die Mumien des alten Peru, von denen wir links zwei verschiedene im Bilde zeigen, ruhten in Gräberfeldern oder in tiefen Grabkammern, deren größte, in Paracas, an die vierhundert Tote barg. Umgeben von Gegenständen des täglichen Bedarfs und von Nahrungsmitteln, welche die Überlebenden ihren Toten für die Existenz nach dem Tode mit auf den Weg gaben, hockten diese Mumien auf dem Boden. Die Körper der Vornehmen hatte man in Körben geborgen, und um die Körbe schlangen sich lange, prachtvoll gewebte Totentücher. Federn und Goldmasken aber schmückten die Köpfe.

Wahrscheinlich hätten diese Mumien ebenso wie die Mumien des alten Ägypten die Geschichte der Krankheiten ihrer versunkenen Epoche erzählen können, mochten sie sich auch in der Art ihrer Aufbewahrung völlig von der ägyptischen unterscheiden. Aber die peruanische Archäologie besaß keine Männer vom Schlage und der Vorbildung eines Armand Ruffer oder Elliot Smith.

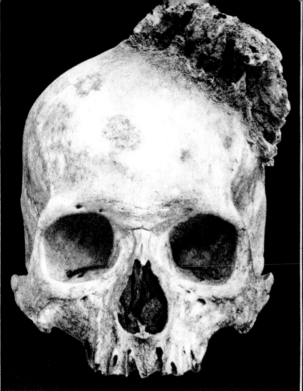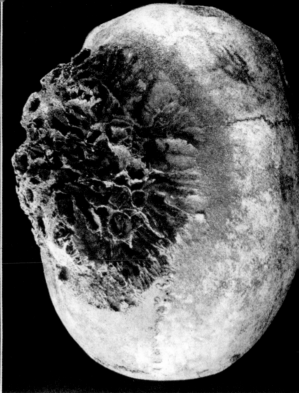

Zufallsentdeckungen
wie die hier abgebildete Krebsgeschwulst am Kopf eines altperuanischen Toten
bewiesen wohl eindeutig das Vorhandensein von Krebs in der Frühzeit
Südamerikas. Sie blieben aber vereinzelt. Man mußte damit zufrieden sein,
daß die Entdeckung Ephraim Georges Squiers wenigstens zu einer ausgedehnten Untersuchung der in Peru gefundenen trepanierten Schädel führte.
Diese Untersuchung war ohne Parallele in der übrigen Welt.

Mehr als 10 000 trepanierte Schädel gab der peruanische Boden preis.
Sie offenbarten eine Vielzahl von Operationsmethoden, die für die Phantasie
dieser frühen Chirurgen sprach.
Die hier und auf der folgenden Seite abgebildeten Trepanationen aus Pachacamac
und Patallacta zeigen (Bild rechts) zunächst einen Rundschnitt, bei dem
das Trepanationsinstrument so lange im Kreise herumgezogen wurde, bis
die Schädeldecke durchschnitten war. Es handelt sich hier allerdings um
einen Fall, bei dem der Kranke während des Eingriffs verstorben war. Der
Operateur war nicht mehr dazu gekommen, das umzirkelte Knochenstück
herauszuheben.

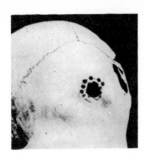

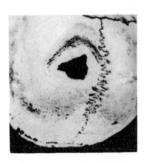

Der Schädel links verrät eine andere Methode. Bei ihr wurden dicht nebeneinander Löcher in den Knochen gebohrt. Wenn man die Knochenbrücken zwischen den Löchern durchtrennte, entstand ebenfalls eine runde Öffnung.

Der dritte Schädel zeigt eine Dreiecksöffnung, bei der zunächst zwei gerade Schnitte im Winkel zueinander durch die Schädeldecke geführt und nachher durch einen Bogenschnitt verbunden wurden. Dieser dritte Schädel läßt besonders den Heilvorgang nach der Operation erkennen. Man schloß daraus, daß der Operierte den Eingriff um mindestens acht Jahre überlebte.

Das Beispiel unten gibt eine Doppeltrepanation nach einer schweren Schädelverletzung wieder. Der Schädel war durch den Hieb einer mehrzackigen Keule an verschiedenen Stellen eingedrückt worden. Der Chirurg entfernte durch kreisrunde Trepanationen die eingedrückten Schädelteile. Der Heilvorgang der Knochen bewies, daß der Verletzte auch in diesem Fall die Operation überlebt hatte.

Der hohe Prozentsatz derer, die Schädeltrepanationen überlebt hatten, gehörte zum Erstaunlichsten der Funde in Peru. Unter 400 trepanierten Schädeln, die Julio Tello untersuchte, fanden sich 250 sichere Heilungen. Der Amerikaner MacCurdy fand unter 71 Trepanationsfällen nur 12, die offensichtlich tödlich geendet hatten. Noch lauter als bei der Entdeckung der Amputationen erhob sich die Frage: Wie war dies möglich gewesen? Wie hatten Menschen diese Eingriffe in so großer Zahl überleben können? Was hatten die frühen Chirurgen Perus getan, um Blutungen zu vermeiden, die Schläfenarterie zu schonen (in deren unmittelbarer Nähe sehr oft trepaniert wurde) und schwere Infektionen zu vermeiden? Wie hatten sie die Hautlappen behandelt, die vor der Trepanation entfernt und nachher wieder aufgelegt werden mußten?

Es gibt keine sichere Antwort auf diese Fragen. Aber die Tatsache ist unbestreitbar, daß die alten peruanischen Ärzte diese Probleme oft genug gemeistert hatten. Der «Bildatlas» der Mochica lieferte den letzten und eindringlichsten Beweis für ihr ärztliches Tun.

Hinter dem Kopf des Kranken hockend, in der Linken den vom Schädel abgehobenen Hautlappen, in der Rechten das Operationsinstrument – so zeigt diese einzigartige Plastik auf einem Keramiktopf einen Chirurgen der Mochica-Zeit während einer Schädeltrepanation. Skelettfunde beweisen, daß die Operierten meist überlebten.

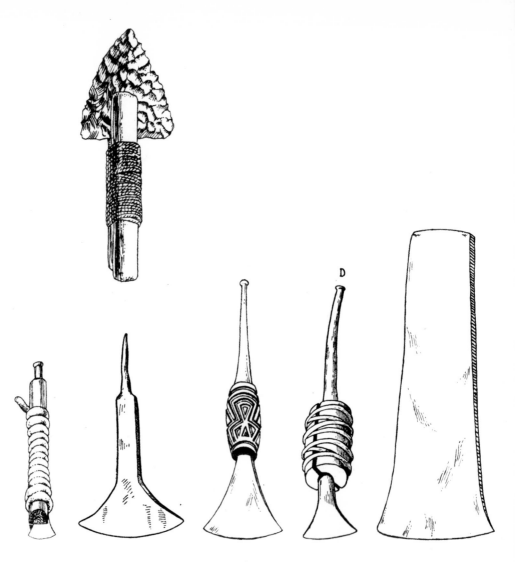

Aus Gräberfunden gelangten die Instrumente in unsere Hand, die damals zu solchen Operationen benutzt wurden.

Die Bilder oben zeigen Obsidianmesser, die durch Schnüre an hölzernen Griffen befestigt waren. Sie wurden in den Gräbern von Paracas gefunden. Erst in späterer Zeit entstanden kupferne und bronzene Instrumente. Hier sieht man ein Obsidian-«Tumi» für Knochenschnitte (oben) und (unten, von links nach rechts) ein Skalpell, ein «Tumi», zwei kleinere Knochen-meißel mit verzierten Griffen aus Knochen und Holz sowie einen schweren Meißel ohne Griff. In den gleichen Gräbern, in denen diese Instrumente lagen, fanden sich auch Binden, die offenbar dazu gedient hatten, verletzte Glieder abzubinden.

Das oben rechts abgebildete «Tumi»
verriet durch eine Plastik an seinem Griffende
(oben) ganz deutlich seinen Verwendungs-
zweck: die Trepanation.

Der eindrucksvolle Schädelfund (rechts)
lehrte, wie ausgezeichnet man es verstand, aus
Baumwollagen und Baumwollschnüren Kopf-
verbände anzulegen. In der Baumwolle ließ sich
noch Blut des Kranken nachweisen.

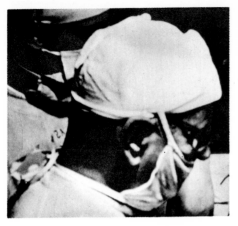

Im Jahre 1962 entschloß sich der peruanische Gehirn-chirurg Dr. Francisco Grana im Lima, der sich lange mit den chirurgischen Fundstücken aus der Mochica-Zeit beschäftigt hatte, zu einer ungewöhnlichen und aufsehenerregenden Operation.

Mit den gleichen, zwischen 1500 und 2500 Jahre alten Instrumenten aus der peruanischen Früh-zeit, die wir auf den vorangegangenen Seiten zeig-ten, unternahm Grana eine Schädelöffnung. Sein Patient, ein einunddreißigjähriger Peruaner, war nach einem Unfall rechtsseitig gelähmt. Unter seiner Schädeldecke hatte sich ein Blutgerinnsel gebildet, das einige Be-wegungszentren im Gehirn beeinträchtigte. Nur die Entfernung des Ge-rinnsels konnte seine Bewegungsfähigkeit wieder herstellen. Grana ver-wendete bei der Schädelöffnung zwar neuzeitliche Schmerzbetäubungs-mittel und beachtete alle Regeln der Asepsis – sonst aber verwendete er nur die Instrumente seiner frühen ärztlichen Vorfahren. Die wiedergegebenen Bilder (zur Verfügung gestellt vom Archiv der «Hall of Fame», Museum des «International College of Surgeons», Chicago, USA), die während seines Eingriffs aufgenommen wurden, lassen deutlich «Tumi» und «Meißel» erkennen, mit denen er die Schädeldecke öffnete und, wie seine Vorfahren, eine runde Knochenscheibe entfernte, unter der das Blutgerinnsel lag. Der Patient überlebte die Operation und genas – gleich jenen vielen Kranken und Verwundeten, die Jahrtausende vorher, in einer härteren Welt und unter härteren Bedingungen, den gleichen Eingriff erduldet und überstanden hatten.

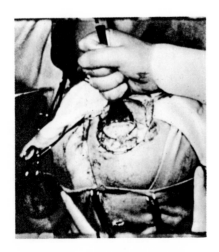
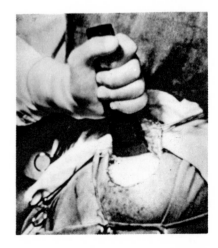

Vor zwei Jahren wurde unter Verlegern, einem Medizinhistoriker und mir der Plan erörtert, eine gemeinverständliche Geschichte der Medizin zu schaffen, die vor allem «auf das Bild abgestellt» werden sollte. Es schien verlockend, eine Geschichte der Medizin herauszugeben, die trotz reicher Bildausstattung durch internationale Planung und Herstellung zum ersten Male für einen großen Leserkreis erschwinglich und zugänglich gewesen wäre. Aber dann zeigte sich, daß die vorgesehenen rund dreihundert Bilder nicht ausreichten, um von 4000 Jahren Medizingeschichte ein wirklich geschlossenes Bild zu zeichnen. Vor allem reichten sie nicht aus, gerade jenen Mangel zu beheben, der meiner Meinung nach bislang verhindert hat, daß Geschichten der Medizin, auch wenn sie nicht rein wissenschaftlicher Natur waren, einen größeren Leserkreis fanden. Geschichte der Medizin ist ein unlösbarer Bestandteil der allgemeinen und Kulturgeschichte. Wer die Entwicklung der Medizin einem weiten Leserkreis nahebringen will, muß wenigstens die großen historischen Strömungen sichtbar und verständlich machen, in die diese Entwicklung eingebettet ist. Wer das nicht vermag, verdammt sein Werk von vornherein zum Lesestoff für den begrenzten Kreis derer, die sich in der Weltgeschichte zu Hause fühlen.

Damals fragte ich, warum wir unter solchen Umständen denn überhaupt die bereits vorhandenen Geschichten der Medizin um eine zehnte oder zwanzigste vermehren sollten. Warum wir die vorhandenen Möglichkeiten und Mittel nicht dazu verwenden sollten, wirklich etwas Neues zu schaffen, das – soweit es sich feststellen ließ – noch nirgendwo in der Welt existierte: nämlich eine Darstellung der Medizin in den frühgeschichtlichen Kulturen der Menschheit? Auf diesem zeitlich wie stofflich begrenzten, kaum begangenen und bislang nirgendwo in geschlossenem größerem Rahmen dargestellten, aber doch faszinierenden, von den Geheimnissen fremder Welten umwitterten Felde müßte es möglich sein, die Geschichte der frühen Ärzte in die Geschichte ihrer Zeit einzubetten und jedermann begreiflich zu machen.

Mein Vorschlag fand bei dem anwesenden Medizinhistoriker keine günstige Aufnahme. Er vertrat die Meinung, ein solches Unterfangen müsse erst recht scheitern, und zwar am Mangel an Bildern und Material. Nach kurzer Zeit würde ich erkennen, daß mit den vorhandenen wenigen und immer gleichen Bildern einiger Mumien, Skelette, Instrumentenfunde, Papyri und Tontafeln keine Bildgeschichte der frühen Medizin zu schaffen sei. Gerade dieser Widerspruch aber war es, der mich in der Folge dazu trieb, das vermeintlich Unmögliche zu versuchen. So entstand dieses Buch.

Es ist Sache der Leser, darüber zu entscheiden, ob und wieweit dieser erste Versuch einer illustrierten Darstellung der frühen Medizin gelungen ist. Niemals können erste Versuche, erste Bemühungen, ein neues Feld zu beschreiten, völlig frei von Irrtümern, Fehlern oder Mängeln sein. Die Frühgeschichte ist ein Gebiet, das immer wieder in Bewegung gerät und in dem Irrtümer begangen und korrigiert, Fehlurteile gefällt und durch neue Entdeckungen als solche erkannt werden. Allein die Datierungen – zum Beispiel in Mittel- und Südamerika – sind oftmals Gegenstand verschiedener Kontroversen. Aber trifft nicht zu, was der deutsche Archäologe Heinz Mode vor einigen Jahren schrieb, daß nämlich selbst fehlerhafte Zusammenfassungen sich als verdienstvoller für die Wissenschaft erwiesen hätten als Abwarten und Furcht vor Fragmenten? So sollten wir uns durch die Möglichkeit des einen oder anderen Irrtums nicht davon abhalten lassen, ein Bild der frühen Medizin zu zeichnen und uns in die oft geheimnisvollfremdartig faszinierende, oft auch der Gegenwart sonderbar nahe Welt der frühen Ärzte zu versenken.

Ich muß mich, wenn ich diese abgedroschene Formulierung gebrauchen darf, glücklich schätzen, Männer gefunden zu haben, die trotz aller anfänglicher Bedenken meinem Vorschlag folgten und an die Möglichkeit seiner Verwirklichung glaubten.

Was wäre dieses Buch ohne Dr. Felix Guggenheim in Beverly Hills, der sich rückhaltlos hinter die Sache und ihre Realisierung stellte. Wo wäre es ohne Willy Droemer in München, der als Verleger alle Risiken eines so weitgespannten Versuches übernahm, weil sich in ihm wieder einmal verlegerischer Mut mit Großzügigkeit, Vertrauen und Glauben an das Neue paarten. Wo wäre es ohne Walter und Eva Neurath in London, die trotz Zweifeln, Enttäuschungen und Überraschungen das komplizierte Problem der Herstellung meisterten; wo wäre es ohne die persönliche Hilfe einiger hervorragender Ärzte, wie Dr. William Sauer in Rochester / Minnesota, Dr. Elmer Belt in Los Angeles, Dr. Nik Fiechter in Lugano, Dr. Ernst Lorenz, Dr. Adolf Mauch und Prof. Dr. Holle in München. Ihnen und allen anderen, deren Hilfe das Entstehen dieses Buches möglich machten, sei in der Hoffnung gedankt, daß ihr Vertrauen, ihr Glaube und ihre Mühe durch das Gelingen auch belohnt werden möchten – ein Gelingen wenigstens im Rahmen der Grenzen, die einem Versuch wie dem vorliegenden auf einem so weiten Felde stets gezogen sind.

JÜRGEN THORWALD

Castagnola - Ticino
Februar - März 1962

Quellen- und Literaturangaben

Obwohl dieses Buch keinen wissenschaftlichen Zweck im strengen Sinn dieses Wortes verfolgt, scheint es dem Verfasser eine Pflicht, seinen Lesern die Möglichkeit zu geben, das Gesagte zu kontrollieren, sich eine eigene Meinung zu bilden und in der Beschäftigung mit der frühen Medizin fortzufahren. Die Angabe der benutzten Quellen ist aber auch eine Pflicht gegenüber jenen Fachgelehrten — Archäologen, Philologen und Ärzten —, die durch mühevolle Arbeit, besonders bei der Übersetzung und Deutung der medizinischen Texte, den Versuch einer Darstellung der frühen Medizin überhaupt erst ermöglicht haben. Unter bewußtem Verzicht auf die für wissenschaftliche Publikationen angemessenen Einzelnachweise werden daher zu jedem Teil des Buches die benutzten Werke in einer Reihenfolge angeführt, die dem Lauf der Darstellung entspricht.

ÄGYPTEN

I Geschichtlicher und kulturgeschichtlicher Hintergrund

Breasted, J.H., *Geschichte Ägyptens.* Zürich 1954
Wolf, Walther, *Die Welt der Ägypter.* Stuttgart 1954
Otto, E., *Ägypten, der Weg des Pharaonenreiches.* Stuttgart 1953
Lange, Kurt, *Pyramiden, Sphinxe, Pharaonen.* München 1952
Wolf, Walther, *Ägypten* (Handbuch der Kulturgeschichte, Kultur der orientalischen Völker, Heft 6) 1960
Knaurs Lexikon der ägyptischen Kultur 1959
Junker, H., *Pyramidenzeit. Das Wesen der ägyptischen Religion.* Zürich–Köln 1949
Zehren, Erich, *Die biblischen Hügel.* Berlin 1961
ferner die einschlägigen Kapitel in:
Durant, Will, *Die Geschichte der Zivilisation; Band I, Das Vermächtnis des Ostens.* Bern o. J.
Piggott, Stuart, *The dawn of Civilization.* London 1961
Kühn, Herbert, *Das Erwachen der Menschheit.* Frankfurt 1955

II Allgemeine Darstellungen zur Medizingeschichte und zur ägyptischen Medizin

(Ältere Werke sind hier nicht aufgeführt, da sie ein allzu großes Gewicht auf die Darstellung der griechischen Medizin legen und über die Medizin älterer Kulturen nichts oder nur unzulängliches Material bieten.)
Laignel–Lavastine, *Histoire générale de la médecine,* Band I. Paris, o. J.
Castiglioni, Arturo, *A history of medicine,* Band I. Springfield 1954
Ackerknecht, Erwin H., *Kurze Geschichte der Medizin.* Stuttgart 1959
Diepgen, Paul, *Geschichte der Medizin,* Band I. Berlin 1949. (Soweit der Verfasser die Dinge übersieht, ist Diepgen der erste, der die weltweiten Beziehungen der Medizin in den frühen Hochkulturen erkannt hat.)
Sigerist, Henry E., *A history of medicine,* Band I. New York 1957. (Würdigung der ägyptischen Medizin im Rahmen der ägyptischen Geschichte und Kulturgeschichte; zeigt vorsichtig, aber klar die Abhängigkeit der griechischen Medizin von Ägypten. Infolge des Ablebens von Sigerist blieb das Werk unvollendet; seinem Beitrag über Ägypten schuldet unser Buch viel.)
Gordon, Benjamin Lee, *Medicine throughout Antiquity.* Philadelphia 1949 (bietet viel Material, ist aber nicht immer zuverlässig).
Hurry, J.B., *Imhotep.* Oxford 1926
Herodot, *Geschichtswerke.* Stuttgart 1885
Ceram, C.W., *Götter, Gräber und Gelehrte.* Hamburg 1958. *Götter, Gräber und Gelehrte im Bild.* Ebenda
Smith, Elliot u. W.R. Dawson, *Egyptian Mummies,* New York 1924
Ruffer, M.A., *Studies in the Paleopathology of Egypt.* Chicago 1921

III Spezielle Darstellungen

Shattock, S.G., *Microscopic Sections of the Aorta of King Merneptah* (in der Zeitschrift *Lancet.* London 1909).
Mitchell, John K., *Study of a mummy affected with anterior Poliomyelitis.* Trans. Ass. Am. Phys. 1900. Bd. 15: 134ff.
Boyd W.C. und L.G., *An attempt to determine the bloodgroup of mummies.* Proc. Soc. Exp. 1934, 31: 671
—, *Les groupes sanguins chez les anciens Égyptiens.* Cronique d'Egypte 1937/12: 41–4
Außer Sigerist und Gordon sind für die Fragen der medizinischen Papyri als wesentlichsten die ersten Veröffentlichungen der Hauptpapyri:
Ebers, Georg, *Papyrus Ebers, das hermetische Buch über die Arzneimittel der alten Ägypter in hieratischer Schrift.* 2 Bde, Leipzig 1875
Breasted, J.H., *The Edwin Smith Surgical Papyrus.* 2 Bde, Chicago 1930
Wreszinski, W., *Der Londoner medizinische Papyrus und der Papyrus Hearst in Transkription.* Leipzig 1912
—, *Der große medizinische Papyrus des Berliner Museums in Facsimile und Umschrift mit Übersetzung, Kommentar und Glossar,* Leipzig 1909
Reisner, G.A., *The Hearst medical Papyrus.* Leipzig 1905

Für das Kapitel III sind vor allem wichtig:
Ebbell, B., *Die altägyptische Chirurgie. Die chirurgischen Abschnitte des Papyrus E. Smith und Papyrus Ebers.* Oslo 1939
Meyerhof, M., *Über den Papyrus Edwin Smith, das älteste Chirurgiebuch der Welt.* In Deutsche Zeitschr. für Chirurgie. 231, 1931. S. 645
Grapow, Hermann (mit Hildegard von Deines und Wolfgang Westendorf), *Grundriß der Medizin der alten Ägypter,* Band IV:
1. Teil: Übersetzung der medizinischen Texte, Berlin 1958
2. Teil: Erläuterungen. Berlin 1958
(Darin Übersetzung des von Grapow «Wundenbuch» genannten Papyrus Smith)
Schließlich:
Ebbell, B., *The Papyrus Ebers. The greatest Egyptian Medical document.* Copenhagen 1937
Wichtig für Fragen der Anatomie und Physiologie:
Sigerist, Diepgen. Sodann die Übersetzungen, zunächst die unter III genannte Übersetzung des Papyrus Ebers durch Ebbell, und in der Folge die neueste und zweifellos peinlich-genaueste Übersetzung aller Papyri in dem ebenfalls unter III genannten monumentalen Werk von Herrmann Grapow.
Ferner:
Jonckheeve, F., *Prescriptions médicales sur ostraca hiératiques*
Lefebre, G., *Essai sur la Médecine Egyptienne de l'époque Pharaonique.* Paris 1956
Außer Sigerist, Diepgen, Major, Gordon, Lefebre sind für die Schilderung der Therapie von grundlegender Bedeutung: Grapow, Hermann (und Mitarbeiter), *Grundriß der Medizin der alten Ägypter*
Band I *Anatomie und Physiologie.* Berlin 1954
Band II *Von den medizinischen Texten.* Berlin 1955
Band III *Kranker, Krankheiten und Arzt.* Berlin 1956
Ebbell, B., *Altägyptische Bezeichnungen für Krankheiten und Symptome.* Oslo 1958
Singer, Charles, *A short history of anatomy* etc. New York 1957
Sasse, Carl Hans, *Geschichte der Augenheilkunde.* Stuttgart 1947
Ferner:
Böttcher, Helmuth M., *Wunderdrogen.* Köln 1959, ein Buch, das in einigen Spekulationen zwar über das Ziel hinausschießt, aber, ganz abgesehen von einer grundlegenden Darstellung der Entwicklung der neuzeitlichen Antibiotika, für die historische Neubewertung der Dreckapotheke anregend und von großem Wert ist. Böttcher hat zum erstenmal neues Licht auf die in Altägypten übliche Verwendung von Exkrementen, Erde und Schimmel, aber auch von einigen Gemüsen wie Knoblauch geworfen, und die einschlägigen Abschnitte unseres Buches folgen weitgehend seinen Deutungen.
Hinsichtlich der Rückschlüsse auf ägyptische hygienische Gesetze auf dem Wege über das Volk Israel und Moses sind von Interesse: Major und Castiglioni.
Ferner:
Keller, Werner, *Und die Bibel hat doch recht.* Düsseldorf 1960
Beek, Martinus Adrianus, *Geschichte Israels.* Stuttgart 1961
Auerbach, E., *Moses.* Amsterdam 1953
Hinsichtlich der Frauenheilkunde sind von Wert:
Diepgen, Paul, *Die Frauenheilkunde der Alten Welt.* München 1937
Fischer, I., *Geschichte der Gynäkologie* (in «Biologie und Pathologie des Weibes») von Halban-Seitz. Berlin 1924

Speert, Harold, *Obstetric and gynecologic Milestones.* New York 1958
Iversen, E., *Papyrus Carlsberg No. VIII with some remarks on the Egyptian origin of some popular birth prognoses.* Kopenhagen 1939

IV Zusätzliche Quellen über die verwendeten Drogen und Mineralien
Tschirch, A., *Handbuch der Pharmacognosie.* Leipzig 1932
Gilg/Schürhoff, *Aus dem Reiche der Drogen,* o. O. 1926
Engler, A. und L. Diels, *Syllabus der Pflanzenfamilien,* Berlin 1936
Himmelbauer/Hollinger, *Drogenweltkarte.* Wien 1927
Hoppe, Heinz A., *Drogenkunde.* Hamburg 1943
Mosig, A. und G. Schramm, *Die Arzneipflanzen und der Drogenschatz Chinas.* Berlin 1955
Bergmark, Malts, *Lust und Leid durch Drogen* (aus dem Schwedischen). Stuttgart 1958
Lewin, L., *Phantastica.* Berlin 1924
—, *Die Gifte in der Weltgeschichte.* Berlin 1921
Hanslik, Gerhard, *Arzneilich verwendete Mineralien.* Stuttgart 1960
Römpp, Hermann, *Chemie-Lexikon.* Stuttgart 1947
Brauns, R., *Allgemeine Mineralogie.* Berlin, 9. Aufl., 1955

V Quellen über Seefahrt und Verbindungswege in der ägyptischen Zeit:
Hennig, Richard, *Terrae incognitae.* Band 1. Altertum bis Ptolemäus. Leiden 1944
Herrmann, Paul, *Sieben vorbei und acht verweht.* Hamburg 1952
Wendt, Herbert, *Es begann in Babel.* Rastatt 1958
Debenham, Frank, *6000 Jahre mußten vergehen.* Stuttgart 1960
Schreiber, Hermann, *Sinfonie der Straße.* Düsseldorf 1959

MESOPOTAMIEN

I Geschichtlicher und kulturgeschichtlicher Hintergrund
Schmökel, Hartmut, *Ur, Assur und Babylon.* Stuttgart 1958
Christian, U., *Alterstumskunde des Zweistromlandes.* Leipzig 1940
Frankfort, J.W., *Frühlicht des Geistes.* Stuttgart 1954
Meissner, B., *Babylonien und Assyrien.* Heidelberg 1920/25
Beck, M. A., *An Babels Strömen.* München 1959
—, *Bildatlas der assyrisch-babylonischen Kultur.* Gütersloh 1961
Parrot, André, *Sumer.* München 1960
—, *Assur.* München 1961
Ferner die einschlägigen Kapitel in
Durant, Will, *Die Geschichte der Zivilisation.* 1. Band
—, *Das Vermächtnis des Ostens.* Bern o. J.

II Allgemeine Darstellungen zur Medizingeschichte und zur Medizin Mesopotamiens
Castiglioni, Arturo, *A history of medicine.* New York 1958
Major, Ralph H., *A history of medicine.* 1. Springfield 1954
Diepgen, Paul, *Geschichte der Medizin.* Bd. 1. Berlin 1949
Sigerist, Henry E., *A history of medicine.* Bd. 1. New York 1951
Jastrow, Morris, *The medicine of the Babylonians and Assyrians.* Proc. of the Royal Soc. of med. Sect. of the history of med. London 1914, S. 109–176
Contenau, G., *La Médecine en Assyrie et Babylonie.* Paris 1938
Dawson, W. R., *The Beginnings, Egypt and Assyria* (Clio medica, Bd. I.). New York 1930

III Spezielle Darstellungen
über Fragen zur Religion und Medizin:
Hier wurden als wichtigste Werke benutzt, außer
Sigerist, Contenau und Schmökel, der sehr inter-
essante Hinweise gibt:
Herodot, *Geschichtswerke.* Stuttgart 1885
Zehren, Erich, *Die biblischen Hügel.* Berlin 1961
Sayce, A. H., *An Ancient Babylonian Work on Me-
dicine.* Zeitschrift für Keilschriftforschung. 1885,
2: 1–14, S. 205–16
Küchler, Friedrich, *Beiträge zur Kenntnis der assy-
risch-babylonischen Medizin.* Leipzig 1904
Oefele, F., von, *Babylonian Titles of Medical Text-
books.* J. Am. Orient Soc. 1917, 37, S. 250–56
Ebeling, E., *Keilschrifttafeln medizinischen Inhalts.*
Arch. Gesch. Med. 1921, 13, S. 1–42, 129–144
1922, 14, S. 26–47, 65–78
Thompson, R. Campbell, *Assyrian Medical Texts
from the Originals in the British Museum.* London 1923
Cruveilhier, *Commentaire du Code d' Hammurabi.* Pa-
ris 1938
Miles, Driver, *The Babylonian Laws*, Bd. 1. Oxford
1952
Pheiffer, R. H., *State Letters of Assyria.* New Haven
1935
Meissner, B., *Babylonien und Assyrien*, Bd. 11. Heidel-
berg 1925
Soden, W. Frh. von, *Herrscher im alten Orient.* Ber-
lin-Göttingen–Heidelberg 1954
Riemschneider, Margarete, *Die Welt der Hethiter.*
Stuttgart 1959
Drigalski, Wilhelm von, *Männer gegen Mikroben.*
Berlin 1951
Gordon, Benjamin Lee, *Medicine throughout Anti-
quity.* Philadelphia 1949
Preuss, Julius, *Biblisch-talmudische Medizin.* Berlin
1923
Grollenberg, Luc. H., *Kleiner Bildatlas zur Bibel.*
Gütersloh 1960
Beck, M. A., *Geschichte Israels.* Stuttgart 1961
Keller, Werner, *Und die Bibel hat doch recht.* Düssel-
dorf 1960
Harpole, James, *Am Pulsschlag des Lebens.* Stuttgart
1939
Venzmer, Gerhard, *Krankheit macht Weltgeschichte.*
Stuttgart 1960
Labat, R., *Un Traité médical akkadien, essai de recon-
stitution de la série enuma ana bit marsi asipu illiku.*
Rev. Assyr. 1945–46, 40, S. 27–45
Labat, R., *Traité akkadien de diagnostics et prognostics
médicaux.* Paris 1951
Parrot, André, *Assur.* München 1961
Ungnad, A., *Die Religion der Babylonier und Assyrer.*
Jena 1921
Schmökel, Hartmut, *Das Land Sumer.* Stuttgart 1955
Meissner, Bruno, *Babylonien und Assyrien.* Bd. 11,
Heidelberg 1925
Fossey, Ch., *La magie assyrienne.* Paris 1902
Weidner, E., *Handbuch der babylonischen Astronomie.*
Leipzig 1915
Kugler, Fr. X., *Sternkunde und Sternendienst in Babel.*
Münster 1907 (in Forschungsheften)
Gundel, Wilhelm *Sternglaube, Sternreligion und Stern-
orakel.* Heidelberg 1959
Jastrow, Morris, *Hepatoscopy and Astrology among
the Babylonians and Assyrians.* Proc. Am. Phil. Soc.
Bd. XLIX, S. 646–676
—, *Divination through the liver and the beginnings of
Anatomy.* Transactions of the college of physicians. Bd.
XXIX, 1908. S. 117–143
Schott, A., *Das Gilgamesch-Epos.* Reclams-Univer-
sal-Bibliothek. Leipzig 1934

Jastrow, Morris, *The medicine of the Babylonians and
Assyrians.* Proc. of the Royal Soc. of Med. Sect. of
the history of med. London 1914, S. 109–176
Myhrman, D. W., *Die Labartu-Texte.* Zeitschrift für
Assyriologie. Bd. XVI, Straßburg–Berlin 1902.
S. 141–200
Singer, Charles, *A short history of anatomy.* New York
1957
Henton, E. W., *Biblischer Alltag / Zeit des Alten Te-
staments.* München 1961
Wright, G. Ernest, *Biblische Archäologie.* Göttingen
1958
Musy, Th., *Kannten die Babylonier den grauen Star?*
Zeitschrift für Augenheilkunde, Bd. XXXV, 1916,
S. 311–316
Sasse, Carl Hans, *Geschichte der Augenheilkunde.*
Stuttgart 1947
Thompson, R. Campbell, *Assyrian Herbal.* London
1924
Woolley, Leonard, *History unearthed.* London 1958
Keith, A., *Report on human Remains.* In Leonard
Woolley «Ur Excavations». Bd. II: The royal Ce-
metery, London 1934
Thompson, R. Campbell, *Assyrian Prescriptions for
stone in the Kidneys, for the «middle» and for Pneumonia.*
Archiv für Orientforschung 1936–37, Bd. 11, S.
336–40
Kramer, Samuel Noah, *History begins at Sumer.* Lon-
don 1958

INDIEN

*I Geschichtlicher und kulturgeschichtlicher Hinter-
grund*
Mode, Heinz, *Das frühe Indien.* Stuttgart 1959
Busham, A. L., *The wonder that was India.* London
1957
Gordon, D. H., *The prehistoric Background of Indian
Culture.* Bombay 1958
Piggott, S., *Prehistoric India to 1000 BC.* Harmonds-
worth 1950
—, *The Dawn of Civilization.* London 1961
Edwardes, Michael, *Illustrierte Geschichte Indiens.*
München 1961
Pargiter, F. E., *The ancient indian Historical Tradi-
tion.* London 1922
Eliot, J., *Hinduism and Buddhism.* London 1921
M'Crindle, J. W., *The invasion of India by Alexander
the Great.* Westminster 1896
Mode, Heinz, *Indische Frühkulturen und ihre Bezie-
hungen zum Westen.* Basel 1944

*II Allgemeine Darstellungen zur Medizingeschichte
unter Einschluß alt-indischer Medizin*
Hier gilt in verstärktem Maße das zu Ägypten Gesagte. Ältere medizinhistorische Werke übergehen
zum Teil die Entwicklung in Indien völlig oder be-
trachten sie grundsätzlich als Ableger der Medizin
der Griechen. Von Bedeutung sind daher erst:
Castiglioni, Arturo, *A history of medicine.* New York
1958
Guthrie, Douglas, *A history of medicine.* Edinburgh
–London 1958
Major, Ralph H., *A history of medicine.* Bd. 1, Spring-
field 1954
Ackerknecht, Erwin H., *Kurze Geschichte der Medi-
zin.* Stuttgart 1959
Laignel-Lavastine, *Histoire générale de la médicine.*
Bd. 1, Paris o. J., S. 936–49
Diepgen, Paul, *Geschichte der Medizin.* Bd. 1. Berlin
1949
Leider blieb der zweite Band von
Sigerist, Henry E., *A history of medicine.* Bd. 11, New
York 1961, der sich mit der Gründlichkeit und Aus-
führlichkeit des ersten Bandes mit der Entwicklungs-

geschichte der frühen indischen Medizin beschäftigen sollte, unvollendet und erschien als Torso. Jedoch bilden die fertiggestellten Teile des geplanten Kapitels über Hindu-Medizin:

1 The setting
2 Early Indus Civilization
3 Vedic Medicine
4 Indian Philosophies and Early Medical Schools

wertvolle Beiträge zum Thema, die auch für dieses Buch ausgiebig benutzt wurden.
Der Indien-Teil von
Gordon, Benjamin Lee, *Medicine throughout Antiquity*, gehört zu den wertvollsten des Buches. Für ihn gelten aber auch die Einschränkungen, die unter Ägypten gemacht wurden.
Zur Frage der Hygiene in den frühen Indus-Kulturen:
Marshall, Sir J., *Mohenjo Daro and the Indus Civilization*. 3 Bde. London 1931
Mackay, E., *Early Indus Civilization*. London 1948
Zur folgenden Darstellung der medizinischen Entwicklung Alt-Indiens wurden benutzt außer den obengenannten allgemeinen Werken von Sigerist, Diepgen, Major, Gordon:
Jolly, Julius, «*Medizin*» in: *Grundriß der indisch-arischen Philologie und Altertumskunde*. Bd. 3, Heft 10, Straßburg 1910
Muthu, D. C., *Antiquity of Hindu Medicine*. New York 1931
—, *A short Review of the History of Ancient Hindu Medicine*. Proc. Roy. Soc. Med. 1913, Bd. VI, S. 177
Hoernle, A. F., *Studies in the Medicine of Ancient India*. Oxford 1907
Dasgupta, S. N., *Die Medizin der alten Hindus*. Arch. f. Geschichte d. Medizin 1928. Bd. XX, S. 80
Zimmer, H. R., *Hindu Medicine*. Baltimore 1948
Sarma, P. J., *Hindu Medicine and its antiquity*. Ann. med. history 1931, Bd. III, S 318
Schwer lesbar, aber am tiefschürfendsten sind unter der europäischen Literatur wahrscheinlich die Untersuchungen von
Müller, Reinhold F. G., *Grundlagen altindischer Medizin*. Nova Acta Leopoldina. N. F. Bd. 10, Nr. 72, S. 379-475. Halle 1941
—, *Grundsätze altindischer Medizin.* Kopenhagen 1951
Am bedeutsamsten unter den erreichbaren indischen Werken:
Mukhopadhyaya, G., *History of Indian medicine*. 2 Bde. Calcutta 1923
Sanskrit-Ausgaben und Übersetzungen der Atharwa Weda:
Roth, R. und W. D. Whitney (Herausgeber). Berlin 1856
Whitney, W. D. (Übersetzer ins Englische), Cambridge, Mass. 2 Bde. 1905
Sanskrit-Ausgaben und Übersetzungen der Rigweda:
Aufrecht, T. (Herausgeber) in A. F. Webers «*Indische Studien*», Bde. 6-7. Bonn 1877
Grossmann, H. (deutscher Übersetzer) Leipzig 1876-77
Dazu:
Müller, R. F. G., *Die Medizin im Rigveda*. Asia Major, 1930. S. 315-76
Majumdar, R. C. und A. D. Pulsaker, *The vedic Age*. London 1951
Filliozat, J., *La Doctrine classique de la médecine indienne*. Paris 1949
Zu Tscharaka Samhita:
Works of Charaka, translated by A. C. Kaviratna. Calcutta 1912
Hemneter, Ernst, *Die Entwicklungsstufen der alt-indischen Medizin*. Ciba-Zeitschrift, J. 3, Dez. 1936, Nr. 35
Deininger, Rolf, *Im Lande der Rauwolfia*, in *Materia Medica Nordmark*. 3. Sonderheft 1961. Nordmark

Werke, Hamburg 1961
Zu Susruta Samhita:
Works of Susruta Samhita, translated by K.-L. Bhishagratna, 3 Bde. Calcutta 1907-16
Mukhopadhyay, G. N., *The surgical instruments of the hindus*. Calcutta 1913
Müller, R. F. G., *Indische chirurgische Instrumente*. Arch. f. Geschichte der Medizin, 1937, Bd. XXX, S. 91
Hammett, F. S., *The Anatomical Knowledge of the ancient Hindus*. Ann. Med. Hist. 1929, Bd. 1, S. 325
Hirschberg, Julius, *Der Starstich der Inder*. Ch. für Augenheilkunde, Jg. 32, Januar 1908
—, *Die Augenheilkunde der alten Inder*. Berl. Klin. Wochenschr. 1920, Bd.1, S. 712-734
Sasse, Carl Hans, *Geschichte der Augenheilkunde*. Stuttgart 1947
Vieillard, C., *L'Urologie et les médicins urologistes dans la médecine anciénne*, Paris 1903
Diepgen, Paul, *Die Frauenheilkunde der Alten Welt*. München 1937
Zur Yoga-Lehre:
Dasgupta, S. N., *Yoga as Philosophy and Religion*. London 1924
Behanan K. T., *Yoga, a scientific Evaluation*. London 1937
Buddha und die Medizin:
Liacre de Saint Firmin, *Médecine et légendes bouddhiques de l'Inde*. Paris 1916
Duk, Philip Marshall, *Medical Biographies*. Norman/Okl. USA 1952
Zur Frage des Hippokratischen Eides siehe außer Sigerist:
Edelstein, L., *The Hippocratic Oath*. Baltimore 1943
Hinsichtlich der Frage des Einflusses der altindischen Medizin auf den Mittelmeerraum siehe:
Kirfel, Willibald, *Gehen die medizinischen Systeme Altindiens und des Mittelmeerraumes auf einen gemeinsamen Ursprung zurück?* Grenzgebiete der Medizin, Jg. 1, 1948, S. 6-10

CHINA

I Geschichtlicher und kulturgeschichtlicher Hintergrund

Erdberg Consten, Eleanor v., *Das alte China*. Stuttgart 1958
Eberhard, W., *Chinas Geschichte*. Bern 1948
Creel, H. G., *The birth of China*. New York 1937
Pigott, Stuart, *The dawn of Civilization*. London 1961
Muensterberg, Hugo, *A short History of Chinese Art*. New York 1949
Maspero, H., *La Chine antique*. Paris 1927
Durant, Will, *Das Vermächtnis des Ostens*. Bern o. J.
Kühn, Herbert, *Die Entfaltung der Menschheit*. Frankfurt 1958
Franke, Otto, *Geschichte des chinesischen Reiches*, 1. Band. Berlin–Leipzig 1930

II Allgemeine medizinhistorische Darstellungen

So gut wie alle Geschichtswerke der Medizin enthalten mehr oder weniger umfangreiche, mehr oder weniger eingehende Kapitel über die Entwicklung der altchinesischen Medizin. Verwendet wurden:
Diepgen, Paul, *Geschichte der Medizin*, 1. Band. Berlin 1949
Castiglioni, Arturo, *A History of Medicine*. New York 1958
Guthrie, D., *A History of Medicine*. London 1945
Major, Ralph H., *A History of Medicine*, Band 1. Springfield 1954
Ackerknecht, Erwin H., *Kurze Geschichte der Medizin*. Stuttgart 1959
Gordon, Benjamin Lee, *Medicine throughout Antiquity*. Philadelphia 1949

Diepgen, Paul, *Die Frauenheilkunde der Alten Welt.*
München 1937

II Spezielle Darstellungen

Morse, W. R., *Chinese Medicine.* New York 1934
Hume, E. H., *The Chinese Way in Medicine.* Baltimore 1940
Wong, C. M. und Lien-Teh Wu, *History of Chinese Medicine.* Tientsin 1932
Regnault, J., *Médecine et Pharmacie chez les Chinois.* Paris 1902
Hübotter, Franz, *Die Chinesische Medizin zu Beginn des xx. Jahrhunderts und ihr historischer Entwicklungsgang.* Leipzig 1929
—, *Berühmte chinesische Ärzte,* Arch. f. Geschichte der Medizin, 7, S. 115–128. 1913
—, *Zwei berühmte chinesische Ärzte des Altertums,* Mitteilungen d. Dtsch. Ges. f. Naturkunde Ostasiens, Bd. 21, Teil A. Tokio 1925
—, *Zeittafel zur chinesischen Medizin.*
—, *Zur Geschichte Chinas.*
—, *Chinesische Anatomie und Physiologie.*
—, *Von chinesischer Diagnostik und Therapie.*
—, *Einige berühmte chinesische Ärzte.*
In Ciba-Zeitschrift, Nr. 94, Bd. 8. Wehr/Baden 1959
Huard, Pierre und Ming Wong, *La médecine chinoise au cours des siècles,* Paris 1959
Wallnöfer, Heinrich und Anna von Rottauscher, *Der goldene Schatz der chinesischen Medizin,* Stuttgart 1959
Hartner, W., *Heilkunde im alten China,* Sinica, Frankfurt. Teil 1 1941, Teil 2 1942
Lui, T. P., *Secrets of Chinese Physicians.* Los Angeles 1957
Veith, Ilza, *Huang Ti Nei Ching Su Wen – The Yellow Emperors Classic of Internal Medicine.* Baltimore 1949
Read, B. E., *Gleanings from old Chinese Medicine,* Ann. Med. Hist., Band VIII, S. 16, 1926
Chen, K. K. und A. S. H. Ling, *Fragments of Chinese Medical History,* Ann. Med. Hist. Bd. VIII, S. 185. 1926
Cowdry, E. W., *Anatomy in China,* Anat. Rec., Bd. 20, S. 32–60. 1920
—, *Taoist Ideas of Human Anatomy,* Ann. Med. Hist., Bd. III, S. 301. 1921
Pfizmaier, D. A., *Die Pulslehre des Chang Ch'i.* Wien 1866
Loung Tit Sang, *Akupunktur und Räuchern mit Moxa.* München 1954
Bushan, Georg, *Zwei alte ostasiatische Heilmethoden,* Deutsche med. Wochenschr., Nr. 62, S. 654–657. 1936
Schramm, Gottfried, *Grundprinzipien der chinesischen Akupunktur,* Dtsch. Gesch. Wes., Nr. 11, S. 859–862. 1956
—, *Über die chinesische Moxibustion,* Forsch. u. Fortschr., Nr. 30, S. 11. 1956
Tuye-Schmidt, de la, *Die moderne Akupunktur.* Stuttgart 1952
Morant, George Soutié de, *L'Acuponcture chinoise,* 2 Bde. Paris 1939/1941
Stuart, G. A., *A Chinese Materia Medica.* Shanghai 1911
Hübotter, Franz, *Chinesisch-Tibetische Pharmakologie und Rezeptur.* Ulm 1957
Li Shih-chen, *Pen-ts'ao kang-mu* (Klassifikation von Wurzeln und Kräutern). Shanghai 1955
Schramm, Gottfried, *Heilpflanzen und Drogen der altchinesischen Materia medica.* Forsch. u. Fortschr., Nr. 30, S. 235–238. 1956
Mosig, Alfred und Gottfried Schramm, *Der Arzneipflanzen- und Drogenschatz Chinas und die Bedeutung des Pen-ts'ao kang-mu.* Berlin 1955
Chen, K. K., *Chinese Drug Stores,* Ann. Med. Hist., Bd. VII, S. 2/103. 1925

MEXIKO

I Geschichtlicher und kulturgeschichtlicher Hintergrund

Trimborn, Hermann, *Das alte Amerika.* Stuttgart 1959
Disselhoff, H. D., *Geschichte der altamerikanischen Kulturen.* München 1953
Heine-Geldern, R. und G. F. Ekholm, *Significant Parallels in the Symbolic Arts of Southern Asia and Middle-America.*
In: Selected Papers of the xxixth Int. Congr. of Americanists, Bd. I, Chicago 1951
—, *Das Problem vorkolumbianischer Beziehungen zwischen Alter und Neuer Welt und seine Bedeutung für die allgemeine Kulturgeschichte.* In: Anzeiger der phil. hist. Klasse der österreichischen Akademie der Wissenschaften. Wien 1954, Bd. 91
Hentze, Carl, *Tod, Auferstehung, Weltordnung.* Bd. 1 u. 11. Zürich 1955
Krickeberg, Walter, *Altmexikanische Kulturen.* Berlin 1956
—, *Olmeken und Tolteken.* Zeitschrift für Ethnologie. Braunschweig 1950, Bd. 75
Morley, S. G., *The ancient Maya.* Stanford (California) 1947
Vaillant, C. C., *Die Azteken.* Köln 1957
Kühn, Herbert, *Die Entfaltung der Menschheit.* Frankfurt 1958
Rivet, Paul, *Cités Maya.* Paris 1954
Hagen, Victor W. von, *Die Welt der Azteken.* Hamburg-Wien 1959
—, *Die Kultur der Maya.* Hamburg-Wien 1960
Lange, Kurt, *Fremdling zwischen Tier und Gott.* Gütersloh 1959

II Allgemeine medizinische Darstellungen

Die frühe Medizin Mittel- und Südamerikas findet in den älteren medizinhistorischen Werken keinerlei Berücksichtigung. Aber auch neuere oder neu bearbeitete Werke wie das ausgezeichnete Buch von Arturo Castiglioni, *A history of medicine,* New York 1958, berühren das Thema nur sehr flüchtig. Die Gründe dafür liegen in der so lange bestehenden Unsicherheit über die Datierung der frühen amerikanischen Kulturen, die erst nach dem zweiten Weltkrieg einer größeren Sicherheit zugleich mit überraschenden Aufschlüssen über die zeitliche Tiefe dieser Kulturen Platz machte.
Ausführlicher sind nur
Diepgen, Paul, *Geschichte der Medizin,* Bd. I. Berlin 1949
Major, Ralph H., *A history of medicine.* Bd. 1, Springfield 1954
Ackerknecht, Erwin H., *Kurze Geschichte der Medizin.* Stuttgart 1959
Doch auch hier wirkt sich noch die Unsicherheit über die zeitliche Einordnung aus.
Als Spezialwerk allgemeiner Art ist von Bedeutung:
Moll, A. A., *Aesculapius in Latin-America.* Philadelphia 1944

III Spezielle Darstellungen

Archaic American Art (M. D. Pictorial), M. D., Medical Newsmagazine, New York. Bd. 4, Nr. 5, Mai 1959
Bloch, J., *Der Ursprung der Syphilis.* 2 Bde. Jena 1901/1911
Venzmer, Gerhard, *Krankheit macht Weltgeschichte.* Stuttgart 1960
Roys, Ralph L., *The Ethno-Botany of the Maya.* Middle-American. Research. Ser. Pub. 2. New Orleans 1931
Dietschy, Hans, *Spanische Ärzte und die mexikanische Medizin.*
Aztekische Ärzte und Zauberer.
Sünde und Krankheit im alten Mexiko.

Aztekische Geburtshilfe.
In Ciba-Zeitschrift, Bd. 4, Nr. 42, 1937
Seler-Sachs, Caecilie, *Einige Kapitel aus dem Geschichtswerk des Fra Bernardino de Sahagún.* Stuttgart 1927
Sahagún, Bernardino de, *Histoire générale des choses de la nouvelle Espagne.* Paris 1880
—, *Ensayo para la Materia Medica Mexicana.* Puebla 1832
Gates, William, *The de la Cruz-Badiano Aztec Herbal of 1552.* The Maya Society. New York 1939
Hoppe, Heinz A., *Drogenkunde.* Hamburg 1943
Bergmark, Malts, *Lust und Leid durch Drogen.* Stuttgart 1958
Brockbank, *Ancient therapeutic Arts.* London

PERU

I Geschichtlicher und kulturgeschichtlicher Hintergrund

Trimborn, Hermann, *Das alte Amerika.* Stuttgart 1959
Disselhoff, H. D., *Geschichte der altamerikanischen Kulturen.* München 1953
Bushnell, G. H. S., *Peru.* London 1956
Kutscher, G., *Chimu. Eine altindianische Hochkultur.* Berlin 1950
Schmidt, M., *Kunst und Kultur von Peru.* Berlin 1929
Middendorf, E. W., *Peru.* 3 Bde. Berlin 1893–95
Tello, Julio, *Origen y desarollo de las civilizaciones prehistoricas andinas.* Lima 1942
Hoyle, R. L., *Los Mochicas.* Trujillo 1945
Cachot, Rebecca Carrion, *Paracas.* Lima 1949
Otero, G. A., *Tiahuanaco.* Buenos Aires 1943
Hagen, Victor W. von, *Das Reich der Inka.* Hamburg-Wien 1958
Lissner, Ivar, *So habt ihr gelebt.* Olten u. Freiburg i. Brs. 1960
Flornoy, B., *Rätselhaftes Inkareich.* Zürich 1950
Kühn, Herbert, *Die Entfaltung der Menschheit.* Frankfurt 1958
Mason, J. Alden, *The ancient civilization of Peru.* Penguin Books 1957
Uhle, Max, *Die Ruinen von Moche.* Journal de la société des Américanistes de Paris. Bd. 10. Paris 1913, S. 95–117
Gillin, John, *Moche, a Peruvian coastal community.* (Publ. of the Inst. of Social Anthropol. III). Washington 1947

II Allgemeine medizinhistorische Darstellungen

Hierzu gilt das unter Mexiko Gesagte: Benützt wurden Ackerknecht, Major, Diepgen.
Außerdem als medizinhistorische Werke allgemeiner Art über Peru:
Lastres, Juan B., *Historia de la medicina peruana.* 3 Bde. Santa Maria 1951
Padal, Ramon, *Medicina aborigin americana.* Buenos Aires 1937
Dietschy, Hans, *Die Heilkunst im alten Peru.* Ciba Zeitschrift, Nr. 83, Bd. 7. Wehr/Baden 1957

Schließlich die einschlägigen Kapitel in:
Menas, P. A., *Ancient Civilizations of the Andes.* New York und London 1931
Karsten R., *Civilization of the South-American Indians.* London und New York 1920
Hagen, Victor W. von, *Das Reich der Inka.* Hamburg/Wien 1958

III Spezielle Darstellungen

Dietschy, Hans, *Eine altperuanische Krankheitsliste.* Acta Tropica (Basel) Bd. 1, 1944, Nr. 1/2
Neumann, Josef, *Über die an den altperuanischen Keramiken und anthropomorphen Tongefäßen dargestellten Hautveränderungen mit besonderer Rücksicht auf das Alter der Syphilis und anderer Dermatosen.* Denkschr. K. Akademie d. Wiss., Wien 1905, math.-nat. Kl. 77, S. 491–501
Weiss, P. und L. Goldman, *Pre-Columbian Ceramic Vases of the ancient Nazca Culture, showing possible gummata.* Leg. Amer. Journ. Syph. 38/1954, S. 145–147
Lastres, Juan B., *La Medicina en la obra de Guamán Poma de Ayala.* Revista del Museo Nacional, Lima 1941, 11, S. 113–164
Poma de Ayala, Felipe Guamán, *Nueva Coronica y buen gobierno.* Travaux et Mem. de l'Inst. d'Ethnologie, Paris, Bd. 23, 1936
Feuillet, Louis, *Beschreibung zur Arzeney dienlicher Pflanzen, welche in den Reichen des mittägigen America, in Peru und Chily, vorzüglich im Gebrauch sind.* 2 Bde. Nürnberg 1756/57
Bühler, A. und H. Buess, *Koka.* Ciba Zeitschrift Nr. 92, Bd. 8. Wehr/Baden 1958
Mortimer, W. G., *History of Coca «The divine Plant» of the Inkas.* New York 1901
Hesse, E., *Die Rausch- und Genußgifte.* Stuttgart 1938
Wolser, P., *Das Cocain, seine Bedeutung und seine Geschichte.* Schweiz. med. Wochenschr. 1922, Bd. 3, S. 674–679
Lehmann-Nitsche, Robert, *Pathologisches aus Alt-Peru.* Haarlem 1902
Squier, E. G., *Incidents of travel and Exploration in the land of the Incas.* London 1877
Walker, E. Earl, *A history of micrological Surgery.* Baltimore 1951
Schipperges, Heinrich, *Die Entwicklung der Hirnchirurgie.* Ciba Zeitschrift Nr. 75, Bd. 7. Wehr/Baden 1955
Wölfel, J./G. A. Wehrli, J. zum Busch/John Gerlitt/F. Schwerz, *Die Trepanation.* Ciba Zeitschrift, Jg. 4, Nr. 39. Basel 1936
Parry, T. Wilson, *Trephination of the living human skull in prehistoric Times.* British Medical Journal. März 17, 1923
Broca, P., *La trépanation chez les Incas* Bull. de l'Acad. de med. Paris Bd. 32. S. 866–871, 1866/67
—, *Sur les trépanations préhistoriques* Bull. et Mém. Coc. d'Anthropol. de Paris. Bd. 9/5542–5570, 1874
Weiss, P., *La cirurgia del cranco entre los antiguos peruanos.* Lima 1949
Morales-Macedo, C., *La trépanacion del cránco y ser representacion en la ceramica peruana.* Proc. second Americana Sc. Conq. Sect. Bd. 1: Anthropology. Washington 1917

Quellenverzeichnis der Abbildungen

62 *links:* Königin Nofretete überreicht Echnaton (Amenophis IV.) die Pflanze Mandragora. *Staatliche Museen, Berlin. Foto: Walter Steinkopf*
62 *rechts:* Darstellung der Mandragora aus dem 15. Jahrhundert. *Wellcome Historical Medical Museum*
63 a) Bilsenkraut. *Aus dem Kräuterbuch J. Gerards von 1597. Foto: Thames & Hudson Archive*
63 b) Datura. *Aus dem Herbario Nuovo C. Durantes von 1684. Foto: Thames & Hudson Archive*
64 Detail eines Wandgemäldes aus Theben: das Abwägen von Gold. Aus *W. Wreszinski, Atlas zur altägyptischen Kulturgeschichte, Leipzig 1922–1936*
65 *oben:* Detail eines Wandgemäldes aus dem Grabe des Userhet in Theben; Mutter und Gattin des Verstorbenen, XVIII. Dynastie. *Foto: Marburg*
65 *unten:* Mädchen beim Schminken ihrer Lippen. *Aus einem Papyrus des Museums Egizio, Turin*
66 Ägyptisches Frachtboot. Detail eines Basreliefs um 2250 v.Chr. *Foto: Ullstein Bilderdienst*
67 Die Königin des Landes Punt. Detail eines Basreliefs von Deir el-Bahari. *Kairo, Museum. Foto: Radio Times Hulton Picture Library*
68 Äthiopier bringen Tribut. Thebanisches Wandgemälde der XXVIII. Dynastie. *Foto: Metropolitan Museum of Art, New York*
71 Lastträger bringen Weihrauchbäume. *Aus C. R. Lepsius, op. cit.*
a) Granatapfel, b) Zimtbaum, c) Ingwer, *aus J. Gerard, op. cit. Foto: Thames & Hudson Archive*
72 Syrer bringen Tribut. Thebanisches Wandgemälde um 1400 v.Chr. *Mit frdl. Erl. der Treuhänder des Britischen Museums*
73 Krokus pflückender Junge: Detail aus einem Fresko von Knossos, um 1500 v.Chr. *Archäologisches Museum, Heraklion, Kreta. Foto: Sammlung Mansell*
74 Statue des ägyptischen Arztes Iwti. *Leiden, Rijksmuseum van Oudheden*
75 Szene aus einer altägyptischen Apotheke. Aus einem thebanischen Wandgemälde um 1400 v.Chr. *Aus Wreszinski, op. cit.*
77 Fayence-Figürchen eines Ibis um 400 v.Chr. *Metropolitan Museum of Art, New York*
78 *rechts:* Relief im Tempel von Kom Ombo, Oberägypten, mit Darstellungen chirurgischer Instrumente. Ptolemäerzeit. *Foto: Wellcome Historical Medical Museum*
78 *links:* Ägyptische Schröpfeisen. *Aus Th. Meyer-Steineg u. K. Sudhoff. Geschichte der Medizin. 1928*
79 *oben:* Bader setzt seinem Patienten Blutegel an. Von einem Gemälde im Grab des Userhat in Theben. *Aus W. Wreszinski, op. cit.*
79 *unten:* Verschiedene Blutegeltypen aus der ärztlichen Praxis des 19. Jh. *Nach Moquin-Tandon, Monographie sur la famille des Hirundinées, Atlas; Paris, 1846. Foto: Thames & Hudson Archive*
80 Detail vom Kopf der Statue des Hofbeamten Ti; V. Dynastie. *Kairo, Museum. Foto: Thames & Hudson Archive*
81 Griechische Terrakotta-Weihegabe; Darstellung eines Bruchs. *Ehemals Sammlung Meyer-Steineg, Jena. Aus Meyer-Steineg u. Sudhoff, op. cit.*
82 Blinder Harfner. Detail von einem Basrelief. *Leiden, Rijksmuseum van Oudheden*
83 Medizinischer Tragkasten aus Holz der Königin Mentuhotep um 2000 v.Chr. *Staatliche Museen, Berlin; mit frdl. Erl.*
84 Spielzeug-Krokodil aus Holz mit beweglichen Kiefern. *Staatliche Museen, Berlin; mit frdl. Erl.*
85 Blick auf den Nil bei Kairo. *Foto: J. Allen Cash*
86 Kalksteinrelief von Tell el-Amarna: Ägyptischer Söldner beim Biertrinken mittels eines Schilfrohrs; XVIII. Dynastie. *Staatliche Museen, Berlin, mit frdl. Erl.*
87 Holzmodell einer ägyptischen Bäckerei um 2000 v.Chr. *Royal Scottish Museum, Edinburgh*

88 Hand und Fuß einer koptischen Mumie mit leprösen Veränderungen; 6. Jh. n.Chr. *Nach Smith u. Dawson, op. cit.*
89 Gefangene Neger werden in die Sklaverei geführt. Relief vom Grabe des Haremhab um 1350 v.Chr. *Museo Civico, Bologna*
90 Ägyptische Tänzerin. Detail von einem Wandgemälde im Grabe des Nakht in Theben. *Foto: Michel Audrain*
91 Fischer beim Einholen ihres Fangs. Thebanisches Wandgemälde der frühen XII. Dynastie um 1950 v.Chr. *Foto: Arpag Mekhitarian, Brüssel*
92 Rettich, Zwiebel und Knoblauch. *Nach Holzschnitten von J. Gerard, op. cit. Fotos: Thames & Hudson Archive*
93 Rekonstruktion einer altägyptischen Stadtanlage: die nördliche Vorstadt von Echet-Aton (Tell el-Amarna). *Nach H. Frankfort u. J.D.S. Pendlebury, The City of Akkenaton, 1923*
93 *unten:* Steinerner Abtritt von Tell el-Amarna. *Foto: Wellcome Historical Medical Museum*
94 Plan einer ägyptischen Wohnstätte bei Tell el-Amarna. *Nach A. Erman, Ägypten etc., 1885*
94 Fotografie eines ägyptischen Dorfes von heute. *Foto: J. Allen Cash*
95 König Sethos I. bringt dem Totengott Sokar Weihrauchopfer dar. Relief vom Tempel Sethos I. in Abydos. *Foto: Professor Max Hirmer*
96 Mosesstatue des Michelangelo. San Pietro in Vincoli, Rom. *Foto: Sammlung Mansell*
97 Ägyptische Hieroglyphen, darstellend eine Schwangere und die Geburt eines Kindes. *Eigene Zeichnung*
98 Sir William Matthew Flinders-Petrie. *Foto: Radio Times Hulton Picture Library*
99 Sandsteintorso einer Prinzessin aus Tell el-Amarna um 1370 v.Chr. *Flinders Petrie Collection, University College, London*
100 Akazienbaum mit Vögeln. Kopie von Nina M. Davies nach einem Wandgemälde von Beni Hassan, XII. Dynastie. *Oriental Institute, Universität Chicago*
101 Bemalte Holzstele, darstellend einen Sänger des Gottes Amun mit Harfe. *Louvre. Foto: Giraudon*
103 Philae: Ansicht des Haupttempels. *Foto: mit frdl. Erl. des Courtauld Institute of Art, London.*
104 Sumerische Tontafel um 3000 v.Chr. *Foto: Thames & Hudson Archive*
104 Assyrischer Herrscher besucht einen ägyptischen Arzt. Detail eines Gemäldes aus dem Grab des Nebamon, des Hofarztes Amenophis II.; 15. Jh. v.Chr. *Aus Wreszinski, op. cit.*

MESOPOTAMIEN

107 Tontafel aus Nippur mit Inschrift über Heilmittel. Spätes 3. Jahrtausend v.Chr. *Museum der Universität Philadelphia*
110 Diorit-Statue des Gudea aus Lagasch um 2200 v.Chr. *Foto: Edwin Smith. Mit frdl. Erl. der Treuhänder des Britischen Museums*
111 Kalksteintafel aus Kish mit Bilderschrift um 3500 v.Chr. *Department of Antiquities, Ashmolean Museum, Oxford*
112 Det Zikkurat von Ur. *Mit frdl. Erl. der Treuhänder des Britischen Museums*
113 Statue des Priesters Dudu; 3. Jahrtausend v.Chr. *Baghdad, Irakisches Museum. Mit frdl. Erl. der Generaldirektion der Altertümerverwaltung des Irak*
114 Lebensgroßer Bronzekopf eines akkadischen Königs aus Ninive; frühes 3. Jahrt. v.Chr. *Baghdad, Irakisches Museum. Mit frdl. Erl. der Generaldirektion der Altertümerverwaltung des Irak*
116 Assyrische Truppen im Angriff auf eine Stadt. Detail aus einem Relief vom Palast Tiglatpilesers III. in Nimrud, 8. Jh. v.Chr. *Mit frdl. Erl. der Treuhänder des Britischen Museums*

318

213 *oben:* Chirurgische Nähte in Pergament als Anschauungsmaterial für Medizinstudenten in Nürnberg im Jahre 1732. *Foto mit frdl. Erl. des Germanischen National-Museums in Nürnberg*
213 *unten:* Bronzenadel aus Luristan mit Darstellung einer Geburt. Erstes Jahrtausend v. Chr. *Paris, Privatbesitz. Foto: Thames & Hudson Archive*
214 Indisches Instrument zur Geburtshilfe. *Aus T. Meyer-Steineg, Jenaer Medizinhistorische Beiträge Nr. 9, 1916. Mit frdl. Erl. des Gustav Fischer Verlags, Stuttgart*
215 Gehörnte, dreiköpfige Göttin in Yogahaltung. Steatitsiegel aus Mohendscho-daro. *Foto mit frdl. Erl. von Sir Mortimer Wheeler*
216 Hellenistische Statue des zur Buße fastenden Buddha aus Gandhara, 2.-4. Jh. v. Chr. *Zentralmuseum, Lahore, Pakistan*
217 Felsen in Girnar bei Dschunagadh in der Provinz Gudscharat mit der Inschrift von Edikten des Königs Aschoka über die ärztliche Behandlung seiner Untertanen. 3. Jh. v. Chr. *Foto mit frdl. Erl. der CIBA GmbH., Basel*

CHINA

223 Die Große Mauer Chinas; Blick durch eine Ausfallpforte bei Peking. *Foto: William Watson*
225 Orakelknochen mit Inschrift in archaischer chinesischer Schrift um 1500 v. Chr. *Mit frdl. Erl. der Treuhänder des Britischen Museums*
226 Grab der Shang-Dynastie bei Anyang; Mittelgrube für den Sarg des Herrschers mit Skeletten von Menschen und Pferden. *Foto mit frdl. Erl. der Britain-China Friendship Association*
227 *Mitte:* Weingefäß aus Bronze in Gestalt einer Eule, Shang-Dynastie. *Mit frdl. Erl. der Treuhänder des Britischen Museums*
227 *rechts:* Ritualbronze der Shang-Dynastie. *Musée Cernuschi, Paris*
228 Bronzefigur eines Bediensteten. Späte Chou-Zeit. 5.-frühes 4. Jh. v. Chr. *Mit frdl. Erl. der Treuhänder des Britischen Museums*
229 Konfuzius mit einem seiner Schüler. Aus einem chinesischen Album des 19. Jh. mit Szenen aus dem Leben des Konfuzius und des Meng-tse. *Mit frdl. Erl. der Treuhänder des Britischen Museums*
230 Schlacht an der Brücke. Abreibung von einem Grabrelief in Nord-China. Han-Dynastie. *Aus Edouard Charannes, Mission archéologique dans la chine septentrionale, Paris 1909*
231 Ankunft der Gäste bei einer Trauerfeier. Grabgemälde von Liao-yang in der Mandschurei; Han-Dynastie. *Aus The Great Heritage of Chinese Art, Bd. II, Peking 1952*
232 Bemaltes Tonmodell eines Hauses. Han-Dynastie. *Nelson Gallery, Atkins Museum, Kansas City*
233 Angebliches Porträt des legendären Kaisers Shen-nung, aus dem frühen 3. Jahrtausend v. Chr. *Aus einer chinesischen Enzyklopädie, dem San-ts'ai t'u-hui, 1607. Foto: Thames & Hudson Archive*
234 *oben:* Angebliches Porträt des legendären chinesischen Kaisers Huang Ti, auch «Gelber Kaiser» genannt. *Aus dem San-ts'ai t'u-hui, 1607. Foto: Thames & Hudson Archive*
234 *unten:* Orakelknochen mit Sprüngen zur Deutung der Zukunft. Um 1500 v. Chr. *Mit frdl. Erl. der Treuhänder des Britischen Museums*
235 *oben:* Keramikfigurine eines Schamanen; Han-Dynastie. *Mit frdl. Erl. der Treuhänder des Britischen Museums*
235 *unten:* Diagramm zur Darstellung der Verbrennungsvorgänge im menschlichen Körper. *Aus dem klassischen Werk der chinesischen Medizin I-tsung-chin-chien (Der goldene Spiegel der Medizin) von 1749 (Neudruck von 1956-1957). Foto: Thames & Hudson Archive*

236/237 Sechs Holzschnittillustrationen verschiedener Organe des menschlichen Körpers. a) Lungen; b) und c) Herz; d) Dickdarm; e) Leber; f) Magen. *Aus dem San-ts'ai t'u-hui, 1607. Foto: Thames & Hudson Archive*
238 Phantasiedarstellung hervorragender chinesischer Ärzte von Dr. P. K. Liang. *Aus Edward H. Hume, The Chinese Way in Medicine, 1940. Mit frdl. Erl. der John Hopkins Press, Baltimore, USA*
239 a) Diagramm mit Darstellung der verschiedenen Regionen des Pulses, die den chinesischen Ärzten zur Diagnose dienten. *Aus dem chines. Werk «Der goldene Spiegel der Medizin». Foto: Thames & Hudson Archive*
239 b) Diagramm mit Darstellung der richtigen Methode des Pulsfühlens. *Aus der chines. Enzyklopädie San-ts'ai t'u-hui, 1607. Foto: Thames & Hudson Archive*
240 Schaubild zur Akupunktur mit Angabe der verschiedenen, gemäß der jeweiligen Krankheit zu behandelnden Teile des Körpers. *Aus Fr. Hübotter, Die Chinesische Medizin etc., Leipzig 1929*
241 Lebensgroßes Bronzemodell eines Mannes zur Demonstration des Akupunkturverfahrens; 11. Jh. n. Chr. *Aus Laignel-Lavastine, Histoire générale de la médecine, Bd. I, Paris 1936. Mit frdl. Erl. von Albin Michel, Paris*
243 Blatt aus einem chinesischen Kräuterbuch mit Darstellung von vier Heilpflanzen. Oben links: Bacopa monniera; oben rechts: Dicksonia barometz; unten links: Poligala tenuifolia; unten rechts: Aspidium falcatum. *Aus dem Pen Tsao Kang Mu (1597). Foto: Thames & Hudson Archive*
244 Ginsengwurzel; Holzschnitt aus dem Pen Tsao Kang Mu. *Foto: Thames & Hudson Archive*
245 *oben:* An Pocken erkranktes Mädchen. Chinesische Miniatur des 18. Jh. *Bibliothèque National, Paris, ms. chinois 5224; mit frdl. Erl.*
245 Chinesischer Wundarzt operiert einen General. *Von einem alten chinesischen Holzdruck. Foto: Thames & Hudson Archive*

MEXIKO

251 Tenochtitlan, die aztekische Hauptstadt, zur Zeit der spanischen Eroberung. *Rekonstruktion von Ignacio Marquina. Foto mit frdl. Erl. des American Museum of Natural History, New York*
253 *oben:* «Adlerkrieger». Kopf in Stein eines aztekischen Kriegers mit Hauptschmuck. *Nationalmuseum, Mexico City. Foto: Ferdinand Anton, München*
253 *unten:* Moctezuma, der Kaiser der Azteken zur Zeit der spanischen Eroberung. *Aus dem Codex Vaticanus A (Codex Ríos), 16. Jh., Vatikanische Bibliothek, Rom. Nach einem Faksimile von 1900. Foto: Thames & Hudson Archive*
254 *oben:* Ansicht der Ruinen der Mayastadt Tikal in Guatemala. *Gemälde von Carlos Vierra. Foto mit frdl. Erl. des Museum of Man, San Diego, Kalifornien*
254 *unten:* Ansicht der Ruinen der Mayastadt Copán in Honduras. *Gemälde von Carlos Vierra. Foto mit frdl. Erl. des Museum of Man, San Diego, Kalifornien*
255 Seite aus einer Mayahandschrift (Codex Trocortesianus). *Museo de America, Madrid*
256 *oben:* Luftbild der Mayatempel von Palenque auf Yucatan. *Foto mit frdl. Erl. von Victor von Hagen*
256 *unten:* Palenque: der «Inschriftentempel». *Foto mit frdl. Erl. des Peabody Museum, Harvard University, Cambridge, Mass.*
257 Die Maya-«Akropolis» von Piedras Negras. *Rekonstruktion von Tatiana Proskouriakoff aus An Album of Maya Architecture, Washington 1946. Mit frdl. Erl. der Carnegie Institution, Washington D. C.*

258 *oben:* Chichen Itza auf Yucatan; Blick auf den sog. «Caracol», ein Maya-Rundbau, wohl einst eine Sternwarte. *Foto mit frdl. Erl. des Peabody Museum, Harvard University, Cambridge, Mass.*

258 *unten:* Relief auf einem Altarstein in Copan, darstellend eine Versammlung von Würdenträgern der Maya bei einer astronomischen Konferenz. *Foto: Alfred Maudslay. Mit frdl. Erl. der Treuhänder des Britischen Museums*

259 Kolossaler Basaltkopf von La Venta im Staate Tabasco, Mexiko. Olmekische Kultur (ca. 600 bis 400 v. Chr.). *Foto: Irmgard Groth-Kimball*

261 *oben:* Olmekischer Jadekopf aus Tabasco. *Früher Museum für Völkerkunde, Berlin. Aus W. Krickeberg, Altmexikanische Kulturen, Berlin 1956. Mit frdl. Erl. des Safari-Verlages, Berlin*

261 *unten:* Olmekische Zeremonialaxt aus Jade. *Britisches Museum, London, mit frdl. Genehmigung der Treuhänder*

262 Tonfigürchen aus Nayarit, Darstellung eines durch Unterernährung ausgemergelten Menschen (Rückansicht). *Sammlung Dr. Abner L. Weisman, New York. Foto: Bernard Cole*

263 *oben links:* Mexikanische Tonfigur, darstellend eine unterernährte Mutter mit krankem Neugeborenen. *Sammlung Dr. Abner L. Weisman, New York. Foto: Bernard Cole*

263 *oben rechts:* Säbelbeinige Figurinen aus Jalisco, Darstellung rachitischer Veränderungen als Folge von chronischem Vitaminmangel. *Sammlung Dr. Abner L. Weisman, New York. Foto: Bernard Cole*

263 *rechts Mitte:* Figur eines Mannes mit Elephantiasis des rechten Unterschenkels. *Sammlung Dr. Abner L. Weisman, New York. Foto: Bernard Cole*

263 *unten:* Figur eines Mannes, der an Wassersucht leidet, mit der typischen Todesblase vor dem Mund. *Sammlung Dr. Abner L. Weisman, New York. Foto: Bernard Cole*

264 Figur eines Mannes mit Gonorrhöe und sekundärer Narbenbildung. *Sammlung Dr. Abner L. Weisman, New York. Foto: Bernard Cole*

265 *oben:* Mexikanisches Tonfigürchen einer Frau mit wahrscheinlich leprös deformierten Lippen und Geschwüren am Körper. *Foto mit frdl. Erl. des Museo de Antropologia, Mexico City*

265 *Mitte:* Figur einer Frau mit Kaiserschnitt, Darstellung von Symptomen einer präeklamptischen Vergiftung mit Schwellung der Augenlider. *Sammlung Dr. Abner L. Weisman, New York. Foto: Bernard Cole*

266 *oben:* Beilförmige Steinskulptur eines Kopfes mit Hasenscharte. Tajin-Kultur, Vera Cruz, Mexiko. *Foto mit frdl. Erl. des Museums für Völkerkunde, München*

266 *unten:* Maya-Keramik eines Mannes mit Gesichtslähmung und geschwollenem linken Auge. *Foto mit frdl. Erl. des Museo de Antropologia, Mexico City*

267 *oben:* Die aztekische Erdmutter und Göttin der Fruchtbarkeit, Tlazolteotl, mit deformierten und durchbohrten Lippen, Blut speiend. *Aus dem Codex Vaticanus B; Vatikanische Bibliothek, Rom. Foto nach einem Faksimile von 1898. Thames & Hudson Archive*

267 *unten rechts:* Bemalte Tonfigur des Gottes Xochipilli, des «Blumenfürsten» aus Oaxaca. *Aus Mexican and Central American Antiquities Bulletin 28 of the Bureau of American Ethnology, Washington D.C. 1904*

267 *unten links:* Der Schreckensgott Xolotl, dargestellt als Kranker mit deformierten Gliedern. *Aus dem Codex Borgia; Vatikanische Bibliothek, Rom. Foto nach einem Faksimile von 1898: Thames & Hudson Archive*

268 Darstellung eines Menschenopfers, aus der Zeit nach der spanischen Eroberung. *Aus dem Codex Vaticanus A (Codex Rios); Vatikanische Bibliothek, Rom. Foto nach dem Faksimile von 1900: Thames & Hudson Archive*

269 Porträt des spanischen Arztes Nicolaus Monardes (1512–1588). *Von der Titelseite seines Buches Cosas che traen de nuestras Indias Occidentales que sirven al uso de la medicina, Sevilla 1569*

269 Sarsaparilla. Holzschnitt aus: *Francisco Hernandez, Rerum medicarum Novae Hispaniae Thesaurus, Rom 1649. Foto: Thames & Hudson Archive*

270 Aztekisches Dampfbad. Aus dem nach der spanischen Eroberung entstandenen *Codex Magliabecchiano, XIII – 3. Bibliotheca Nazionale, Florenz. Foto: Thames & Hudson Archive, nach dem Faksimile von 1904*

271 *oben:* Zeichnung der mexikanischen Kaktus-Pflanze Peyotl, von den Azteken als Rausch- und Betäubungsmittel benutzt. *Eigene Zeichnung*

271 *unten:* Raucher von Tabakrollen, den Vorläufern unserer Zigarren. Zeichnung aus dem «Codex Florentino» der «Historia de las Casas de Nueva España», einer Schilderung des aztekischen Lebens aus dem 16. Jh. von Fray Bernardino de Sahagún. *Foto Thames & Hudson Archive, aus einer Ausgabe mit Wiedergabe der Original-Illustrationen, Madrid 1905*

272 Spritze, Ball und Ring aus Gummi, von Eingeborenen aus Guayana. *Aus Pierre Barrère, Nouvelle Relation de la France Equinoxiale, Paris 1743. Foto: Thames & Hudson Archive*

273 *oben links:* Runde Markierung aus Stein für den Ballhof, darstellend einen Spieler. Chiapas, frühe Maya-Kultur. *National Museum, Mexico City. Foto: Ferdinand Anton*

273 *oben rechts:* Der Hof und Ort des Ballspiels von Monte Alban. *Foto mit frdl. Erl. des Peabody Museum, Harvard University, Cambridge, Mass.*

273 *unten rechts:* Kakaopflanze. Holzschnitt aus dem Kräuterbuch des Francisco Hernandez, *op. cit. Foto: Thames & Hudson Archive*

PERU

275 Die Ruinen von Pachacamac nach einem Stich des 19. Jh. *Aus J. J. Tschudi u. E. de Rivero, Antiguedadas peruanas, Wien 1851. Foto: Thames & Hudson Archive*

276 *oben links:* Atahualpa, der letzte der Inkaherrscher. *Radio Times Hulton Picture Library*

276 *unten links:* Ein Quipu, aus Schnüren zusammengeknotet, als Hilfsmittel zum Zählen und Rechnen. *Foto mit frdl. Erl. des Museums für Völkerkunde, Berlin*

276/277 Die Wälle der Chimu-Festung von Paramonga an der Küste Perus. *Foto mit frdl. Erl. von Professor Hermann Trimborn*

277 Luftbild des Hauptgebäudekomplexes in der Chimu-Hauptstadt von Chan-chan. *Foto mit frdl. Erl. der American Geographical Society*

278 Das Sonnentor von Tihuanaco in Süd-Peru mit reichen Skulpturen. *Foto: A. Costa*

279 Zwei Ansichten des Nazca-Tales aus der Luft, die geometrische Markierungen in der Wüste erkennen lassen
oben: Foto von Hans Mann
unten: Aus Ivar Lissner, So habt ihr gelebt, Freiburg im Breisgau 1960

280 *oben:* Eine Reihe von Steinen mit Einritzungen von einem Chavín-Tempel bei Cerro Sechín. *Foto: Hans Mann*

280 *unten:* Rekonstruktion eines Chavín-Tempels im nördlichen Peru. *Zeichnung nach Rojas Ponce*

281 *links:* Raubkatzengott der Chavín-Kultur. *Zeichnung nach einem Relief in Chavín de Huantar*

281 *rechts:* aus Stein geschnittene Schale in der Gestalt eines Pumas, aus Chavín de Huantar. *Foto mit frdl. Erl. des Universitätsmuseums der Pennsylvania University, Philadelphia*

322

282 *oben:* Luftbild einer Mochica-Pyramide an einer Inka-Straße in der Nähe der peruanischen Küste bei Trujillo. *Foto mit frdl. Erl. der Wenner-Gren-Stiftung*

282 *unten:* Blick auf die Mochica-Pyramide im Moche-Tal, erbaut aus luftgetrockneten Ziegeln. *Foto mit frdl. Erl. von Professor Hermann Trimborn*

283 *oben:* Mochica-Porträt-Vase mit Bügeltülle. *Foto mit frdl. Erl. des Museums für Völkerkunde, München*

283 *unten:* Mochica-Porträt-Vase eines Mannes mit einem Jaguarkopf als Hauptschmuck. *Britisches Museum, London; mit frdl. Erl. der Treuhänder*

284 *oben:* Ritualszene, darstellend einen Beter und Kokaesser unter den Sternen und der Himmelsschlange. *Auf einer Mochica-Vase im Linden-Museum, Stuttgart. Aus Gerdt Kutscher, Chimu, 1950*

284 *oben links:* Mochica-Vase mit Bügeltülle und Bild eines Kriegers. *Foto mit frdl. Erl. des Musée de l'Homme, Paris*

284 *Mitte:* Jagdszene von einer Mochica-Vase *im Ethnographischen Museum, Berlin. Aus Gerdt Kutscher, Nordperuanische Keramik, 1954*

284 *unten:* Peruanische Schlachtenszene von einer Mochica-Vase *im Ethnographischen Museum, Hamburg. Aus Gerdt Kutscher, op. cit.*

285 *oben:* Mochica-Vase mit Bügeltülle, in der Gestalt eines Lamareiters. *Foto mit frdl. Erl. des Linden-Museums, Stuttgart*

285 *Mitte oben:* Mochica-Keramik, darstellend eine Mutter mit Kind. *Foto mit frdl. Erl. des Musée de l'Homme, Paris*

285 *Mitte unten:* Mochica-Vase mit Bügeltülle in der Form einer Behausung. *Foto mit frdl. Erl. des Linden-Museums, Stuttgart*

285 *unten links:* Küstenindianer in einem Fischerboot aus Balsaholz. Zeichnung nach einer Mochica-Vase. *Nach A. Baessler, Ancient Peruvian Art, 1903*

285 *unten rechts:* Indianer jagt Ohrenrobbe mit dem Speer. Zeichnung nach einer Mochica-Vase. *Nach Jiménez Borja*

286 Mochica-Porträt-Vase eines auf einem Auge blinden Mannes. *Britisches Museum, London; mit frdl. Erl. der Treuhänder*

287 Mochica-Vase mit Bügeltülle, darstellend einen blinden Mann. *Foto mit frdl. Erl. des Museums für Völkerkunde, Berlin*

287 *unten links:* Mochica-Porträt-Vase eines an Fettsucht leidenden Mannes. *Foto mit frdl. Erl. der CIBA GmbH., Basel*

287 *unten rechts:* Mochica-Vase, darstellend einen Mann mit geschwollener Wange. *Foto mit frdl. Erl. der CIBA GmbH., Basel*

288 Mochica-Keramik eines an Lepra leidenden sitzenden Mannes. *Foto mit frdl. Erl. des Museums für Völkerkunde, Berlin*

289 *oben:* Mochica-Keramik eines an schwerer Leprose im Tertiärstadium leidenden Mannes. *Aus der Sammlung Dr. Abner L. Weisman, New York; Foto: Bernard Cole*

289 *unten:* Mochica-Keramik eines Männerkopfes mit Symptomen einer Gesichtslähmung. *Foto mit frdl. Erl. des Museums für Völkerkunde, Berlin*

290 *oben:* Mochica-Tonfigur eines mit Verruga-Geschwüren behafteten Mannes. *Ehemals im Museum für Völkerkunde, Berlin. Nach E. Hollaender, Medizin und Plastik, Stuttgart, 1912*

290 *unten:* Mochica-Vase mit Darstellung eines Priesters oder Arztes am Lager des Kranken. *Mit frdl. Erl. des Museums für Völkerkunde, Berlin*

291 Zeichnung von Inka-Kriegern bei der Austreibung böser Geister während eines Festes. *Aus dem illustrierten Manuskript des im 16. Jh. spanisch schreibenden Inka-Abkömmlings Felipe Guamán Poma de Ayala, Nueva Cronica y Buen Gobierno, Paris 1936*

292 Beschwörer-Ärzte zählen die guten und schlechten Taten ihrer Patienten auf. *Aus Poma de Ayala, op. cit.*

294 *oben:* Eine Cocapflanze. *Aus The Garden, Bd. 9, 1876*

294 *unten:* Bemalter Topf der Nazca-Kultur mit Cocapflanzen im Muster. *Foto mit frdl. Erl. des Musée de l'Homme, Paris*

295 *oben:* Porträt-Vase eines Coca kauenden Mannes. *Foto mit frdl. Erl. des Museums für Völkerkunde, Basel*

295 *unten:* Mochica-Keramik aus Trujillo, darstellend einen Mann mit Gummispritze. *Aus Max Schmidt: Kunst und Kultur von Peru, Berlin 1929*

296 a) Mochica-Figur eines Mannes mit amputiertem Fuß, auf einem Lama reitend. b) und c) Mochica-Figuren von an beiden Füßen amputierten Männern. *Eigene Nachzeichnung nach von Hagen*

297 *oben:* Mochica-Keramik eines an beiden Füßen amputierten Mannes. *Foto mit frdl. Erl. des Museums für Völkerkunde, Berlin*

297 *unten:* Skizze der Unterseite eines als Gefäß gearbeiteten Mochica-Figürchens, darstellend einen an einem Fuß amputierten Mann. *Eigene Zeichnung*

298 Mochica-Vase mit Darstellung zweier, ein Kind in einer Bahre tragender Männer. *Eigene Zeichnung nach von Hagen*

299 Darstellung von Hebammen bei der Geburtshilfe von einer Mochica-Vase mit Bügeltülle. *Foto mit frdl. Erl. des Museums für Völkerkunde, Berlin*

300 Der erste gefundene trepanierte peruanische Schädel. *Aus E. G. Squier, Peru – Incidents of travel and exploration in the land of the Incas, London 1877*

301 Zwei trepanierte Schädel aus Megalithgräbern in Dänemark. *Foto mit frdl. Erl. des Nationalmuseums Kopenhagen*

302 *oben:* Zeichnung einer von Squier in Pachacamac entdeckten Mumie. *Nach E. G. Squier, op. cit.*

302 *unten:* Peruanische Mumie in ihrer Hülle. *Foto mit frdl. Erl. des Museums für Völkerkunde, Wien*

303 *oben:* Schädel eines erwachsenen Mannes aus dem peruanischen Hochland mit Knochenkrebs. *Aus dem American Journal of Physical Anthropology, Bd. VI, Nr. 3, 1923, Tafel XXXIX*

303 *unten und* 304 Ausschnitte aus Fotografien von vier trepanierten Schädeln, gefunden in Pachacamac und Patallacta durch den amerikanischen Anthropologen George Mac Curdy. *Foto: Thames & Hudson Archive*

305 *rechts oben:* Darstellung einer Trepanation auf einer Mochica-Vase. *Nationalmuseum, Lima*

305 *links unten:* Detail aus der Trepanationsdarstellung der obigen Vase. *Fotos mit frdl. Erl. von Dr. A. Earl Walker und der Williams & Wikins Company, Baltimore, Maryland*

306 Darstellungen peruanischer chirurgischer Instrumente: a) Trepanationswerkzeug aus Obsidian; b) c) d) Skalpelle aus Bronze in verschiedener Größe. a) *Eigene Zeichnung nach A. Earl Walker.* b) c) d) *Eigene Zeichnung nach von Hagen*

307 *rechts oben:* a) Peruanisches Tumi: Bronzemesser für Durchtrennung des Schädelknochens. *Foto mit frdl. Erl. des Museums für Völkerkunde, Hamburg*

307 *links oben:* b) Detail vom Handgriff eines Tumis mit Darstellung einer Trepanation mittels eines Tumis. *Foto mit frdl. Erl. des Museums für Völkerkunde, Hamburg*

307 *unten:* Peruanischer Schädel aus dem Nazca-Tal mit Spuren einer Trepanation und Bandagen. *Foto mit frdl. Erl. des Museum of Man, San Diego, Kalifornien*

308 Schädeloperation mit altperuanischen Instrumenten im Jahre 1962 durch Dr. Franciso Grana in Lima. *Archiv der Hall of Fame, Museum des International College of Surgeons, Chicago. Mit frdl. Erl. von Dr. Anatole Jaro*

FARBTAFELN

Andere wichtige Bücher von
Jürgen Thorwald

1949   Es begann an der Weichsel   160. Tausend
1950   Das Ende an der Elbe   120. Tausend

1962   Die große Flucht
(Illustrierte Ausgabe von «Es begann an der Weichsel» und
«Das Ende an der Elbe»)

1956   Das Jahrhundert der Chirurgen   414. Tausend
1958   Das Weltreich der Chirurgen   380. Tausend

1960   Die Entlassung — *Das Ende des Chirurgen*
Ferdinand Sauerbruch — Originalausgabe 25. Tausend
Taschenbuchausgabe 55. Tausend